ENCYCLOPÉDIE DES

FROMAGES

ENCYCLOPÉDIE DES FROMAGES

Préface de **Joël Robuchon**

Texte de **Kazuko Masui** et **Tomoko Yamada**
Photographies de **Yohei Maruyama**
Adaptation française de **Emmanuelle Pingault**
Révision de **Chihiro Masui Black**

GRÜND

UN LIVRE DORLING KINDERSLEY

Texte : Kazuko Masui et Tomoko Yamada
Adaptation française : Emmanuelle Pingault
Révision : Chihiro Masui Black
Photographies : Yohei Maruyama
Préface : Joël Robuchon
Consultants : Marie-Anne Cantin – Randolph Hodgson
Secrétariat d'édition : Ivana Losco, assistée de Sophie Lelouey

Première édition française 1997 par Librairie Gründ, Paris
© 1997 Librairie Gründ pour l'édition française
ISBN : 2-7000-2027-8
Dépôt légal : septembre 1997
Édition 1996 Dorling Kindersley Limited, Londres
sous le titre *French cheeses*
© 1996 Dorling Kindersley Limited, London
© 1993 Bungeishunju Ltd. pour l'édition originale japonaise
© 1996 Chihiro Masui Black et Gerd Christian Seeber pour le texte anglais

PAO : Le vent se lève..., 16210 Chalais
Imprimé à Singapour

NOTE RELATIVE AUX CARACTÉRISTIQUES
Tous les efforts ont été faits afin de garantir l'exactitude
des informations. Cependant des modifications peuvent intervenir
à tout moment dans l'attribution des AOC.

Sommaire

Préface

Enfin ! Ai-je envie de m'exclamer !

Car à ma connaissance, si toutes sortes de guides de fromages ont été publiés, dont celui admirable de Pierre Androuët, aucun n'avait jamais fait l'objet d'autant de photos précieuses pour l'identification et le choix d'un fromage affiné à souhait.

Cette encyclopédie s'adresse aux gens de qualité, aux amateurs et aux gourmands de fromages. Il vous conviera à un voyage aussi complet que possible, bien sûr dans toutes les régions de France, mais aussi certaines d'Europe, qui vous apprendra tout ce que vous devez savoir sur le fromage et vous aidera dans votre choix. Il est en effet indispensable d'avoir une connaissance experte du produit pour pouvoir en apprécier les saveurs franches et authentiques. Il sera le manuel, le guide sûr de l'amphitryon qui veut tenir bonne table : il est capable d'éduquer celui qui désire bien recevoir, car il l'initiera de façon rationnelle aux secrets des fromages. Les connaisseurs le liront avec intérêt et plaisir. Les amateurs le placeront sur quelque rayon choyé de leur bibliothèque et le consulteront à chaque occasion.

En écrivant cette préface, j'ai l'impression de remplir un devoir de reconnaissance envers ce joyau de la table. Oui, j'aime le fromage, ce merveilleux produit inscrit dans la grande triade avec le pain et le vin.

Depuis la nuit des temps, le fromage est présent dans notre alimentation. Devenu mets national français, il est le reflet de la nature autant que de l'histoire des hommes. Il a une signification naturelle et culturelle. Il reste un concentré de l'aliment de vie qu'est le lait, dont il permet de conserver les vertus. L'étendue de la gamme des fromages qui, au début de notre ère, retint déjà l'atten-

Des fromages de toutes les régions
Les vingt-deux régions françaises produisent plus de 500 fromages au lait de brebis, de chèvre et de vache.

tion naturaliste de Pline l'Ancien, devait atteindre son apogée en France où elle reflète à la fois la diversité des terroirs et de leurs productions issues des multiples variations sur les thèmes anciens de l'art laitier d'un lointain passé et celles des institutions sociales, économiques qui s'y développèrent ; l'exemple des fromageries monastériennes ou celui des avatars redevanciers des tommes, reblochons, ou têtes-de-moines ont pu le montrer.

Pour conclure, qu'y a-t-il de plus agréable, de plus enrichissant et de plus satisfaisant que l'art de savoir soi-même choisir tel fromage plutôt que tel autre pour mieux l'apprécier, mieux le comprendre ?

JOËL ROBUCHON

Comment utiliser ce livre

Cet ouvrage est un guide pratique qui vous aidera à identifier et à choisir les fromages français chez vous, chez votre commerçant ou en déplacement à travers la France. Plus de 350 fromages y sont présentés par ordre alphabétique. Certains fromages appartenant à une même famille font l'objet d'une description groupée. Pour chaque fromage, vous trouverez des détails sur son lieu de production, son aspect, son odeur et son goût. Plusieurs encadrés thématiques, répartis au fil des pages, apportent en outre des informations complémentaires.

À la fin de l'ouvrage, un bref glossaire explique quelques termes techniques ; il est complété par une liste de revendeurs et de marchés spécialisés dans le fromage. Les dernières pages sont occupées par un index détaillé indiquant où chacun des fromages présentés dans le guide a été acheté.

TITRE COURANT
Une simple lettre ou le nom d'un groupe de fromages indique dans quelle section alphabétique vous vous trouvez.

PASTILLE DE COULEUR
Le mode de production est symbolisé par une pastille (légende page ci-contre). Lorsque plusieurs fromages produits différemment figurent sur la même page, il apparaît autant de pastilles que nécessaire.

CARTE
Chaque fiche comporte une carte sur laquelle un point rouge désigne le lieu d'origine du fromage.

LIGNE POINTILLÉE
Les fiches sont délimitées par une ligne continue. Dans le cas de fromages voisins ou appartenant à la même famille, cette ligne est pointillée.

TYPE DE LAIT
Le type de lait utilisé (cru, pasteurisé, entier) est précisé en clair sous la ou les tête(s) de l'animal laitier. La mention « variable » signifie qu'aucun type de lait particulier n'est spécifié. Vous trouverez des détails sur le lait en page 135.

RÉGION ET DÉPARTEMENT(S)
La région d'origine est précisée à droite de la carte, voir aussi la carte des pages 16-17.

TRIANGLE
Une ligne continue suivie d'un triangle bleu clôt chaque série de fiches groupées.

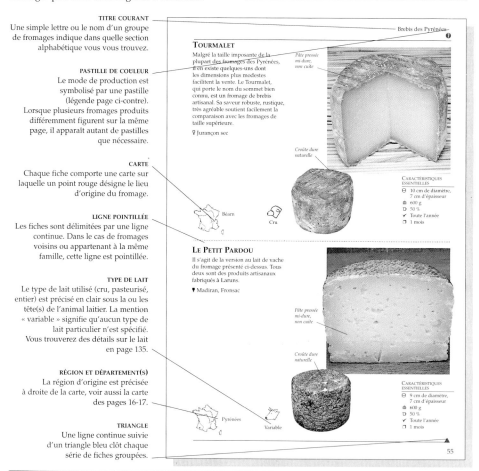

Brebis des Pyrénées

TOURMALET
Malgré la taille imposante de la plupart des fromages des Pyrénées, il en existe quelques-uns dont les dimensions plus modestes facilitent la vente. Le Tourmalet, qui porte le nom du sommet bien connu, est un fromage de brebis artisanal. Sa saveur robuste, rustique, très agréable soutient facilement la comparaison avec les fromages de taille supérieure.

♀ Jurançon sec

Pâte pressée mi-dure, non cuite

Croûte dure naturelle

CARACTÉRISTIQUES ESSENTIELLES
⊖ 10 cm de diamètre, 7 cm d'épaisseur
⊕ 600 g
◻ 50 %
✔ Toute l'année
◻ 1 mois

Béarn

Cru

LE PETIT PARDOU
Il s'agit de la version au lait de vache du fromage présenté ci-dessus. Tous deux sont des produits artisanaux fabriqués à Laruns.

♀ Madiran, Fronsac

Pâte pressée mi-dure, non cuite

Croûte dure naturelle

CARACTÉRISTIQUES ESSENTIELLES
⊖ 9 cm de diamètre, 7 cm d'épaisseur
⊕ 600 g
◻ 50 %
✔ Toute l'année
◻ 1 mois

Pyrénées

Variable

C

CAMEMBERT DE NORMANDIE (AOC)

Le Camembert est partout synonyme de fromage français. Avant d'obtenir son AOC en 1983, il était déjà le plus copié au monde. Comment choisir un Camembert : forme parfaite, croûte fleurie blanche striée ou tachée de rouille. La pâte doit être jaune crème, souple au toucher. Il doit dégager une légère odeur de moisissure. En Normandie, on préfère le déguster mi-fait, lorsque le « filet » (le cœur) est encore blanc et non crémeux.

À l'intérieur de la zone d'AOC, on produit des Camemberts laitiers et industriels, dont l'affinage dure au moins 21 jours à compter de la date de fabrication. Il est devenu difficile de trouver un bon depuis quelques temps, un jeune agriculteur a repris la production du Camembert fermier, mais n'a pas encore obtenu le label AOC (p. 64).

❦ Saint-Émilion, Saint-Estèphe

Croûte fleurie avec affleurements rouille

SPÉCIFICATIONS DE L'AOC : CAMEMBERT DE NORMANDIE

1. Il est interdit d'ajouter au lait du lait concentré ou en poudre, des protéines lactiques ou des colorants.

2. Le lait ne doit pas être porté à plus de 37 °C.

3. La masse du caillé doit être coupée verticalement.

4. Le caillé doit être moulé à l'aide d'une louche de même diamètre que le moule, en quatre fois au moins (pp. 64-65).

5. Le salage se fait exclusivement au sel sec.

6. Les fromages salés doivent être entreposés en hâloir à une température comprise entre 10 et 14 °C. Avant d'être emballés dans leur boîte caractéristique en bois, ils peuvent être rangés sur des planches, dans des caves à 8 ou 9 °C.

7. Seuls les fromages AOC peuvent faire figurer sur leur étiquette les mots « fabrication traditionnelle au lait cru avec moulage à la louche ». La mention « fabriqué en Normandie » est réservée aux fromages normands n'ayant pas droit à l'AOC.

CARACTÉRISTIQUES ESSENTIELLES
- ⊖ 10,5 à 11 cm de diamètre, 3 cm d'épaisseur
- ⊕ 250 g minimum
- ♣ 215 g par fromage
- ⊡ 45 % minimum
- ✓ Toute l'année

Normandie

Cru

AOC DÉLIVRÉE EN 1983

66

LE TYPE DE LAIT

Une tête de vache, de brebis ou de chèvre indique quel animal donne le lait utilisé pour chaque fromage. Quand plus d'un type de lait est employé, plusieurs symboles apparaissent.

NOM DU FROMAGE
Si un fromage est connu sous plusieurs noms, le premier est son nom local ; les autres sont ceux sous lesquels il est couramment désigné.

DESCRIPTION
Vous trouverez sous cette rubrique les informations concernant le lieu de production, l'aspect, la saveur et l'odeur de chaque fromage. Pour certains fromages AOC ou très importants, quelques détails sur la méthode de fabrication sont donnés.

LÉGENDES
Elles vous apportent des précisions supplémentaires sur l'aspect du fromage illustré.

CARACTÉRISTIQUES ESSENTIELLES
Pour chaque fromage, vous connaîtrez : dimension, forme, poids brut et net, teneur en matières grasses, meilleure période d'achat, de dégustation et le temps d'affinage (voir légende).

SPÉCIFICATIONS DE L'AOC
Ces encadrés résument les principales règles auxquelles est soumise la production en vue de l'obtention d'une appellation d'origine (p. 77).

LÉGENDE DES CARACTÉRISTIQUES ESSENTIELLES

- ⊖ Forme
- ⊕ Poids
- ♣ Matière sèche, c'est-à-dire poids du fromage débarrassé de son eau
- ⊡ Teneur en matières grasses. La mention « variable » signifie que la teneur en matières grasses n'est pas spécifiée
- ✓ Période de l'année durant laquelle le fromage se déguste
- ⊓ Affinage

BOISSONS CONSEILLÉES

- 🍺 Bière ou cidre
- 🥂 Champagne
- ☕ Café
- 🍷 Vin rouge
- 🍸 Vin blanc ou rosé
- 🥃 Spiritueux (par ex. : marc)

LÉGENDE DES PASTILLES DE COULEUR

Les pastilles de couleur figurant en tête de page vous apprennent en un instant le mode de fabrication du fromage.

1. Fromage frais sans croûte, façonné et malaxé mais non affiné. Ex. : les fromages frais, pp. 143–147

2. Fromage à pâte molle et à croûte fleurie. Ex. : le Camembert, p. 66

3. Fromage à pâte molle et à croûte lavée. Ex. : le Munster, p. 158

4. Fromage à pâte molle non pressée et non cuite, à croûte naturelle parfois cendrée. Ex. : certains chèvres, p. 78–111

5. Fromage à pâte persillée. Ex. : les bleus, p. 29–35

7. Fromage à pâte pressée non cuite et à croûte lavée. Ex. : le Saint-Nectaire, p. 184

8. Fromage à pâte pressée non cuite, à croûte lavée et paraffinée. Ex. : les fromages d'abbaye tels que le Port-du-Salut, p. 173

9. Fromage à pâte pressée cuite. Ex. : le Beaufort, p. 26

10. Fromage frais au petit-lait. Ex. : le brocciu, p. 116

11. Spécialité à base de fromage. Ex. : le fromage fort, pp. 140–142

Les origines du fromage

« Repose-toi avec moi sur l'herbe verte : nous avons des fruits mûrs, des châtaignes tendres, et beaucoup de fromage frais. » Virgile, 42 av. J.-C

Le fromage est l'un des plus anciens aliments manufacturés. La première trace de son existence remonte à environ 3 000 ans av. J.-C. : des documents sumériens de cette époque mentionnent déjà une vingtaine de fromages frais différents. On a découvert en Europe et en Égypte quelques débris d'ustensiles de laiterie qui semblent dater de la même période. Cependant, nul ne saurait dire avec certitude à quand remonte l'invention du fromage. La théorie la plus répandue avance que vers 10 000 av. J.-C., date de la domestication des moutons et des chèvres,

Les fromages de vache
Depuis leur domestication il y a des milliers d'années, les vaches ont été sélectionnées pour la qualité et la quantité de leur lait, destiné à la fabrication du fromage.

les bergers découvrirent les avantages de la séparation du lait fermenté en petit-lait et en caillé. Celui-ci, une fois égoutté, façonné et séché, devenait un aliment simple et nourrissant. Les fromages au lait de vache ne firent leur apparition que deux ou trois mille ans plus tard, la domestication des bovins étant beaucoup plus tardive que celle des ovins et des caprins.

Le fromage dans l'Antiquité gréco-romaine
La littérature antique, y compris l'Ancien Testament, est parcourue d'allusions au fromage et à sa fabrication. L'*Odyssée* d'Homère raconte comment, sous les yeux d'Ulysse et de ses compagnons cachés dans sa grotte, le Cyclope trait ses brebis et ses chèvres, fait cailler la moitié du lait, égoutte le caillé et le dépose dans des faisselles de jonc.

Les fromages romains

Les Romains se régalaient de fromage, soit cru, soit cuit avec du vin blanc doux et de l'huile d'olive et façonné en pains appelés *glycinas*. Dans son traité d'économie agricole daté de 60-65 apr. J.-C., Columelle explique comment fabriquer du fromage à partir de lait frais additionné de *coagulum*, c'est-à-dire de présure extraite du quatrième compartiment de l'estomac des veaux et des chevreaux, la caillette.

Le caillé était ensuite pressé pour extraire le petit-lait, puis salé et mis à durcir à l'ombre. Columelle précise que le sel, en plus de relever le goût, aide au séchage et à la conservation du fromage. Le salage était ainsi répété plusieurs fois. Le fromage terminé était lavé, séché et emballé pour l'expédition, parfois vers une caserne de l'armée, puisqu'il faisait partie de la ration quotidienne des légionnaires. On dit que César lui-même se régala d'un fromage bleu à Saint-Affrique, c'est-à-dire à quelques kilomètres de Roquefort-sur-Soulzon, où l'on fabrique encore aujourd'hui le plus réputé des bleus.

Le fromage et la langue

L'impressionnant réseau des voies romaines facilita la communication et influa sur les langues. Le mot latin *caseus* désignant le fromage a donné l'italien *cacio*, l'allemand *Käse* et l'anglais *cheese*, ainsi que l'espagnol *queso* et le portugais *queijo*. L'italien *formaggio* et le français *fromage* dérivent également du latin, mais leur racine est grecque : *formos*, faisselle.

Après l'ère romaine

Peu après la chute de l'Empire romain, les envahisseurs barbares déferlèrent sur l'Europe. Des vagues de pilleurs normands, mongols et sarrasins, suivies d'épidémies de peste bubonique, dévastèrent le continent. Les recettes et techniques fromagères mises au point au fil des millénaires se perdirent peu à peu, sauf dans quelques vallées ou monastères reculés. C'est là qu'ont pu être préservées certaines des plus anciennes méthodes de fabrication, dont nous partageons encore aujourd'hui les bienfaits.

Le fromager
On appelle fromager celui qui fabrique le fromage et celui qui le vend. Nombreux sont les artisans qui produisent et affinent leurs produits dans des exploitations familiales, suivant des traditions de génération en génération.

L'affinage à l'ancienne
Beaucoup de méthodes d'affinage remontent à plusieurs millénaires. Le but premier de l'affinage est de faire durcir le fromage afin qu'il se conserve.

Du pain, du vin, du fromage

« Le fromage est certainement le meilleur des aliments,
et le vin la meilleure des boissons. » Patience Gray, 1957

En France, le vin et le fromage ont toujours été considérés comme inséparables. Il ne faut toutefois pas oublier le pain, qui vient cimenter cette union. Existe-t-il plus grand plaisir dans la vie que de déguster un fromage fermier bien à point avec un verre de bon vin et un morceau de pain frais ? L'avantage de cette combinaison, c'est que chacun des trois éléments qui la composent se mange à l'état brut, c'est-à-dire sans préparation : cela en fait le repas rapide par excellence. Dans ces conditions, on ne s'étonnera pas que des générations de paysans s'en soient remis aux formes locales de pain, de vin et de fromage pour prendre des forces en travaillant aux champs.

Le vin et le fromage
Le meilleur vin pour accompagner votre fromage est celui qui vous plaît le mieux. En goûtant toutes sortes de combinaisons, vous affinerez vos préférences.

La « Sainte Trinité » de la table
La perfection de ce mariage a souvent fait dire aux commentateurs que le fromage, le vin et le pain formaient la Sainte Trinité de la table. L'expression est parfois attribuée à l'humaniste François Rabelais, dont les écrits reflètent un grand amour des nourritures terrestres. Né à Chinon vers 1494, il a certainement goûté aux fromages de chèvre de Touraine que nous connaissons encore.

Une baguette croustillante
La baguette, fine et craquante, est meilleure très fraîche. Accompagnée d'un généreux morceau de fromage et d'un bon vin, elle constitue un savoureux repas complet.

L'idée de Sainte Trinité était très présente à l'esprit de Rabelais, qui passa la majeure partie de son existence dans un habit de moine. Il reconnaissait pourtant que les fruits accompagnent mieux certains fromages que le pain : « Rien n'est comparable au mariage de maître fromage avec maîtresse poire. »

L'action des bactéries et des levures
Bien que le pain, le fromage et le vin proviennent de sources différentes – le premier des céréales, le second du lait et le troisième du raisin –, tous se développent grâce à des levures et à des bactéries. Sans les transformations entraînées par la fermentation, la pâte à pain ne lèverait pas, le vin ne serait pas alcoolisé et le fromage n'aurait pas le goût de fromage. En outre, c'est également à la fermentation que ces aliments doivent leur faculté de conservation.

La charpente et le bouquet d'un vin sont indissociables du cépage employé, de la technique de vinification et de la durée du vieillissement ; de même, la saveur, la consistance, l'arôme d'un fromage dépendent entièrement du lait dont il est issu – lait de vache, de chèvre, de brebis ou mélange de différents laits – et des méthodes de fabrication et d'affinage.

Choisir le bon pain…
Le mariage des aliments est affaire d'harmonie et de contraste entre divers aspects, consistances, températures, goûts, parfums. Tous ces critères sont variables selon les préférences de chacun. Il est toutefois bon de suivre le principe

suivant : plus le fromage est délicat, plus blanc et moins salé doit être le pain qui l'accompagne. Les pains épicés, souvent préparés au lait aigre, possèdent par eux-mêmes un petit goût lacté qui met parfaitement en valeur les fromages corsés comme les bleus.

... et le bon vin

Malgré l'abondance de conseils dispensés ici et là sur l'association des vins et des mets, il n'existe pas de règle stricte. Le meilleur choix est presque toujours celui qui se fonde sur les goûts personnels, chacun ayant des préférences qui n'appartiennent qu'à lui. Le seul moyen de découvrir et d'affiner vos goûts est de goûter le plus de vins possible avec le plus large éventail de plats possible.

Contrairement aux mets composés de plusieurs ingrédients, le fromage est un aliment à composante unique relativement facile à marier. Tenez compte de sa texture et de son goût plutôt que de son odeur. Quand un vin précis est suggéré pour accompagner un fromage, c'est généralement en raison d'une complémentarité établie à partir de certaines similitudes et de certains contrastes.

Un fromage gras et doux peut s'allier à merveille avec un vin lui aussi doux et moelleux, tandis qu'un fromage très acide offrira un agréable contraste avec un vin doux assez fort en alcool. Les fromages très salés réclament souvent un vin assez acide. Rappelez-vous que plus un fromage est affiné, plus il sera agressif et mordant à l'égard du vin.

On croit souvent, à tort, que seul le vin rouge convient au fromage. La raison principale de cette idée est que l'on sert souvent le fromage en fin de repas, et qu'à ce moment il est difficile de revenir à un vin blanc sec, surtout après un rouge bien charpenté. Il n'en est pas moins vrai que le vin blanc est quelquefois un meilleur allié que le vin rouge pour la dégustation du fromage. Cela vaut la peine de tenter l'expérience.

Bien souvent, les vins recommandés dans cet ouvrage par Robert et Isabelle Vifian proviennent de la même région que le fromage concerné. Leurs suggestions s'appuient sur les traditions observées par les autochtones.

Le vin n'est d'ailleurs pas la seule boisson qui aille bien avec le fromage. Dans certaines régions telles que la Normandie, où l'on ne produit pratiquement pas de vin, il est bon de choisir un bon cidre ou une bonne bière locale, et parfois même du café. Les fromages affinés à l'eau-de-vie se marient bien avec le marc.

Nos suggestions ne sont pas des consignes impératives. Ce qui doit présider à votre choix, c'est votre goût et votre plaisir personnels.

Pour changer de la viande
Le fromage est une précieuse source de protéines et peut remplacer la viande au cours d'un repas : dégustez-le avec des pommes de terre, une salade verte et un bon vin.

Les fromages français aujourd'hui

« Un peuple ayant trois cent vingt-cinq variétés de fromage est ingouvernable. » Général de Gaulle

Depuis que Charles de Gaulle a émis ce célèbre jugement il y a plus de trente ans, le nombre de fromages produits en France a augmenté pour atteindre, selon des estimations récentes, les cinq cents. On pourrait encore grossir ce chiffre en y incluant les fromages locaux ou familiaux introuvables en dehors de leur lieu de production. Les chiffres semblent donc indiquer que la fromagerie française se porte bien, impression confirmée par les statistiques officielles ainsi que par la large gamme de produits offerts dans les magasins, les restaurants et les supermarchés.

L'évolution des mentalités

Le déclin de la consommation de viande et l'habitude moderne du grignotage, qui tend à remplacer les repas cuisinés traditionnels, favorisent la consommation de fromage. Rien n'est plus facile, délicieux et nourrissant que d'en manger quelques morceaux avec du pain, de la salade et un fruit. Bien sûr, nous verrons encore longtemps paraître le plateau de fromages à la fin d'un grand repas. Nous sommes de plus en plus nombreux à penser que les menus doivent être allégés de manière à laisser de la place pour le fromage, faute de quoi seuls les plus gros appétits peuvent leur rendre justice.

L'influence du supermarché

L'un des changements les plus radicaux dans la vente et la production des fromages de France est le récent avènement du supermarché. Même dans les régions rurales, les grandes surfaces supplantent peu à peu les petits commerces qui proposaient à la fois articles ménagers, alimentation et boissons. Les supermarchés, bien qu'ils soient l'objet d'un feu constant de critiques venant de ceux qui ont oublié combien il était frustrant de ne pas trouver ce que l'on cherchait à l'épicerie du village, ont fait baisser les prix et offrent une plus vaste sélection de produits frais dignes de ce nom. Leur point faible reste cependant le fromage : de nombreuses pâtes exigent en effet d'être traitées avec savoir-faire pour atteindre leur pleine maturité dans l'intégrité de leur goût et de leur texture. L'épicier du village savait affiner un camembert ou un brie et il en avait le temps ; il prenait également le risque de se retrouver avec un stock de vieux fromages malodorants dont personne ne voulait. Les supermarchés, dont la rentabilité repose sur l'écoulement rapide de grosses quantités de produits standardisés, ne peuvent appliquer de telles méthodes et préfèrent donc les fromages industriels aux produits fermiers.

Une étonnante variété
La demande a conduit à l'industrialisation de la production de fromages tels que le Camembert, aujourd'hui présent partout dans le monde.

Les fromagers affineurs

En ville ou à la campagne, les meilleurs fromages s'achètent chez le fromager. Tout comme les amateurs de vin, les mangeurs de fromage sont de mieux en mieux informés et donc plus exigeants qu'autrefois. Ils recherchent des produits ayant du goût et du caractère, qualités que seul un producteur rompu aux techniques ancestrales peut atteindre, au contraire du technicien agro-alimentaire travaillant en usine.

Le travail de cet artisan traditionnel est complété par l'expérience du producteur de lait. Les grands classiques ne sont pas les seuls à emporter la faveur du public : dans les exploitations modestes, on fait à la main et en petite quantité des fromages d'invention récente.

Et demain ?

Au cours des cinquante dernières années, la production de fromage en France s'est vu soumise à un nombre croissant de règlements européens trop souvent inspirés des méthodes industrielles, et qui ne tiennent aucun compte des avantages de la production à la ferme. Rédigées par des scientifiques, ces directives sont inadaptées aux besoins des artisans, dont certains sont détenteurs de méthodes familiales éprouvées. Tant que les consommateurs n'auront pas découvert par eux-mêmes la supériorité des fromages fermiers faits à la main sur les produits élaborés en usine, ils ne comprendront pas pourquoi il est si important de protéger et de promouvoir les petits producteurs.

L'avenir de nombreux fromages français dépend de l'information du public, de sa capacité à choisir au restaurant, à acheter dans le commerce, à réclamer ce qui n'est pas exposé. Ce guide vous aidera à acquérir les connaissances nécessaires à l'identification de ces fromages.

Les marchés aux fromages
Certains des meilleurs produits régionaux, fermiers ou artisanaux, se trouvent sur les marchés aux fromages, où les producteurs tiennent souvent leur propre échoppe.

Carte de France

Cette carte reflète le découpage administratif du pays. Pour savoir où est produit tel ou tel fromage, consultez d'abord la petite carte qui accompagne sa description dans le guide et repérez le nom de la région ou de la province. Grâce au point rouge, vous saurez déjà à peu près où chercher sur la carte.

Alsace
Bas-Rhin (67),
Haut-Rhin (68)

Aquitaine
Dordogne (24),
Gironde (33) Landes (40),
Lot-et-Garonne (47),
Pyrénées-Atlantiques (64)

Auvergne
Allier (03), Cantal (15),
Haute-Loire (43),
Puy-de-Dôme (63)

Bourgogne
Côte d'Or (21),
Nièvre (58),
Saône-et-Loire (71),
Yonne (89)

Bretagne
Côtes-d'Armor (22),
Finistère (29),
Ille-et-Vilaine (35),
Morbihan (56)

Centre – Val-de-Loire
Cher (18), Eure-et-Loir
(28), Indre (36),
Indre-et-Loire (37),
Loir-et-Cher (41),
Loiret (45)

Champagne-Ardenne
Ardennes (08), Aube (10),
Marne (51),
Haute-Marne (52)

Corse
Corse-du-Sud (2A),
Haute-Corse (2B)

Franche-Comté
Doubs (25), Jura (39),
Haute-Saône (70),
Territoire de Belfort (90)

Île-de-France
Paris (Ville de) (75),
Seine-et-Marne (77),
Yvelines (78),
Essonne (91),
Hauts-de-Seine (92),
Seine-Saint-Denis (93),
Val-de-Marne (94),
Val-d'Oise (95)

Languedoc-Roussillon
Aude (11), Gard (30),
Hérault (34), Lozère (48),
Pyrénées-Orientales (66)

Limousin
Corrèze (19), Creuse (23),
Haute-Vienne (87)

Loire (Pays de la)
Loire-Atlantique (44),
Maine-et-Loire (49),
Mayenne (53), Sarthe (72),
Vendée (85)

Lorraine
Meurthe-et-Moselle (54),
Meuse (55), Moselle (57),
Vosges (88)

Midi-Pyrénées
Ariège (09), Aveyron (12),
Haute-Garonne (31),
Gers (32), Lot (46),
Hautes-Pyrénées (65),
Tarn (81),
Tarn-et-Garonne (82)

Nord-Pas-de-Calais
Nord (59),
Pas-de-Calais (62)

Normandie (Haute-)
Eure (27),
Seine-Maritime (76)

Normandie (Basse-)
Calvados (14),
Manche (50), Orne (61)

Picardie
Aisne (02), Oise (60),
Somme (80)

Poitou-Charentes
Charente (16),
Charente-Maritime (17),
Deux-Sèvres (79),
Vienne (86)

**Provence-Alpes-
Côte d'Azur**
Alpes-de-Haute-Provence
(04), Hautes-Alpes (05),
Alpes-Maritimes (06),
Bouches-du-Rhône (13),
Var (83), Vaucluse (84)

Rhône-Alpes
Ain (01), Ardèche (07),
Drôme (26), Isère (38),
Loire (42), Rhône (69),
Savoie (73),
Haute-Savoie (74)

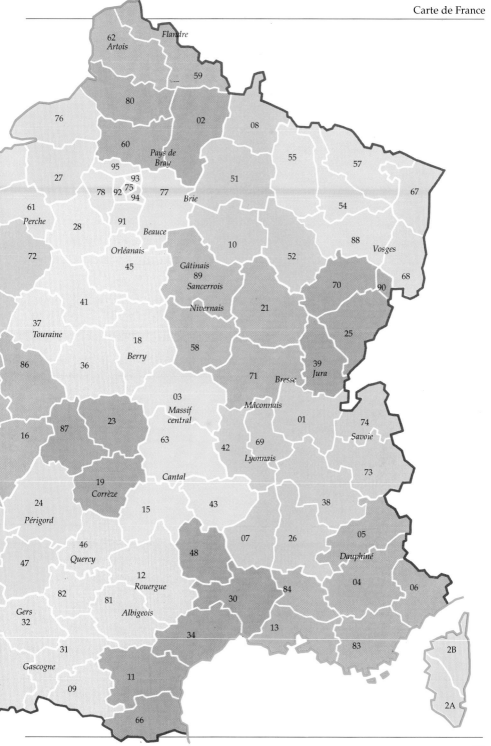

ABBAYE DE CÎTEAUX

Bien que la fondation de l'abbaye de Saint-Nicolas-lès-Cîteaux remonte à quelque 900 ans, ce fromage fermier n'y est produit que depuis 1925. Aussi doux à l'œil qu'au palais, il est moins fort que la plupart des autres fromages à croûte lavée. Chaque année, 60 tonnes de cîteaux sont produites à partir du lait de 70 vaches montbéliardes. La consommation est surtout locale.

❢ Beaujolais ou Bourgogne, jeune et fruité, frais

Pâte mi-dure, pressée, non cuite

CARACTÉRISTIQUES
ESSENTIELLES

- ◒ 18 cm de diamètre, 3,5 cm d'épaisseur
- ⚖ 700 g
- ⤧ 45 %
- ✓ Toute l'année
- ⊐ 2 mois

Croûte lavée lisse d'un jaune grisâtre

Bourgogne

Cru

ABBAYE DE LA JOIE NOTRE-DAME

Ce fromage fermier est produit par les sœurs de l'abbaye du même nom depuis 1953. La recette fut transmise à la congrégation lorsque celle-ci devint indépendante de l'abbaye de la Coudre (p. 210). Ce fromage fin et élégant est l'un des nombreux descendants du Port-du-Salut (p. 173), doyen des fromages d'abbaye, auquel il ressemble à la fois par l'aspect et par le goût. Au cours de l'affinage, il est lavé en saumure.

❢ Bordeaux jeune et fruité

Pâte pressée mi-dure, non cuite

CARACTÉRISTIQUES
ESSENTIELLES

- ◒ 20 cm de diamètre, 4 cm d'épaisseur
- ⚖ 1,4 kg, existe en 250 g et 380 g
- ⤧ 50 %
- ✓ Toute l'année
- ⊐ 4 à 6 semaines

Croûte lavée

Bretagne

Cru

ABBAYE DU MONT DES CATS

Les moines de cette abbaye située près de Godewaersvelde (la plaine de Dieu), en Flandre, ont lancé la production de ce fromage artisanal en 1890 en appliquant la recette du port-du-salut (p. 173). Il est fabriqué dans une petite laiterie indépendante à partir de lait provenant des fermes voisines. Le fromage ci-contre, affiné selon des méthodes modernes, n'est pas encore à point. Les petits trous sont caractéristiques. Sur place, on le sert souvent au petit déjeuner avec du café. Au cours de l'affinage, la meule est régulièrement lavée dans un bain de saumure colorée au rocou, teinture extraite d'un arbuste sud-américain, le rocouyer.

❦ Graves

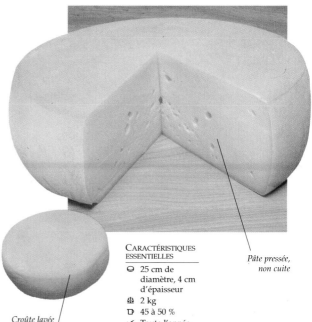

Flandre

Cru

Croûte lavée

Pâte pressée, non cuite

CARACTÉRISTIQUES ESSENTIELLES

- ◒ 25 cm de diamètre, 4 cm d'épaisseur
- ⚖ 2 kg
- ◻ 45 à 50 %
- ✓ Toute l'année
- ◻ 1 mois min.

ABBAYE DE LA PIERRE-QUI-VIRE

Le pierre-qui-vire et la boule des moines (ci-dessous) sont des fromages fermiers fabriqués par douze des 85 moines d'une abbaye bourguignonne à partir du lait de 40 vaches. Ces deux produits sont biologiques, les moines n'utilisant ni engrais chimiques ni pesticides. Pendant l'affinage, le fromage est passé en saumure. Se mange frais.

❦ Beaune

BOULE DES MOINES

Cette variante du précédent, à pâte fraîche et molle, a été créée pour relancer les ventes. Sa pâte est fortement parfumée d'ail.

❦ Irancy, jeune et fruité

Bourgogne

Cru

Pâte molle, lisse et souple, non pressée, non cuite

Croûte lavée

CARACTÉRISTIQUES ESSENTIELLES

- ◒ 10 cm de diamètre, 2,5 cm d'épaisseur
- ⚖ 200 g
- ✓ Toute l'année, meilleur en été et en automne

Pâte molle, aromatisée à l'ail, à la ciboulette et au poivre

Abbaye de la Pierre-qui-Vire

CARACTÉRISTIQUES ESSENTIELLES

- ◔ 5 à 7 cm de diamètre
- ⚖ 100 à 150 g
- ✓ Toute l'année, surtout en été et en automne
- ◻ 2 semaines

Boule des Moines

Pâte crème ou blanche, souple mais non élastique, percée de petits trous réguliers. Mi-cuite entre 45 et 50 °C, pressée.

Croûte jaune foncé à marron, portant des traces de toile et une étiquette de caséine bleue sur le talon

Abondance d'alpage fermier, affiné dix mois

Abondance d'hiver fermier, affiné sept mois

CARACTÉRISTIQUES
ESSENTIELLES

- ◒ 38 à 43 cm de diamètre, 7 à 8 cm d'épaisseur
- ⚖ 7 à 12 kg
- ⁂ 58 g minimum pour 100 g
- ▯ 48 % ou 27,84 min. pour 100 g
- ✓ À partir de l'automne pour les fromages d'alpage
- ▢ 90 jours minimum

ABONDANCE (AOC)

Trois races de vaches fournissent le lait nécessaire à la fabrication de ce fromage de montagne de taille moyenne, originaire de Haute-Savoie : montbéliardes, Abondance et tarines. Les bêtes ne consomment pas d'ensilage ni d'autres aliments fermentés. Le fromage d'alpage (p. 54) montré ici a été fabriqué en chalet au mois de septembre. Il sent fort et son goût complexe est très particulier : équilibre d'acidité et de douceur avec un arrière-goût persistant. La croûte et la couche grise se trouvant juste dessous ne se mangent pas.

L'abondance peut être de fabrication artisanale, laitière ou industrielle, mais la production, en augmentation constante, est à 40 % fermière. Les fromages fermiers portent sur le talon un label ovale bleu, les autres étant frappés d'un label carré. Lors de l'affinage, trois échantillons peuvent être prélevés dans la meule à l'aide d'une sonde.

❢ Vin de Savoie, Côte-de-Nuits Villages, Morey-Saint-Denis, Fixin

---

SPÉCIFICATIONS DE L'AOC :
ABONDANCE

1. Le lait ne peut être chauffé qu'une fois, au cours de l'emprésurage, à une température maximale de 40 °C. La laiterie ne peut employer ni machine ni méthode permettant de chauffer le lait plus vite et plus fort avant l'emprésurage.
2. Le salage se fait par frottement direct ou en saumure.
3. Le label de caséine doit indiquer : France, Abondance, le matricule du producteur et, le cas échéant, porter la mention « fermier ».

AOC délivrée en 1990

Savoie

Cru, entier

LA FABRICATION DE L'ABONDANCE

Il faut 100 litres de lait de vache paissant en alpage pour faire un Abondance pesant 9,5 kg.

L'emprésurage et le caillage

Le lait emprésuré est chauffé entre 32 et 35 °C. La coagulation (2) prend 35 minutes.

Le décaillage

Le caillé est rompu et remué vigoureusement afin de le séparer du petit-lait. Il devient granuleux durant l'opération (3). Le petit-lait, que l'on jette le plus souvent, contient des protéines et des sucres.

Le chauffage

Le caillé est porté à 30 °C, puis à 50 °C, en 45 minutes. Le petit-lait continue à se séparer tandis que le caillé prend l'aspect de grains de blé. Il est d'une teinte laiteuse, élastique, d'un goût légèrement sucré. Le chauffage dessèche et cuit le caillé. S'il est mené trop rapidement ou prolongé trop longtemps, la pâte se brisera ou gonflera lors de l'affinage.

Le soutirage

La masse de caillé est tirée de la cuve à l'aide d'une toile de lin (4).

Le premier pressage

Le caillé est sanglé (5) dans un cercle de bois garni de toile (1). Le moule peut être resserré au diamètre voulu grâce à une corde. Au début, le caillé dépasse au-dessus et en dessous du moule (6). Une pile de six ou sept moules (7 et 8) est passée sous le pressoir pendant 20 minutes. Le caillé commence alors à se solidifier.

Le deuxième pressage et le marquage

Le démoulage a lieu immédiatement. On appose la marque en caséine sur les fromages. Après avoir été retournés quatre fois, ils sont dépouillés de leur toile humide et enveloppés dans une toile sèche, puis pressés avec une force énorme. Les grains de caillé s'agglomèrent et les meules prennent leur forme définitive. Elles sont démoulées et entreposées une journée entre 13 et 16 °C pour que la pâte repose sans que la croûte sèche.

Le salage

Les meules sont mises en saumure pendant 12 heures. Cette opération a pour but d'activer la formation de la croûte, d'améliorer l'aspect du produit et de réduire les risques de moisissure. Elle est suivie d'un séchage de 24 heures entre 12 et 14 °C.

L'affinage

L'affinage prend au moins 90 jours. Il a lieu dans une cave bien ventilée où l'air est à 12 °C et contient 95 % d'humidité. Tous les deux jours, la surface du fromage est frottée au gros sel et essuyée à l'aide d'une toile trempée dans la *morge* (mélange de saumure et de moisissure prélevée sur la croûte des vieux fromages). L'action abrasive du sel ralentit la croissance des moisissures et favorise la formation d'une croûte solide (9) qui permet à l'Abondance de se conserver longtemps.

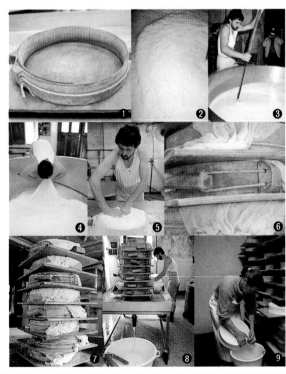

AISY CENDRÉ

Pour produire ce fromage artisanal de Bourgogne, on met à mûrir un mois sous la cendre divers fromages frais, celui que l'on voit ci-contre étant un Époisses, fromage fort à croûte lavée (p. 133). Il n'est pas encore fait à cœur et conviendrait aux amateurs de fromages dits mi-faits. Le cœur blanc, de la texture du plâtre, est entouré d'une pâte plus crémeuse. Son goût salé indique qu'il est encore jeune.

❢ Hautes-côte-de-nuits villages

Pâte molle à mi-dure, non pressée, non cuite

Croûte cendrée

CARACTÉRISTIQUES
ESSENTIELLES

◖ 10 cm de diamètre,
3 cm d'épaisseur
⚖ 200 à 250 g
ⅅ 50 %
✓ Toute l'année

 Bourgogne

Cru,
entier

CATÉGORIES ET CONDITIONS DE PRODUCTION

Les quatre principaux modes de production autorisés dans le cadre des AOC (voir p. 77) sont : fermier, artisanal, laitier et industriel. L'appellation *fromage fermier* n'est en rien une garantie de qualité. Elle indique simplement que le fromage a été fait suivant une méthode traditionnelle.

CATÉGORIE	CONDITIONS DE PRODUCTION	RENDEMENT	LIEU DE VENTE DES PRODUITS
Fermier (fabriqué à la ferme, en chalet d'alpage, en buron ou autre abri de montagne)	Un producteur indépendant utilise le lait d'animaux élevés dans son exploitation (vaches, chèvres ou brebis) pour faire des fromages selon une méthode traditionnelle. Le lait de fermes environnantes ne saurait être employé. Lait cru uniquement.	Réduit	Marchés régionaux, fromageries des grandes villes. Quelques exportations.
Artisanal	Un producteur indépendant utilise le lait de ses bêtes ou achète celui d'autres animaux pour faire son fromage. (On appelle producteur le propriétaire de la laiterie. Le lait peut avoir été intégralement acheté ailleurs.)	Réduit ou moyen	Marchés régionaux, fromageries des grandes et petites villes.
Laitier (ou de fruitière)	Le fromage est fabriqué dans une seule laiterie avec du lait produit par les membres de la coopérative.	Moyen à fort	Toute la France.
Industriel	Le lait est acheté auprès de plusieurs producteurs, parfois établis dans des régions lointaines. La production se fait en usine.	Fort	Toute la France et exportation vers l'étranger.

Arôme à la Gêne de Marc ou Arôme de Lyon

Il s'agit d'un fromage artisanal saisonnier à déguster à la fin de l'automne. Cette spécialité de la région viticole lyonnaise est produite suivant une ancienne méthode de surfermentation : des fromages faits, tels que pélardons (p. 167), picodons (p. 170), rigottes (p. 176), saint-marcellins (p. 182), et sont placés dans un fût ou un tonneau de gène de marc. La gène, qui est constituée de marc pressé non encore distillé, imprègne les fromages et les parfume. À déguster avec du vin.

🗆 Marc de Côtes-du-Rhône;
🍷 Muscat de Beaumes de Venise

Pâte molle à dure

Croûte naturelle couverte de marc de raisin

Lyonnais

Variable

Caractéristiques essentielles

⊖ 6 à 7 cm de diamètre, 2 à 3 cm d'épaisseur
⚖ 80 à 120 g
✓ Fin de l'automne, hiver

Arôme au Vin Blanc

Pour faire ce fromage, on verse un fond de vin blanc dans un grand bocal, puis on dispose sur une grille placée au-dessus du vin des fromages de chèvre tels que des saint-marcellins (p. 182). Le bocal est bouché hermétiquement et mis à surfermenter deux à trois semaines. À mesure que le fromage absorbe les vapeurs de vin, il ramollit et s'humidifie. Ce mets raffiné et très prisé est un digne représentant de la ville des gourmets, Lyon.

🍷 Bourgogne, Saint-Romain, Chassagne-Montrachet

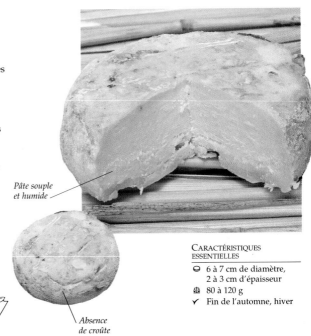

Pâte souple et humide

Absence de croûte

Lyonnais

Variable

Caractéristiques essentielles

⊖ 6 à 7 cm de diamètre, 2 à 3 cm d'épaisseur
⚖ 80 à 120 g
✓ Fin de l'automne, hiver

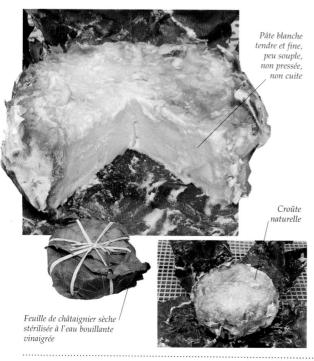

Pâte blanche tendre et fine, peu souple, non pressée, non cuite

Croûte naturelle

Feuille de châtaignier sèche stérilisée à l'eau bouillante vinaigrée

BANON À LA FEUILLE

Le petit fromage de montagne ci-contre, au lait de chèvre, est né grâce à un couple habitant le village provençal de Puimichel, près de Banon. Existe en versions fermière, artisanale et industrielle. Le Banon est produit à base de lait de brebis en hiver, de chèvre au printemps, et tout au long de l'année au lait de vache. Après deux semaines d'affinage, le fromage est trempé dans l'eau-de-vie et enveloppé dans une feuille de châtaignier. L'alcool a pour rôle de tuer les moisissures indésirables. La pâte jeune a un parfum de lait, puis elle prend l'arôme et la couleur de la feuille qui l'entoure.

☐ Marc de pays,
♈ Vin de Cassis, Provence

CARACTÉRISTIQUES ESSENTIELLES
- ⊖ 6 à 7 cm de diamètre, 2,5 à 3 cm d'épaisseur
- ⚖ 90 à 120 g
- ↧ 45 %
- ✓ Toute l'année (vache) ; brebis en hiver ; meilleure époque : du printemps à l'automne (chèvre)
- ❐ 2 semaines

Croûte enrobée de sarriette

Pâte molle, non pressée, non cuite

POIVRE D'ÂNE / PÈVRE D'AÏ

Ce banon est au départ le même que le précédent, seul son affinage diffère. Il s'agit d'un fromage au lait de chèvre, de vache, ou d'un mélange des deux. Il existe des pèvres d'aï fermiers, artisanaux et industriels. Le fromage est roulé dans la sarriette sèche (ou poivre d'âne, nom provençal de la *satureia hortensis*). La sarriette est une plante aromatique du sud de l'Europe qui rappelle à la fois le thym et la menthe, avec plus de mordant.

♈ Coteaux d'Aix rosé

CARACTÉRISTIQUES ESSENTIELLES
- ⊖ 6 à 7 cm de diamètre, 3 cm d'épaisseur
- ⚖ 100 à 120 g
- ↧ 45 %
- ✓ Toute l'année (vache) ; printemps à automne (chèvre)
- ❐ 1 mois

Provence

Cru

BARGKASS

Le Thillot, où le fromage ci-contre a
été fabriqué, est un village des
Vosges, région particulièrement
célèbre pour son Munster (p. 158).
En dialecte lorrain, *barg* signifie
montagne et *kass* fromage. Le
bargkass a une pâte crémeuse mais
ferme, légèrement élastique, percée
de quelques petits trous. Son parfum
est doux et léger, son goût rond et
agréable, un peu acide sur la fin. Le
pain noir au levain l'accompagne
bien. Pendant l'affinage, le fromage
est brossé et retourné chaque
semaine.

❦ Pinot Noir

*Croûte brun
clair ou marron,
portant des
traces de toile*

*Pâte
légèrement
souple, non
cuite, pressée*

Vosges

Cru

CARACTÉRISTIQUES
ESSENTIELLES

- ◷ 30 cm de diamètre,
  6 cm d'épaisseur
- ⚖ 7 à 8 kg
- ☋ Variable
- ✓ De mai à octobre
- ☐ 6 à 8 semaines

BEAUMONT

Ce fromage industriel a été créé en
1881 à Beaumont, près de Genève,
selon la même méthode que le tamié
(p. 187). Il fut l'un des premiers
fromages industriels au lait cru.
Pendant l'affinage, les fromages sont
régulièrement lavés.

❦ Vin de Savoie,
Hautes-Côtes-de-Beaune

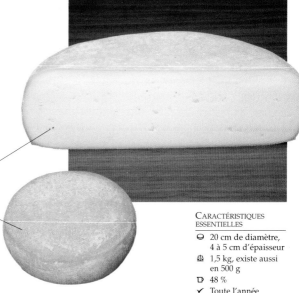

*Pâte mi-dure,
souple au toucher,
non cuite, pressée*

*Croûte lavée
jaune rosé*

Savoie

Cru

CARACTÉRISTIQUES
ESSENTIELLES

- ◷ 20 cm de diamètre,
  4 à 5 cm d'épaisseur
- ⚖ 1,5 kg, existe aussi
  en 500 g
- ☋ 48 %
- ✓ Toute l'année
- ☐ 4 à 6 semaines

Talon légèrement concave

CARACTÉRISTIQUES ESSENTIELLES

- ◎ 35 à 75 cm de diamètre, 11 à 16 cm d'épaisseur
- ⚖ 20 à 70 kg
- ♣ 62 g minimum pour 100 g
- 📦 48 %
- ✔ Toute l'année ; à l'automne pour le beaufort fabriqué en chalet d'alpage

Croûte dure de couleur jaunâtre formée durant l'affinage

Beaufort, affiné entre cinq et six mois

BEAUFORT (AOC)

(Beaufortin, Tarentaise, Maurienne)
Fromage de montagne fabriqué
en Savoie qui se présente
sous la forme d'une grande meule.
Il fait partie de ce que l'on
appelle couramment la famille
des gruyères, mais n'a rien à voir
avec le véritable gruyère, produit
en Suisse.
Son poids moyen est de 45 kg,
ce qui représente la production laitière
journalière d'un troupeau
de 45 vaches. Il faut environ 12 litres
de lait pour obtenir 1 kg de Beaufort.
Parmi les signes de qualité,
signalons une croûte humide
et un peu collante, ainsi qu'un talon
rendu concave par le cercle utilisé
pour le moulage (voir p. 21).

Savoie

Cru, entier

Les différents Beauforts

Il existe deux versions de ce fromage : le Beaufort d'été et le Beaufort d'alpage, fabriqué en chalet de montagne. La pâte du fromage d'hiver est blanche, celle du fromage d'été jaune pâle. On dit que ce sont la chlorophylle de l'herbe et le carotène des fleurs alpines qui confèrent au fromage son goût et sa couleur.

La production et l'affinage

On trouve dans le commerce du Beaufort fermier, d'alpage, laitier et industriel. L'affinage dure au moins quatre mois et doit être mené dans le territoire défini par l'INAO. À une température de moins de 15 °C, dans un air contenant au moins 92 % d'humidité, les meules sont sans cesse essuyées et brossées avec de la saumure.

En novembre, des fromages de cinq à six mois (en haut à droite) font leur apparition sur les marchés parisiens ; ce sont les premiers Beauforts d'alpage. Ils dégagent un parfum léger de lait, de beurre, de fleurs et de miel. Leur pâte souple possède une saveur fleurie, qui fait bientôt place à une note acide et salée qui reste longtemps en bouche. À ce stade, le Beaufort se marie avec le vin blanc.

Certains Beauforts sont affinés un an dans une cave froide (8 à 9 °C) contenant 98 % d'humidité. Deux fois par semaine, ils sont brossés à la saumure et retournés. Au bout d'un an, ils ont acquis une croûte humide, sous laquelle se cache une fine couche grise qui se fond progressivement dans la pâte. Leur goût est complexe, dominé par une saveur plus forte que celle des fromages jeunes et une salinité plus subtile.

Les vaches

Les vaches tarines ou tarentaises, à robe acajou, sont le secret du Beaufort. Cette ancienne race montagnarde, originaire du continent indo-asiatique, a traversé l'Europe centrale avant d'atteindre la France. Nommée « tarine » en 1863, elle fit son apparition au herd-book en 1888. Les bêtes passent l'hiver à l'abri pour être protégées des abondantes chutes

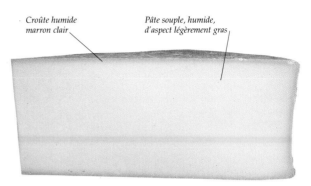

Croûte humide marron clair

Pâte souple, humide, d'aspect légèrement gras

Beaufort d'alpage, affiné entre cinq et six mois

Beaufort d'alpage, affiné environ un an

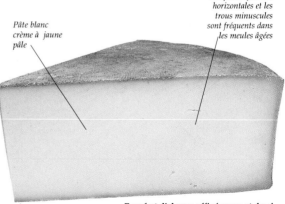

Pâte blanc crème à jaune pâle

Les petites fissures horizontales et les trous minuscules sont fréquents dans les meules âgées

Beaufort d'alpage, affiné un an et demi

de neige et ne consomment ni ensilage ni aucun autre aliment fermenté. Au printemps, elles gagnent les hauts pâturages où elles broutent une herbe grasse parsemée de fleurs. Elles redescendent vers la vallée à l'automne et rentrent au village avant les premières neiges. Ce sont des bêtes solides et résistantes qui s'adaptent bien et le lait, d'excellente qualité, renferme en moyenne 36,3 % de matières grasses et 31,8 % de protéines. Elles vêlent chaque année, et au cours de leurs dix ans de lactation, produisent environ 4 338 kg de lait. Ce lait sert également à la fabrication d'autres grands fromages de montagne : Emmental (p. 132) et tomme de Savoie (p. 188).

 Seyssel, Chablis

SPÉCIFICATION DE L'AOC :
BEAUFORT

1. Le lait doit être emmené à la laiterie aussitôt tiré. Il ne peut être transporté qu'une fois par jour, à condition que la ferme dispose de cuves réfrigérées. Le lait réfrigéré doit être emprésuré dans les 24 heures qui suivent la traite, dans les 36 heures l'hiver.
2. La laiterie ne doit utiliser ni machine ni méthode permettant de chauffer le lait à plus de 40 °C avant l'emprésurage.
3. Le nom du fromage doit apparaître sur la meule en lettres de caséine bleues bien lisibles.
4. La législation prévoit que l'on appelle « Beauforts d'été » les fromages produits de juin à octobre, y compris ceux fabriqués en chalet d'alpage, et « Beauforts d'alpage » les produits élaborés l'été deux fois par jour en chalet, à partir du lait d'un seul troupeau à l'exclusion de tout mélange.
5. Le salage se fait en surface, directement ou à la saumure.
6. Si le fromage est vendu prédécoupé et préemballé, chaque portion doit comporter un morceau de croûte, caractéristique du Beaufort AOC.

AOC DÉLIVRÉE EN 1976

LA SONDE À FROMAGE
(en haut)
Elle sert à prélever des échantillons au cœur de la meule. La pâte d'un Beaufort jeune est tendre et n'offre qu'une faible résistance à la lame.

CAVE D'AFFINAGE
(ci-dessus)
Cette cave, appartenant à un fromager de Chambéry, peut stocker jusqu'à un millier de fromages en novembre. Il y règne une température de 8 à 9 °C et une humidité de 98 %.

DÉCOUPAGE DU BEAUFORT
(ci-dessus)
Le couteau à deux poignées, appelé guillotine, est humidifié, puis poussé vers le centre de la meule avec des mouvements de bascule.

Les Bleus

Bleu d'Auvergne (AOC)

Le bleu d'Auvergne se fabrique en deux tailles différentes. Le grand a un diamètre de 20 cm, mesure 8 à 10 cm d'épaisseur et pèse entre 2 et 3 kg. Le petit mesure 10 cm de diamètre, est d'une épaisseur variable et pèse entre 350 g et 1 kg. Ces fromages sont traditionnellement cylindriques, mais il en existe une version rectangulaire destinée à l'exportation et à la vente préemballée ; sa taille est de 29 cm sur 8,5 cm de large et 11 cm d'épaisseur pour un poids de 2,5 kg. Les fromages montrés ici font partie des 122 tonnes produites chaque année au lait cru, sur un total de 8 295 tonnes en 1991. La pâte est collante, humide, friable, parcourue de veines régulières, d'un goût aigrelet et poisseux. Les moisissures piquantes se marient parfaitement au sel dont la pâte est imprégnée. Ce fromage est délicieux dans les sauces de salade ou avec des endives, des noix ou des champignons crus. Il accompagne également les pâtes fraîches servies bien chaudes.

Sur le territoire concerné par l'AOC, on produit du bleu d'Auvergne laitier et industriel. L'AOC a été délivrée en 1975.

🍷 Sauternes, Maury (VDN)

Croûte naturelle

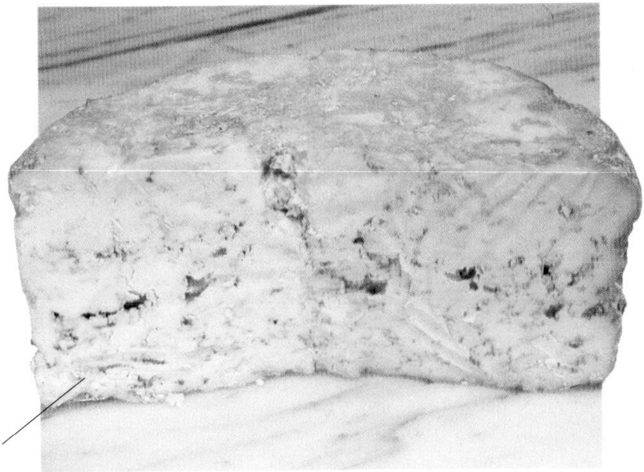

Pâte non pressée, non cuite, entièrement persillée

Auvergne

Cru ou pasteurisé

Caractéristiques essentielles

- 20 cm de diamètre, 8 à 10 cm d'épaisseur (grand modèle) ; 10 cm de diamètre, épaisseur variable (petit modèle)
- 2 à 3 kg (grand modèle) ; 1 kg (petit modèle)
- 52 g minimum pour 100 g
- 50 %
- Toute l'année
- 2 semaines. 4 semaines pour les pièces de plus de 1 kg

BLEU DES CAUSSES (AOC)

Ce fromage produit commercialement en coopérative ou en usine est une version plus douce, au lait de vache, du Roquefort (p. 178). Son goût robuste provient de son affinage d'au moins 70 jours – plus souvent entre trois et six mois – en fleurines, caves naturelles du plateau calcaire des Causses (voir p. 178). La pâte du fromage d'été est humide, d'un jaune d'ivoire ; le fromage d'hiver est blanc et d'un goût plus fort. Le bleu des Causses est excellent avec un vin blanc doux assez acide, surtout en fin de repas.

L'AOC a été délivrée en 1975.

♼ Barsac moelleux, Banyuls grand cru (VDN)

CARACTÉRISTIQUES
ESSENTIELLES

- ⊖ 20 cm de diamètre, 8 à 10 cm d'épaisseur
- ⚖ 2,3 à 3 kg
- ❀ 53 g minimum pour 100 g
- ⅅ 45 %
- ✓ Toute l'année

Pâte persillée jaune pâle ou blanche, non pressée, non cuite

Croûte naturelle

Rourgue

Cru

BLEU DE COSTAROS

Produit fermier traditionnel originaire du village de Costaros, en Auvergne. Son nom local est « fromage à vers », allusion au ciron, acarien qui y élit domicile. La pâte collante et élastique, assez dure, est irrégulièrement ponctuée de trous ; l'odeur est douce et le goût est celui de la moisissure. Une fromagère du pays, à qui nous demandions si elle mangeait la croûte, nous a répondu : « Oh oui, tout se mange, même les vers. »

♼ Loupiac, Rivesaltes (VDN)

Pâte non pressée, non cuite

Croûte naturelle dure, formée durant l'affinage

CARACTÉRISTIQUES
ESSENTIELLES

- ⊖ 10 cm de diamètre, 7 à 8 cm d'épaisseur
- ⚖ 550 à 600 g
- ⅅ Variable
- ✓ Toute l'année

Veines de moisissure naturelle concentrée

Auvergne

Cru

BLEU DU HAUT-JURA (AOC)

Pâte pressée, non cuite ; douce, de couleur ivoire, veinée de moisissures d'un bleu-vert pâle

La croûte se forme naturellement ; fine, jaunâtre, elle est couverte d'une poudre blanche mais des taches rouges peuvent apparaître.

Ce terme officiel regroupe les bleus doux connus sous le nom de bleu de Gex et de bleu de Septmoncel. La croûte est couverte d'une moisissure poudreuse blanche que l'on brosse avant la dégustation du fromage. L'arôme de la pâte évoque le lait des plus riches pâturages. Dans le Jura, on le mange souvent avec des pommes de terre cuites à la vapeur.

Les vaches dont le lait sert à faire ce fromage paissent dans la montagne. On dit que les moisissures se développant sur les herbes et les fleurs qu'elles absorbent passent dans leur lait, puis dans le fromage. Aujourd'hui, on introduit artificiellement dans le lait des spores de *penicillium glaucum*. Pendant l'affinage, la pâte est aérée à la seringue afin de permettre aux microorganismes de croître.

Pendant le mois d'affinage, dans les zones de l'AOC, les fromages sont séchés et affinés naturellement dans des caves coopératives où le taux d'humidité atteint 80 %.

L'AOC a été délivrée en 1977.

🍷 Sainte-Croix-du-Mont (VDN)
🍾 Porto

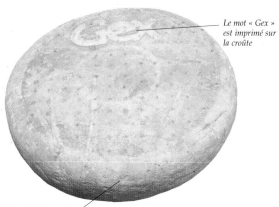

Le mot « Gex » est imprimé sur la croûte

Trous laissés par la seringue servant à aérer la pâte

Franche-Comté

Cru

BLEU FONDU À LA POÊLE

Pour réaliser cette savoureuse recette, coupez le bleu en lamelles et faites-le fondre lentement à la poêle. Le fromage fondu est également excellent nappé sur du blanc de volaille ou étalé sur du pain de campagne, accompagné d'un verre de vin jaune d'Arbois.

CARACTÉRISTIQUES ESSENTIELLES

⊖	36 cm de diamètre, épaisseur variable
⚖	7,5 kg
⚫	52 g minimum pour 100 g
⊓	50 %
✓	Toute l'année, meilleur l'été
⊐	1 mois

BLEU DE LANGEAC

Localement, ce fromage fermier de la ville de Langeac, en Auvergne, est dénommé simplement « fromage de la région ». Il a une croûte complètement sèche et un parfum léger. La pâte ferme a un goût de moisissure prononcé. Salé et robuste, il est issu de bon lait riche.

♀ Cérons moelleux, Sauternes, Banyuls (VDN)

Pâte non pressée, non cuite, de couleur jaunâtre, veinée de moisissures naturelles

CARACTÉRISTIQUES
ESSENTIELLES

- ◎ 10 à 12 cm de diamètre, 4 cm d'épaisseur
- ⚖ 450 à 500 g
- ▽ Variable
- ✓ Toute l'année
- ❐ 2 mois

Croûte sèche et dure, formée, naturellement pendant l'affinage

 Auvergne

 Cru

BLEU DE LAQUEUILLE

Antoine Roussel a inventé ce fromage en 1850 en l'ensemençant de moisissure prélevée sur du pain de seigle. Sa statue trône au milieu du village de Laqueuille. La pâte a un léger parfum de cave et un goût de moisissure bleue. Ce fromage appartient à la même famille que la fourme d'Ambert (p. 138). La production est aujourd'hui entièrement industrielle.

♀ Monbazillac moelleux, Rivesaltes (VDN)

Croûte formée naturellement pendant l'affinage

CARACTÉRISTIQUES
ESSENTIELLES

- ◇ 20 cm de diamètre, 9,5 cm d'épaisseur
- ⚖ 2,5 kg
- ▽ 45 %
- ✓ Été, automne
- ❐ 3 mois

Pâte molle persillée, non pressée, non cuite

Auvergne

Pasteurisé

BLEU DE LOUDES

Sa pâte est ferme et souple, collante, légèrement acide, sans odeur particulière. La présence de moisissures n'est pas immédiatement visible. Le fromage ci-contre, coupé en deux, a été exposé à l'air 24 heures.

♀ Sainte-Croix-du-Mont moelleux, Rivesaltes (VDN)

Pâte ferme portant des traces de moisissures naturelles bleues, percée de quelques trous, non pressée, non cuite

Croûte sèche et dure formée naturellement pendant l'affinage

Auvergne

Cru

CARACTÉRISTIQUES ESSENTIELLES
- ⊝ 11 cm de diamètre, 6 cm d'épaisseur
- ⚖ 600 à 650 g
- ⅅ Variable
- ✓ Toute l'année
- ⊐ 6 semaines

BLEU DU QUERCY

Bleu industriel de grande production, d'un goût léger parfait pour les palais qui ne sont pas encore habitués au goût du bleu.

♀ Cérons moelleux, Maury (VDN)

Pâte non pressée, non cuite, entièrement persillée de moisissures naturelles vertes

Croûte naturelle formée durant l'affinage

Quercy

Pasteurisé

CARACTÉRISTIQUES ESSENTIELLES
- ⊝ 18 cm de diamètre, 9 à 10 cm d'épaisseur
- ⚖ 2,5 kg
- ⅅ 45 %
- ✓ Toute l'année
- ⊐ 3 mois

BLEU DE SASSENAGE

La recette de ce bleu délicat, traditionnel produit montagnard, a été mise au point par des moines et s'est propagée aux villages alentours. En 1338, le baron Albert de Sassenage publia une charte autorisant les habitants de son domaine à vendre leur fromage en toute liberté. Aujourd'hui, la production est principalement industrielle. Le fromage d'été garde le goût simple du lait des vaches paissant dans la montagne, caractérisé par une rondeur agréable et un léger parfum de moisissure.

♀ Barsac moelleux, Banyuls (VDN)

CARACTÉRISTIQUES ESSENTIELLES

- ◎ 30 cm de diamètre, 8 à 9 cm d'épaisseur
- ⚖ 5 à 6 kg
- ▷ 45 %
- ✓ Été, automne
- ❐ 2 à 3 mois

Pâte molle, non pressée, non cuite

Croûte naturelle blanche teintée de rouge

Dauphiné Vercors

Pasteurisé

BRESSE BLEU

Fromage industriel fabriqué pour la première fois après la Seconde Guerre mondiale dans la région dont il porte le nom. Sa pâte onctueuse est persillée par endroits. Il existe en trois tailles. Le plus grand mesure 10 cm de diamètre, 6,5 cm d'épaisseur et pèse 500 g. La taille moyenne est de 8 cm de diamètre pour 4,5 cm d'épaisseur et un poids de 225 g. La plus petite version ne fait que 6 cm de diamètre, mesure 4,5 cm d'épaisseur et pèse 125 g.

♀ Monbazillac moelleux, Rivesaltes (VDN)

CARACTÉRISTIQUES ESSENTIELLES

- ◎ 6 à 10 cm de diamètre, 4,5 à 6,5 cm d'épaisseur
- ⚖ 125 à 500 g
- ▷ 55 %
- ✓ Toute l'année
- ❐ 2 à 4 semaines

Pâte crémeuse et souple, non pressée, non cuite

Croûte naturelle blanche

Bresse

Pasteurisé

BLEU DE TERMIGNON

Termignon est le nom du village des Alpes où ce fromage est fabriqué, à une altitude de 1 300 m. Exceptionnel et d'une grande qualité, il est un peu gras, naturel et rustique et n'est fabriqué qu'en très faible quantité par une seule femme travaillant en chalet d'alpage. Ses neuf vaches se régalent d'herbe et de fleurs dans le parc national de la Vanoise. Sur ces végétaux se trouvent des moisissures qui passent dans le lait, puis dans le fromage, et l'imprègnent d'un parfum subtil. Les moisissures sont donc spontanées et non introduites artificiellement comme souvent. Elles se développent lentement et irrégulièrement. La croûte, blanche teintée de marron, est dure et a l'aspect d'une pierre. La pâte est friable. Pendant l'affinage, le fromage est retourné et essuyé.

On peut déguster cet excellent fromage au « Grand Véfour », à Paris, où le plateau est particulièrement riche en fromages savoyards.

♈ Tokay sélection de grains nobles moelleux, Rivesaltes grand cru (VDN)

Bleu de Termignon après cinq mois d'affinage

Croûte naturelle formée pendant l'affinage

Fromage sec

CARACTÉRISTIQUES ESSENTIELLES

- ⊘ 28 cm de diamètre, 10 cm d'épaisseur
- ⚖ 7 kg
- ⋀ 50 %
- ✓ Toute l'année
- ⊐ 4 à 5 mois

 Savoie

 Cru

LE PETIT BAYARD

Fromage artisanal de la laiterie Col Bayard, du Dauphiné.

❢ Côtes de Provence

CARACTÉRISTIQUES ESSENTIELLES

- ⊝ 12 à 13 cm de diamètre, 5 cm d'épaisseur
- ⚖ 450 g
- ⋀ 45 %
- ✓ Toute l'année
- ⊐ 1 mois environ

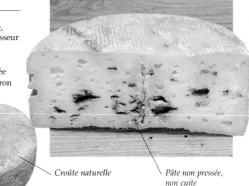

 Provence Dauphiné

 Cru

Croûte naturelle

Pâte non pressée, non cuite

Croûte dure,
sèche, allant de
l'orangé au
marron clair

Pâte mi-dure
à dure,
mi-cuite,
pressée

Affinage de
18 mois

Affinage de
24 mois

La couleur de la pâte
oscille entre le jaune,
l'orange et le rouge.
Elle comporte quelques
très petits trous

BOULE DE LILLE / MIMOLETTE FRANÇAISE

Le nom de « boule de Lille » serait dû au fait que ce fromage fut longtemps affiné dans des caves lilloises. Quant au terme de mimolette, c'est une dérivation de « mi-mou ». Certains disent que ce fromage est une invention hollandaise ; d'autres soutiennent qu'il a toujours existé en France. La vérité est peut-être que les Français se sont mis à fabriquer de la mimolette au XVIIᵉ siècle, alors que les produits étrangers, y compris les fromages, étaient frappés d'interdiction sur le territoire par ordre du ministre Colbert. La méthode de fabrication est la même que pour l'édam hollandais.

Ce fromage est fabriqué en coopérative ou en usine. C'est une sphère aplatie, de la taille d'un disque, sans odeur distincte. La pâte est d'abord mi-dure, puis durcit lentement jusqu'à devenir cassante. L'affinage donne des résultats différents selon le degré d'humidité de la cave ; il est toujours d'au moins six semaines, mais atteint trois mois pour une mimolette jeune, six mois pour la demi-étuvée ou demi-vieille, douze mois pour l'étuvée ou vieille, deux ans pour une mimolette très vieille. Avec le temps, la couleur de la pâte passe de l'orangé au brun rouge, et son goût évolue. La mimolette sèche peut se râper pour la cuisine.

Ᵽ Banyuls (VDN)

CARACTÉRISTIQUES
ESSENTIELLES

- ⌀ 20 cm de diamètre, 15 cm d'épaisseur
- ⚖ 2 à 4 kg
- ❖ 54 g pour 100 g
- ⅁ 40 %
- ✓ Toute l'année
- ⊓ 6 semaines à 2 ans

Flandre

Pasteurisé

Brebis de Pays

BREBIS DU PAYS DE GRASSE

Fromage fermier au lait de brebis qui se nourrissent d'herbe et de lavande dans les plateaux montagneux secs, exposés à l'air pur des Alpes et aux brises méditerranéennes. Le goût de la pâte est léger, un peu aigre pour un fromage de brebis préparé avec du lait de qualité.

L'affinage dure six semaines environ.

♈ Cassis

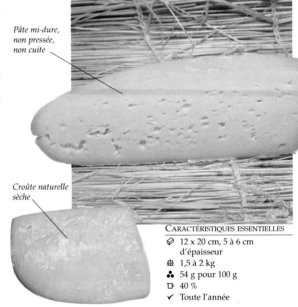

Pâte mi-dure, non pressée, non cuite

Croûte naturelle sèche

 Provence

 Cru

CARACTÉRISTIQUES ESSENTIELLES
- ⌀ 12 x 20 cm, 5 à 6 cm d'épaisseur
- ⚖ 1,5 à 2 kg
- ♣ 54 g pour 100 g
- ⇥ 40 %
- ✓ Toute l'année

BERGER PLAT

Fromage fermier produit à la ferme « le Berger des Dombes », dans la région lyonnaise. Il est né avec l'introduction dans le pays de brebis de race Lacaune, les mêmes qu'à Roquefort (p. 178). La croûte est blanche ou beige, présentant des traces de moisissures bleues. L'odeur et le goût sont légers. Pendant l'affinage, les fromages sont disposés sur un lit de paille durant 15 à 21 jours.

❢ Coteaux-du-Lyonnais, Beaujolais

Pâte molle, non pressée, non cuite

Croûte naturelle blanche, brune ou grise

 Bresse

 Cru, entier

CARACTÉRISTIQUES ESSENTIELLES
- ⊖ 8 cm de diamètre, 2,5 cm d'épaisseur
- ⚖ 110 g ; ⇥ 45 %
- ✓ Toute l'année
- ⊐ 2 à 3 semaines

BREBIS DE BERSEND

Portant le nom de son village d'origine, il est l'un des seuls fromages de brebis fabriqués en Savoie. Jusqu'au XIXe siècle, on éleva de nombreux moutons dans cette région aux confins de la Suisse et de l'Italie. Après une longue période de déclin, le cheptel semble augmenter de nouveau.

♈ Roussette de Savoie

Croûte naturelle blanche, brune ou grise

CARACTÉRISTIQUES ESSENTIELLES

- ⊖ 12 cm de diamètre, 5 cm d'épaisseur
- ⚖ 580 g
- ⤶ 45 %
- ✔ Meilleur en été
- ⊐ 2 mois minimum

Pâte mi-dure, légèrement souple sous le doigt, non pressée, non cuite

Savoie

Cru

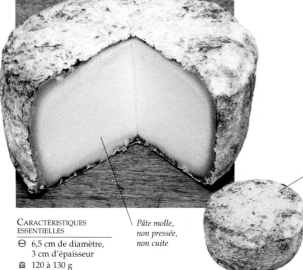

BREBIS DU LOCHOIS
(pur brebis)

Fromage fermier au lait de brebis récemment introduit dans une région où domine le fromage de chèvre. Il n'existe que deux producteurs pour toute la Touraine. Le fromage présenté ci-contre a été fabriqué à Perrusson, près de Loches.

♈ Menetou-Salon

Croûte naturelle

CARACTÉRISTIQUES ESSENTIELLES

- ⊖ 6,5 cm de diamètre, 3 cm d'épaisseur
- ⚖ 120 à 130 g
- ⤶ 45 %
- ✔ Meilleur entre la fin de l'hiver et l'été
- ⊐ 2 semaines minimum

Pâte molle, non pressée, non cuite

Touraine

Cru

Le Caussedou

Fromage fermier produit à la ferme
Poux del Mas, dans le Quercy. Le
nom combine les mots « causse »,
nom des plateaux calcaires du
Quercy, et « doux », adjectif
convenant bien au produit fini.
Des moisissures naturelles bleues
apparaissent sur la croûte au bout de
quelques jours. L'affinage est mené à
une température de 13 °C.

❢ Cahors

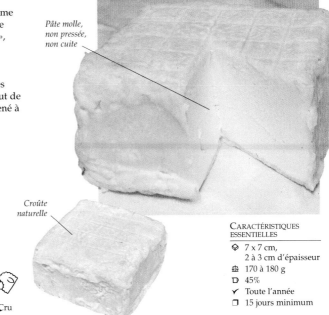

*Pâte molle,
non pressée,
non cuite*

*Croûte
naturelle*

Quercy

Cru

**CARACTÉRISTIQUES
ESSENTIELLES**

◈ 7 x 7 cm,
  2 à 3 cm d'épaisseur
⚖ 170 à 180 g
🌡 45%
✓ Toute l'année
◻ 15 jours minimum

Fromage de Brebis

Riche fromage fermier produit par le
GAEC Saint-Pierre, dans le village de
Meyrueis. Épais, il a un goût robuste.
Chaque fromage qui pèse 95 g
contient 25 g de matières grasses.
C'est donc un produit très calorique.

❢ Minervois

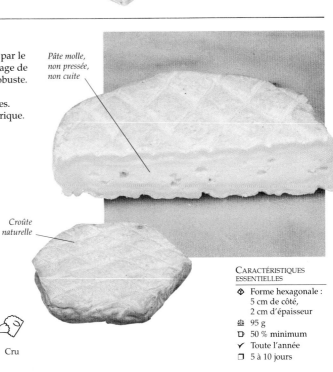

*Pâte molle,
non pressée,
non cuite*

*Croûte
naturelle*

Languedoc-
Roussillon

Cru

**CARACTÉRISTIQUES
ESSENTIELLES**

◈ Forme hexagonale :
  5 cm de côté,
  2 cm d'épaisseur
⚖ 95 g
🌡 50 % minimum
✓ Toute l'année
◻ 5 à 10 jours

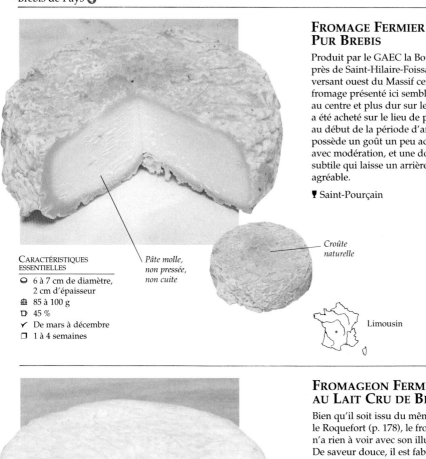

FROMAGE FERMIER PUR BREBIS

Produit par le GAEC la Bourgeade, près de Saint-Hilaire-Foissac, sur le versant ouest du Massif central. Le fromage présenté ici semble moelleux au centre et plus dur sur les bords : il a été acheté sur le lieu de production au début de la période d'affinage. Il possède un goût un peu acide, salé avec modération, et une douceur subtile qui laisse un arrière-goût agréable.

❢ Saint-Pourçain

Croûte naturelle

CARACTÉRISTIQUES ESSENTIELLES

Pâte molle, non pressée, non cuite

- ◒ 6 à 7 cm de diamètre, 2 cm d'épaisseur
- ⚖ 85 à 100 g
- ◖ 45 %
- ✔ De mars à décembre
- ❐ 1 à 4 semaines

 Limousin

 Cru

FROMAGEON FERMIER AU LAIT CRU DE BREBIS

Bien qu'il soit issu du même lait que le Roquefort (p. 178), le fromageon n'a rien à voir avec son illustre voisin. De saveur douce, il est fabriqué suivant une méthode fermière traditionnelle à la ferme de J. Massebiau, à La Cavalerie, dans le Rouergue.

❢ Côtes du Roussillon

Croûte naturelle

CARACTÉRISTIQUES ESSENTIELLES

Pâte molle, non pressée, non cuite

- ◒ 6 à 7 cm de diamètre, 2 cm d'épaisseur
- ⚖ 85 g
- ◖ Variable
- ✔ De la fin de l'hiver à l'été
- ❐ 10 jours minimum

 Rouergue

 Cru

Le Lacandou

C'est dans le nord de l'Aveyron, où les montagnes s'étendent à perte de vue, que M. Lacan produit son lacandou selon des méthodes artisanales traditionnelles. Le fermier auprès de qui il se procure le lait ne donne jamais d'ensilage à ses brebis, qui broutent dans la montagne.

❢ Côtes-du-Roussillon, Crozes-Hermitage

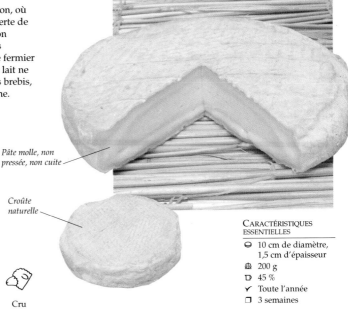

Pâte molle, non pressée, non cuite

Croûte naturelle

Rouergue

Cru

CARACTÉRISTIQUES ESSENTIELLES
- ◯ 10 cm de diamètre, 1,5 cm d'épaisseur
- ⚖ 200 g
- ☐ 45 %
- ✓ Toute l'année
- ◻ 3 semaines

Moularen

Fromage fermier qui existe grâce à deux femmes du village de Montlaux. Là, à 600 m d'altitude, les chutes de neige ne sont pas rares. Les brebis restent au pré huit mois par an et agnèlent en octobre et en mars, ce qui permet d'avoir du lait toute l'année. Comme beaucoup de fromages à croûte lavée, le moularen est jaune orangé en surface. La pâte est crémeuse et épaisse, agréable en bouche.

❢ Bandol ou Bandol rosé

Pâte souple, non pressée, non cuite

Croûte lavée en saumure, de couleur orange

Provence

Cru

CARACTÉRISTIQUES ESSENTIELLES
- ◯ 11 cm de diamètre, 2,5 cm d'épaisseur
- ⚖ 240 g
- ☐ 50 %
- ✓ Meilleur de la fin de l'hiver à l'été
- ◻ 3 semaines

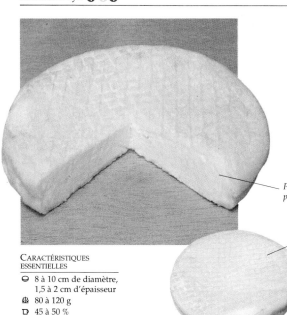

Pérail

Ce fromage fermier ou artisanal est fabriqué traditionnellement sur les plateaux calcaires du Larzac, dans le Rouergue. Il a l'odeur du lait de brebis et une consistance molle comparable à celle de la crème épaisse. Le goût est doux et velouté.

❦ Saint-Chinian

Pâte molle, non pressée, non cuite

Croûte naturelle

CARACTÉRISTIQUES
ESSENTIELLES

- ⬯ 8 à 10 cm de diamètre, 1,5 à 2 cm d'épaisseur
- ⚖ 80 à 120 g
- ⊐ 45 à 50 %
- ⌄ De l'hiver à l'été
- ⬚ 1 semaine minimum

 Rouergue

Cru

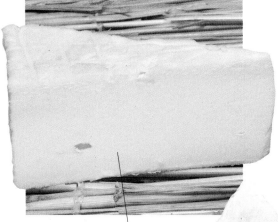

Tricorne de Marans

Après une éclipse de plusieurs années, la production du tricorne a repris en 1984 dans la ville côtière de Marans. Le fromage ci-contre a été fabriqué par deux femmes à partir du lait de leurs 150 brebis. Ce lait de haute qualité, donne un fromage à la teneur en matières grasses assez élevée. Le goût est riche, légèrement aigre-doux. Lorsque le lait de brebis vient à manquer, on le mixe au lait de vache et de chèvre. Il faut 1,5 litre de lait de chèvre pour produire un tricorne, mais seulement 0,7 litre de lait de brebis. Se déguste généralement frais, mais peut être affiné.

❦ Haut-Poitou

Pâte fraîche ou molle, non pressée, non cuite

CARACTÉRISTIQUES
ESSENTIELLES

- ⬯ 8 cm de côté, 3 cm d'épaisseur
- ⚖ 250 g
- ⊐ 48 %
- ⌄ Toute l'année ; meilleur à la fin de l'hiver (brebis)
- ⬚ 2 jours à 3 semaines

Croûte absente ou naturelle selon la maturité du fromage

 Poitou-Charentes

Cru

Brebis des Pyrénées

Les fromages présentés sous ce nom sont tous originaires du Béarn et du Pays basque, dans l'ouest des Pyrénées. La fabrication de fromage au lait de brebis est ancestrale dans ces régions. La plupart sont des produits fermiers au lait cru entier, dont la teneur en matières grasses n'est pas déterminée.

L'AOC Ossau-Iraty-Brebis des Pyrénées a été délivrée en 1980. Elle s'applique à des fromages fermiers de couleur blanche localement appelés « fromage de montagne » ou « fromage de brebis ». Le lait étant produit en quantité limitée sur une partie de l'année, presque tous sont consommés sur place.

Il est bon de couper ces fromages un peu à l'avance. Ils accompagnent bien les vins blancs tels que : Jurançon sec, Irouléguy, Pacherenc du Vic-Bilh et Bordeaux sec.

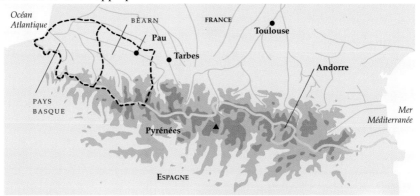

OSSAU-IRATY-BREBIS PYRÉNÉES (AOC)

Ces fromages sont faits au lait de brebis de race Manech. Diverses versions existent : fermières, artisanales, laitières et industrielles. On distingue trois tailles principales : petit, moyen (qui n'est jamais fermier) et grand (toujours fermier). L'affinage est variable selon la taille du fromage de 60 jours pour les petits à 90 pour les grands, la température de la cave doit être inférieure à 12 ℃.

♀ Irouléguy, Graves sec

CARACTÉRISTIQUES ESSENTIELLES

- ◎ 18 à 28 cm de diamètre, 7 à 15 cm d'épaisseur (la taille varie suivant le mode de production)
- ⚖ 2 à 7 kg (selon la taille)
- ⁂ 58 g minimum pour 100 g
- ⌗ 50 % minimum
- ✓ Toute l'année, selon l'affinage ; en automne pour les fromages de montagne

SPÉCIFICATIONS DE L'AOC :
OSSAU-IRATY-BREBIS DES PYRÉNÉES

1. Le lait des brebis ne peut être employé durant les 20 jours qui suivent l'agnelage.
2. L'emprésurage doit se faire dans les 48 heures qui suivent la traite.
3. Le caillage doit être obtenu par l'adjonction de présure, à l'exclusion de toute autre enzyme, particulièrement d'origine fongique ou microbienne.
4. L'appellation « de montagne » ne peut être employée que si les brebis estivent entre le 10 mai et le 15 septembre.
5. Tout fromage ne se conformant pas à ces directives doit être vendu sous le nom de « fromage de brebis ».

AOC DÉLIVRÉE EN 1980

Béarn

Entier

MARQUE DE QUALITÉ
Le producteur marque ses fromages à ses initiales au moyen d'un fer spécial.

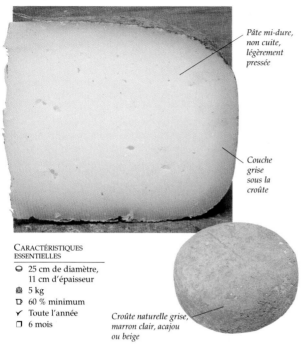

Pâte mi-dure, non cuite, légèrement pressée

Couche grise sous la croûte

- ◒ 25 cm de diamètre, 11 cm d'épaisseur
- ⚖ 5 kg
- ◘ 60 % minimum
- ✔ Toute l'année
- ❐ 6 mois

Croûte naturelle grise, marron clair, acajou ou beige

ABBAYE DE BELLOCQ

Ce fromage fermier est issu du lait des brebis Manech, reconnaissables à leur mufle rouge. Le lait, produit dans les fermes environnantes, est acheminé jusqu'à l'abbaye Notre-Dame de Bellocq, au Pays basque, où il est transformé en fromage. Celui que l'on voit ci-contre a une pâte fine et dense, riche en matières grasses. Son goût fort et entêtant, qui rappelle le sucre brun caramélisé, est dû à un long affinage, ce qui rapproche ce fromage d'un ragoût longuement mijoté. Il est d'ailleurs difficile de croire que le seul produit ajouté au lait soit du sel. Le vin et le pain le complètent bien ; c'est l'un des seuls fromages de sa catégorie qui soit disponible à Paris.

Ⴒ Pacherenc du Vic-Bilh, Bordeaux sec

Béarn

Cru, entier

Pâte mi-dure, non cuite, pressée

- ◒ 19 cm de diamètre, 7 cm d'épaisseur
- ⚖ 3 kg
- ◘ 50 %
- ✔ Toute l'année, selon l'affinage
- ❐ 3 mois minimum

Croûte naturelle

ARDI-GASNA (1)

En basque, *ardi* signifie brebis et *gasna* fromage. Questionné sur l'identité du producteur de ce fromage, le fromager de Saint-Jean-Pied-de-Port nous a répondu : « C'est mon berger qui l'a fait. » Le berger en question s'occupe de 200 à 250 brebis et part en mai pour les pâtures d'été, où il trait les bêtes et fait ses fromages. Ceux-ci sont ensuite affinés avec soin par le fromager, les deux hommes étant liés d'amitié depuis longtemps. La croûte est jaune, orange ou beige, légèrement humide. La pâte de ce fermier est teintée de gris, d'un goût raffiné.

❢ Margaux, Madiran

Béarn, Pays basque

Cru, entier

ARDI-GASNA (2)

Fabriqué dans les Pyrénées,
à la ferme d'Aire-Ona dont le nom
signifie « air pur ». Au printemps,
les 250 brebis et les 60 vaches
qui y vivent, sont menées pour tout
l'été au pâturage où elles se
nourrissent d'herbe grasse.
Le fromage produit au printemps
est particulièrement remarquable.
En novembre, le troupeau redescend
et les mises bas ont lieu. L'hiver,
les bêtes sont nourries de maïs
et de foin. Ce fromage peut être affiné
jusqu'à deux ans, mais même jeune,
il a un parfum très agréable.

❢ Irouléguy,
Côtes-de-Bordeaux jeune

*Pâte mi-dure,
non cuite,
légèrement
pressée*

Croûte naturelle

Béarn

Cru,
entier

CARACTÉRISTIQUES
ESSENTIELLES

- ⊖ 27 cm de diamètre,
  8 à 9 cm d'épaisseur
- ⚖ 4 kg
- ↻ Variable
- ✔ Meilleur au printemps
- ⎄ Variable jusqu'à 2 ans

FROMAGE DE VACHE BRÛLÉ

Les deux produits qui suivent sont
fabriqués dans les Pyrénées au lait de
vache. Brûlé, le fromage est aromatisé
à la poudre de charbon de chêne. Sa
pâte est fine et acide.

❢ Bergerac, léger et fruité

CAILLÉ DE LAIT DE VACHE

Cette spécialité se prépare en
mélangeant du fromage frais avec du
sucre ou du miel. Elle se mange avec
du café, ou bien en dessert, mélangée
avec un peu de sucre et d'armagnac.

⌷ Café

*Pâte mi-dure,
non cuite,
légèrement
pressée*

*Croûte
enrobée de
charbon de
chêne
pulvérisé*

Cru, entier

Pays basque

CARACTÉRISTIQUES
ESSENTIELLES

- ⊖ 13 à 15 cm de diamètre,
  5 à 6 cm d'épaisseur
- ⚖ 1 à 1,3 kg
- ↻ Variable
- ✔ Meilleur au printemps

Aubisque Pyrénées

La lettre F imprimée sur la croûte de ce jeune fromage fermier est l'initiale de l'un des trois seuls bergers de la vallée béarnaise de l'Ossau qui le fabriquent. Il est fait d'un mélange de lait de vache et de brebis dont les proportions varient suivant la saison et la production des bêtes. L'aubisque est d'un goût délicat et agréable, sa douceur est proportionnelle à la quantité de lait de vache utilisée. Le mélange des laits permet un affinage plus court.

Madiran jeune, Côte-de-Blaye

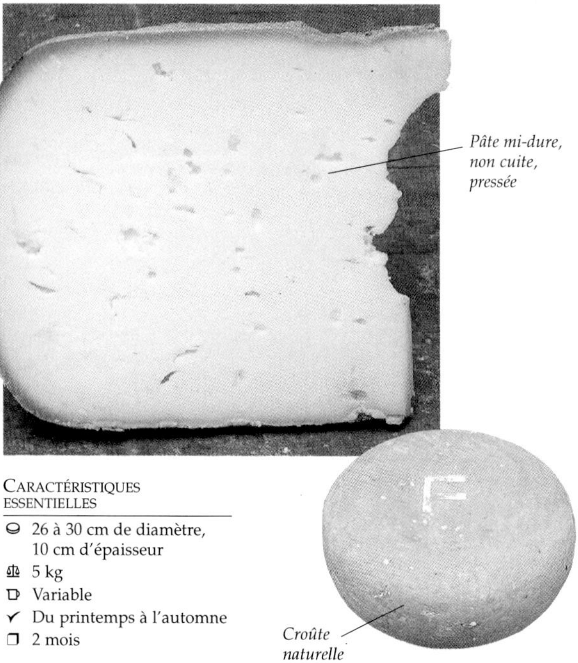
Pâte mi-dure, non cuite, pressée
Croûte naturelle

Caractéristiques essentielles

- 26 à 30 cm de diamètre, 10 cm d'épaisseur
- 5 kg
- Variable
- Du printemps à l'automne
- 2 mois

Béarn

Cru

Brebis Pays Basque Cayolar

Un jeune fromager se rend en camionnette au marché de Saint-Jean-Pied-de-Port pour y vendre ses produits. Son cayolar a une croûte marron, une pâte collante d'un gris brillant, percée de trous dus à la pression subie pendant la fabrication et l'affinage. La teneur en matières grasses est élevée. Quant au nom, il indique que ce fromage de brebis a été façonné dans un *cayolar*, cabane de berger du Pays basque.

Pacherenc du Vic-Bilh

Pâte mi-dure, non cuite, pressée
Croûte dure naturelle

Caractéristiques essentielles

- 19 cm de diamètre, 7,5 cm d'épaisseur
- 2,5 kg
- Variable
- Meilleur à la fin de l'été
- 7 mois

Pays basque

Cru, entier

BREBIS

Produit fermier, acheté dans un village de montagne nommé Izeste, dans la vallée de l'Ossau, et comme le précédent fabriqué dans un *cayolar*. Son goût est étonnamment prononcé compte tenu de la douceur du lait employé. Les lettres C et D estampillées sur sa croûte sont les initiales du berger et propriétaire, M. Daniel Casau.

ⴿ Irouléguy, Graves sec

Pâte mi-dure, non cuite, légèrement pressée

Croûte naturelle

 Béarn

 Cru, entier

CARACTÉRISTIQUES ESSENTIELLES

⊖ 26 cm de diamètre, 8 cm d'épaisseur
⚖ 4 kg
🌡 Variable
✓ Meilleur à la fin de l'été
⊐ 3 mois

MIXTE

Izeste est arrosé par le gave d'Ossau, qui dévale les 2 887 m du pic du Midi où il prend sa source.
Sur le panneau d'une petite maison, on peut lire : « vache, chèvre, brebis ». C'est là que les habitants du pays viennent chercher leur lait.
Derrière la porte sont exposés deux ou trois fromages, que l'on coupe sur une planche. Leur saveur est solide, leur arôme emplit la bouche.
Il est étonnant qu'un lait si doux donne un fromage si charpenté.

ⴿ Irouléguy, Graves sec

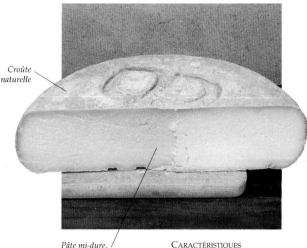

Croûte naturelle

Pâte mi-dure, non cuite, légèrement pressée

 Pays basque
Béarn

 Cru, entier, à parts égales

CARACTÉRISTIQUES ESSENTIELLES

⊖ 27 à 31 cm de diamètre, 8 cm d'épaisseur
⚖ 5,1 kg
🌡 Variable
✓ Meilleur à la fin de l'été
⊐ 3 mois

Brebis Pyrénées

Au marché de Saint-Jean-de-Luz, un fromager et sa fille, qui est également son apprentie, vendent de grands fromages fermiers à pâte dure que nul n'a le droit de toucher. Ce sont des fromages fabriqués à la ferme près d'Arudy, dans la vallée de l'Ossau.

♀ Pacherenc du Vic-Bilh

Pâte pressée mi-dure, non cuite

CARACTÉRISTIQUES
ESSENTIELLES

- ◒ 26 à 28 cm de diamètre, 9 à 10 cm d'épaisseur
- ⚖ 5 à 6 kg
- ▯ Variable
- ✓ Toute l'année, selon le degré d'affinage
- ❐ 6 à 10 mois

Croûte naturelle dure et sèche

Pays basque
Béarn

Cru, entier

Pâte pressée mi-dure, non cuite

Fromage de Brebis

Le fromage fermier est un produit important dans ces régions isolées par la neige durant l'hiver. Il met à profit l'abondance du lait d'été et se conserve longtemps.
Sa production s'étale sur six à sept mois de l'année. C'est un grand et lourd fromage.
Sa pâte jaune est serrée, et sa croûte brune et rouge est dure.
À savourer afin que la subtilité de son goût se développe pleinement. Presque toute la production est consommée localement.

♀ Pacherenc du Vic-Bilh

CARACTÉRISTIQUES
ESSENTIELLES

- ◒ 25 cm de diamètre, 9 cm d'épaisseur
- ⚖ 5 kg
- ▯ Variable
- ✓ Meilleur en automne
- ❐ 8 mois

Croûte naturelle

Pays basque
Béarn

Cru

FROMAGE FERMIER DE BREBIS ET DE VACHE

Ce fromage fermier au lait mélangé porte l'initiale du nom de son producteur, M. Sanche, qui n'en fabrique que 200 par an et les vend en gros à M. J.-C. Chourre alors qu'ils sont encore « blancs », c'est-à-dire frais. Ce dernier, qui se fournit en fromages auprès de dix fermes des alentours, se charge de leur affinage et de leur commercialisation.
Dans sa cave, propriété de la famille depuis des générations, reposent en permanence 1 500 fromages à divers stades de maturité.
Leur qualité dépend du lait : les brebis donnent leur meilleur lait entre deux et trois ans.

♥ Irouléguy

Pâte mi-dure parsemée de petits trous, non cuite, légèrement pressée

Croûte naturelle jaune rougeâtre

Pays basque

Cru

CARACTÉRISTIQUES ESSENTIELLES

◯	24 à 26 cm de diamètre, 8 cm d'épaisseur
⚖	3,5 kg
🜪	Variable
✓	Toute l'année, meilleur en été
⬚	3 mois environ

FROMAGE DE BREBIS VALLÉE DE L'OSSAU (AOC)

Il existe à Saint-Jean-de-Luz, petite ville portuaire, point de ralliement des pêcheurs de thons, une splendide fromagerie où l'on peut acheter des fromages de brebis venus des deux principales régions productrices des Pyrénées : le Béarn et le Pays basque. Le patron, M. C. Dupin, est maître affineur. Ses fromages raffinés et élégants représentent l'aboutissement de l'union scellée entre la montagne, la terre, la brebis, le berger et l'affineur ; tout ce travail conjugué éclôt en un bouquet de saveurs.
L'AOC a été délivrée en 1980.

♥ Irouléguy, Entre-Deux-Mers sec

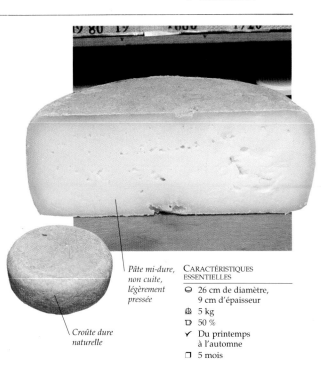

Pâte mi-dure, non cuite, légèrement pressée

Croûte dure naturelle

Pays basque

Cru, entier

CARACTÉRISTIQUES ESSENTIELLES

◯	26 cm de diamètre, 9 cm d'épaisseur
⚖	5 kg
🜪	50 %
✓	Du printemps à l'automne
⬚	5 mois

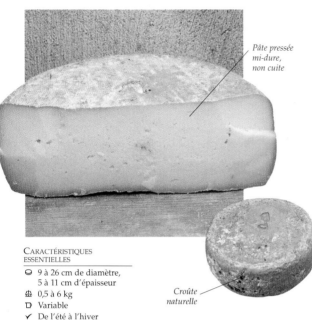

*Pâte pressée
mi-dure,
non cuite*

*Croûte
naturelle*

FROMAGE FERMIER AU LAIT DE BREBIS

Ce fromage fermier doux et salé provient du Béarn, plus exactement de la ferme de Penen, où il est fabriqué en trois tailles.

La propriétaire de la ferme trait les brebis, fait le fromage et le vend au marché de la ville. « Aujourd'hui, dit-elle, les gens préfèrent les fromages plus doux, pas trop salés. Je les fais pour qu'ils soient bons à manger tout de suite. Mieux vaut les vendre rapidement, surtout les plus lourds. Il ne faut que très peu de sel. En fait, ils sont meilleurs quand ils attendent un peu, mais alors ils rétrécissent et sont plus chers. » Au début de l'affinage, les fromages sont essuyés, puis ils sont brossés régulièrement.

♀ Jurançon sec

CARACTÉRISTIQUES ESSENTIELLES

- ◯ 9 à 26 cm de diamètre, 5 à 11 cm d'épaisseur
- ⚖ 0,5 à 6 kg
- ↻ Variable
- ✔ De l'été à l'hiver
- ❐ 4 mois environ

Béarn

Cru, entier

FROMAGE FERMIER AU LAIT DE VACHE

Fabriqué à la ferme de Penen, il est le cousin au lait de vache du fromage précédent.
Lui aussi existe en trois tailles.
Au début de l'affinage, il est essuyé et brossé, parfois avec du sel, puis mis à reposer pendant au moins deux mois.

♀ Madiran

*Pâte pressée
mi-dure,
non cuite*

*Croûte
naturelle
veloutée*

CARACTÉRISTIQUES ESSENTIELLES

- ◯ 11 à 20 cm de diamètre, 5 à 6 cm d'épaisseur
- ⚖ 1 à 2 kg
- ↻ Variable
- ✔ Toute l'année, meilleur au printemps
- ❐ 3 mois

Béarn

Cru

FROMAGE DE L'OSSAU, LARUNS

Fermier fabriqué au hameau de Bagès, près de Laruns, chef-lieu de canton de l'un des centres fromagers de la vallée de l'Ossau. De goût robuste, il se mange traditionnellement après un repas composé de la garbure (soupe épaisse de poireaux, chou, céleri, haricots blancs, lard, confit d'oie et de graisse d'oie, le tout ayant mijoté trois ou quatre heures) et de l'agneau rôti.

Ⴘ Jurançon sec

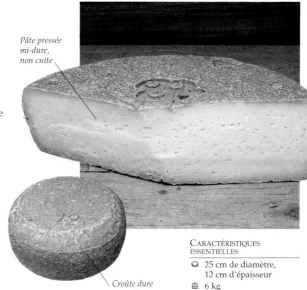

Pâte pressée mi-dure, non cuite

Croûte dure naturelle

Béarn

Cru, entier

CARACTÉRISTIQUES
ESSENTIELLES

◯ 25 cm de diamètre, 12 cm d'épaisseur
⚖ 6 kg
D Variable
✓ Meilleur à la fin de l'été
⊓ 5 mois

FROMAGE DE VACHE

Comme le précédent, ce fromage est fabriqué au hameau de Bagès, dans le canton de Laruns. Entouré de montagnes, à 29 km seulement de la frontière espagnole, le village perché à 531 m d'altitude baigne dans l'air pur et froid des Pyrénées. Le fromage a une saveur riche et complexe.

❗ Madiran

Pâte pressée mi-dure, non cuite

Croûte naturelle

Béarn

Cru

CARACTÉRISTIQUES
ESSENTIELLES

◯ 24 cm de diamètre, 6 cm d'épaisseur
⚖ 3 kg
D Variable
✓ Printemps
⊓ 2 mois minimum

FROMAGE DE PAYS, MIXTE

Non loin du col d'Aubisque, devant une ferme, un panneau indique que l'on y vend des fromages de pays. Il est vrai que la plupart des fermes de la région possèdent un troupeau de vaches ou de brebis. Lorsque le lait de brebis n'est pas assez abondant pour faire du fromage, on le complète avec du lait de vache. La pâte est alors plus douce, plus crémeuse, plus jaune et moins sèche que celle d'un pur brebis.

Pâte pressée mi-dure, non cuite, de couleur jaune

♈ Jurançon sec

CARACTÉRISTIQUES ESSENTIELLES

- ◯ 28 cm de diamètre, 9 cm d'épaisseur
- ⚖ 4,6 kg
- ◻ Variable
- ✓ Toute l'année, selon l'affinage
- ◻ 8 mois

Croûte naturelle

Béarn
Pays basque

Cru

Pâte pressée non cuite, mi-dure

LARUNS

Chaque année a lieu à Laruns une foire aux fromages, où tous les bergers de la région exposent et vendent leurs produits et où les prix sont fixés pour la saison suivante. Le lait de brebis étant plus concentré que le lait de vache, il ne faut que 5,5 litres pour obtenir 6,6 litres de caillé, contre 10 litres de lait de vache. La croûte du fromage ci-contre est sèche ; la pâte est très friable, de la couleur d'un fromage de brebis bien affiné. À la fin de l'affinage, son goût est équilibré à la fois acidulé, salé et gras. L'odeur forte et animale de la brebis ajoute encore à cette saveur. Les fromages de la vallée de l'Ossau se caractérisent par une absence totale de saveur sucrée.

♈ Jurançon sec

CARACTÉRISTIQUES ESSENTIELLES

- ◯ 28 cm de diamètre, 9 cm d'épaisseur
- ⚖ 5 kg
- ◻ Variable
- ✓ Toute l'année ; octobre pour le montagne d'été
- ◻ 6 mois

Croûte naturelle dure et sèche

Béarn
Pays basque

Cru

MATOCQ (AOC)

Produit artisanal portant le nom de son producteur, un béarnais d'Asson. Il utilise du lait de brebis pour obtenir ce fromage solide, bien charpenté, au goût prononcé.

Le matocq est l'un des rares fromages à bénéficier à la fois d'un label et d'une AOC. Il appartient à la catégorie des Ossau-Iraty-Brebis des Pyrénées, reconnue par une AOC en 1980.

♈ Jurançon sec

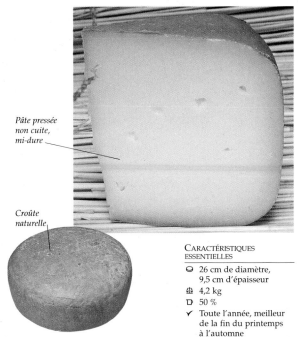

Pâte pressée non cuite, mi-dure

Croûte naturelle

Béarn
Pays basque

Cru, entier

CARACTÉRISTIQUES
ESSENTIELLES

◒ 26 cm de diamètre, 9,5 cm d'épaisseur
⚖ 4,2 kg
◻ 50 %
✔ Toute l'année, meilleur de la fin du printemps à l'automne
◻ 4 mois

MATOCQ

Le fromage ci-contre est un matocq au lait de vache, aussi riche que la version au lait de brebis. La production annuelle de matocq de brebis est d'environ 200 tonnes, égalant celle au lait de vache ; le fromage au lait de mélange atteint les 110 tonnes par an. L'affinage de tous ces produits s'effectue dans des caves à 8-10 °C. Son exportation augmente chaque année vers l'Allemagne, la Belgique et les États-Unis.

♈ Jurançon sec

Croûte naturelle

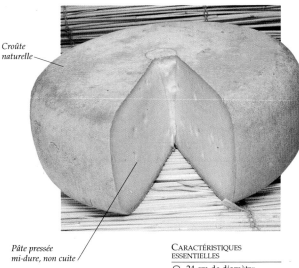

Pâte pressée mi-dure, non cuite

Béarn
Pays basque

Entier

CARACTÉRISTIQUES
ESSENTIELLES

◒ 24 cm de diamètre, 9,5 cm d'épaisseur
⚖ 4,2 kg
◻ 50 %
✔ Toute l'année
◻ 6 mois à 1 an

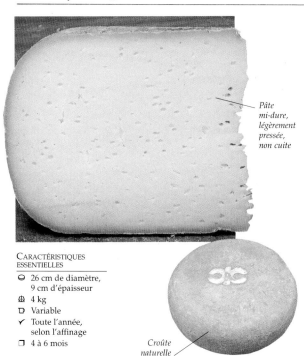

Pâte mi-dure, légèrement pressée, non cuite

Croûte naturelle

Ossau Fermier

Le fromage ci-contre est un peu jeune mais parfaitement à point, percé de petits trous régulièrement répartis. Il dégage un parfum agréable de matières grasses bien incorporées. Au palais, la pâte est d'abord sèche et salée, puis une saveur acidulée et douce se développe. Il s'agit d'un fromage fort, ni timide ni exubérant.

❢ Madiran (de type Château Montus), Pauillac

CARACTÉRISTIQUES ESSENTIELLES

- ⬭ 26 cm de diamètre, 9 cm d'épaisseur
- ⚖ 4 kg
- ↻ Variable
- ↖ Toute l'année, selon l'affinage
- ⌗ 4 à 6 mois

Béarn

Cru, entier

Les fromages d'alpage

L'été est tardif dans les Alpes, mais chaque année, dès que la neige a disparu des sommets, commence la migration estivale des troupeaux. Entre le 15 et le 30 juin, les animaux, souvent propriété de plusieurs éleveurs, sont confiés à des alpagistes, qui les emmènent vers les pâturages de haute montagne. Là, les bêtes vivent à leur rythme et broutent herbe et fleurs. Durant ces quelques mois, l'alpagiste vit et travaille dans un chalet, sorte de relais d'étape, et trait deux fois par jour pour faire du fromage. Quand l'herbe d'une pâture est épuisée, le troupeau est amené un peu plus haut. C'est ainsi que vers la mi-août, il atteint généralement la ligne des neiges éternelles, à presque 3 000 mètres. La première chute de neige donne le signal de la désalpe. Par paliers successifs, l'alpagiste ramène ses vaches en suivant exactement le même chemin,

LE LAIT DES MONTAGNES
Le lait produit par les vaches à l'alpage est riche et crémeux. L'alpagiste en fait des fromages et les laisse dans les chalets qui jalonnent son parcours vers les sommets.

l'herbe ayant repoussé entre-temps. Traditionnellement à la Saint-Michel, le 29 septembre, on rejoint le village. Les vaches entrent à l'étable pour vêler et la production de fromage d'hiver commence.

Dans les Pyrénées a lieu une migration d'été comparable, appelée transhumance. Il s'agit de moutons et de chèvres menés par des bergers.

TOURMALET

Malgré la taille imposante de la plupart des fromages des Pyrénées, il en existe quelques-uns dont les dimensions plus modestes facilitent la vente. Le Tourmalet, qui porte le nom du sommet bien connu, est un fromage de brebis artisanal. Sa saveur robuste, rustique, très agréable soutient facilement la comparaison avec les fromages de taille supérieure.

🍷 Jurançon sec

Pâte pressée mi-dure, non cuite

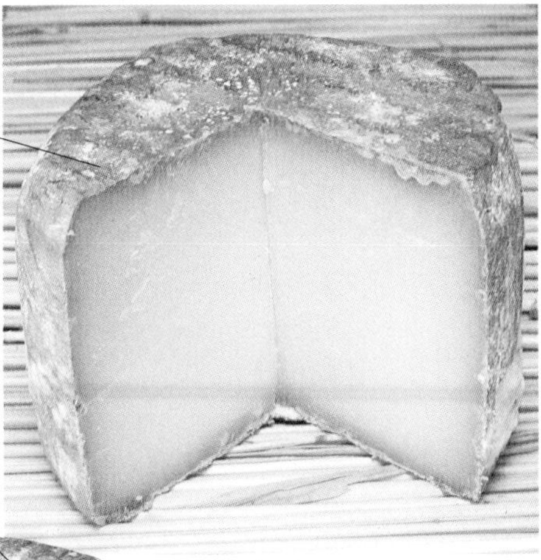

Croûte dure naturelle

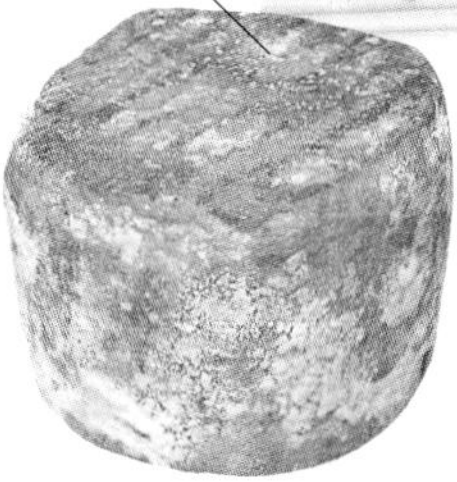

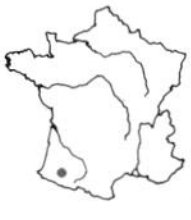

Béarn

Cru

CARACTÉRISTIQUES ESSENTIELLES

- 10 cm de diamètre, 7 cm d'épaisseur
- 600 g
- 50 %
- ✓ Toute l'année
- ❒ 1 mois

LE PETIT PARDOU

Il s'agit de la version au lait de vache du fromage présenté ci-dessus. Tous deux sont des produits artisanaux fabriqués à Laruns.

🍷 Madiran, Fronsac

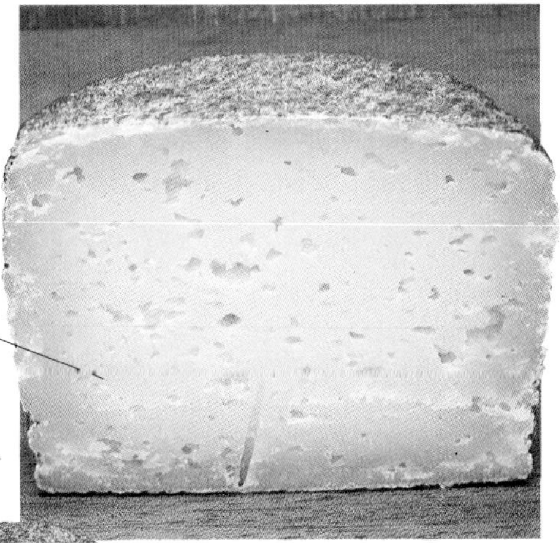

Pâte pressée mi-dure, non cuite

Croûte dure naturelle

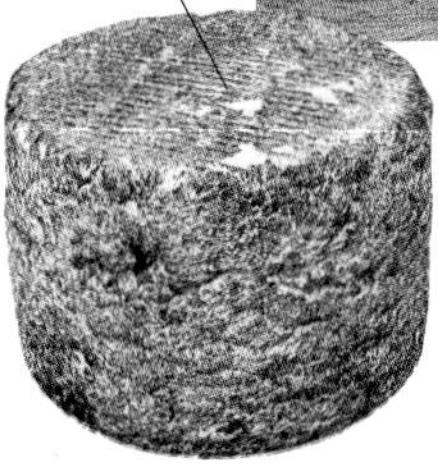

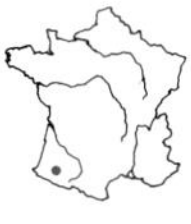

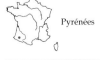

Pyrénées

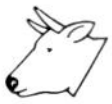

Variable

CARACTÉRISTIQUES ESSENTIELLES

- 9 cm de diamètre, 7 cm d'épaisseur
- 600 g
- 50 %
- ✓ Toute l'année
- ❒ 1 mois

Brie

Fine croûte fleurie, teintée de lignes et de taches rougeâtres

Pâte crémeuse tendre et homogène, non pressée, non cuite

CARACTÉRISTIQUES ESSENTIELLES

- ◒ 36 à 37 cm de diamètre, 3 à 3,5 cm d'épaisseur
- ⚖ 2,5 à 3 kg
- ⁂ 44 g minimum pour 100 g
- ◻ 45 %
- ✔ Toute l'année
- ⊓ 8 semaines

SPÉCIFICATIONS DE L'AOC : BRIE DE MEAUX

1. Le lait ne peut être porté à 37 °C maximum qu'une seule fois et uniquement au cours de l'emprésurage.

2. Le fromage doit être moulé à la main à l'aide d'une « pelle à brie ».

3. Le salage se fait au sel sec exclusivement.

AOC DÉLIVRÉE EN 1980

BRIE DE MEAUX (AOC)

Le plateau verdoyant de la Brie entretient une longue tradition fromagère. La proximité de la capitale, important centre de consommation, a fait en partie le succès des fromages briards.

En Brie, le lieu de production est traditionnellement différent de celui où se déroule l'affinage. Au moment de la vente, le brie de Meaux doit être « fait » sur au moins la moitié de son épaisseur. Raffiné, d'aspect et d'odeur bien équilibrés, il possède toute la douceur que l'on attend d'un produit laitier de première qualité. Celui que nous présentons est fait à cœur et dégage une légère odeur de moisi. Sa croûte ressemble à du velours et se teinterait de rouge si on le laissait mûrir encore davantage. La pâte est dense, homogène, de couleur jaune paille. Comme pour la croûte, on remarque une discrète odeur de fermentation. Le goût riche et concentré est à la fois doux et charpenté.

Le brie de Meaux artisanal ou industriel doit obligatoirement être mené à maturité dans la zone de l'AOC figurant sur la carte ci-dessous, à laquelle on peut ajouter l'Île-de-France.

Pendant la fabrication, le caillé est à peine rompu. L'égouttage est spontané et une bonne proportion de liquide s'évapore en raison de la surface assez étendue du fromage. Si l'égouttage est trop rapide, le fromage se fend.

❦ Saint-Julien, Vosne-Romanée, Hermitage

Île-de-France
Bourgogne

Cru

BRIE FERMIER

À la laiterie Ganot, où ce brie fermier a été fabriqué, la fromagerie jouxte l'étable. L'air chaud et ammoniaqué qui se dégage de celle-ci est censé faciliter le développement des moisissures. Mme Clein fait son fromage selon des méthodes traditionnelles tandis que son associée, Mme Ganot, se charge de l'affinage et de la vente sur les marchés de Meaux et de Melun. Selon elle, « il est excellent avec des pommes vertes, des noix, et un verre de champagne ». N'étant pas de taille réglementaire, il ne peut prétendre à l'appellation contrôlée « brie de Meaux ». La croûte, tachée de rouge aux endroits où la paille a frotté, a la couleur d'un brie fait à cœur, riche en goût et en parfum.

❢ Saint-Julien, Vosne-Romanée, Hermitage

Île-de-France

Cru

Pâte molle, non pressée, non cuite

Croûte fleurie

CARACTÉRISTIQUES ESSENTIELLES

◷ 32 cm de diamètre, 2 cm d'épaisseur
⚖ 1,88 kg
☐ Variable
✔ À partir de l'été
☐ 2 mois

BRIE NOIR

Le brie ci-contre a été affiné environ un an. Il est dense et velouté. Les gens du pays le trempent dans leur café au lait au petit déjeuner.

♀ Château-Chalon jaune, Arbois jaune

Île-de-France

Cru

Croûte friable

Pâte sèche qui doit être savourée

CARACTÉRISTIQUES ESSENTIELLES

◷ 30 cm de diamètre, 2 cm d'épaisseur
⚖ 1,45 kg
☐ Variable
✔ Toute l'année

Croûte mince, moisissure blanche avec taches et lignes brun et rouge

Pâte molle et de texture régulière, crème de couleur uniforme, non pressée, non cuite

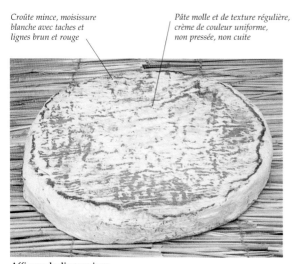

Affinage de dix semaines

Affinage de dix semaines

Fromage frais

BRIE DE MELUN (AOC)

Le brie de Melun et le brie de Meaux sont proches cousins mais, alors que celui de Meaux est raffiné et tendre, celui de Melun est fort, robuste et un peu plus salé. Cette différence tient aux méthodes de fermentation. Pour le brie de Meaux, le caillage se fait en moins de 30 minutes grâce à l'utilisation de présure ; pour le brie de Melun, le lait caille par fermentation lactique, ce qui prend au moins 18 heures. Son affinage est également plus long.

Le brie artisanal ci-contre dégage une odeur de moisissure; il a une pâte onctueuse, douce quoiqu'un peu salée.

Presque tous les bries de Melun sont vendus frais ou affinés sur les marchés locaux. Frais, le brie est acide car en pleine phase de fermentation lactique, mais doux comme du bon lait crémeux.

❦ Bourgogne

CARACTÉRISTIQUES ESSENTIELLES

- ⬭ 27 à 28 cm de diamètre, 3,5 à 4 cm d'épaisseur
- ⚖ 1,5 à 1,8 kg
- ♣ 40 g pour 100 g
- ▯ 45 %
- ✔ Toute l'année
- ❐ 4 à 8 semaines

SPÉCIFICATIONS DE L'AOC : BRIE DE MELUN

1. Le lait ne doit être chauffé qu'une fois, à une température de 30 °C et uniquement au moment de l'emprésurage.
2. Le caillage se fait par fermentation lactique spontanée, mais on peut avoir recours à la présure.
3. Le caillage doit durer au moins 18 heures.
4. L'égouttage doit être mené lentement.
5. Le fromage doit être moulé à la main.
6. Le salage se fait exclusivement au sel sec.

AOC DÉLIVRÉE EN 1980

 Île-de-France
Brie
Champagne-
Ardennes

 Cru

BRIE DE COULOMMIERS

Il serait l'ancêtre de tous les bries.
Jusqu'en 1984, une version fermière
du brie de Coulommiers était
produite par Mme Strome, qui élevait
50 vaches. Ses fromages étaient
affinés par une petite entreprise
familiale de la région, la Société
fromagère de la Brie.

Les briards préfèrent le manger
encore ferme et non coulant. Son
arôme délicat et son odeur de moisi
se développent sous le palais.
Aujourd'hui, il n'y a plus de
production fermière, seule une
version artisanale est fabriquée.

❡ Bourgogne, Bordeaux,
Côtes-du-Rhône

*Pâte tendre,
non pressée,
non cuite*

Croûte fleurie

Île-de-France

Cru

CARACTÉRISTIQUES
ESSENTIELLES

- ◒ 21 à 25 cm de diamètre,
  3 cm d'épaisseur
- ⚖ 1,3 kg
- ⊐ 45 %
- ✔ De l'automne à l'hiver
- ❒ 1 mois

BRIE DE MONTEREAU

Sa saveur est voisine de celle du brie
de Meaux. Il a en outre un arrière-
goût et une odeur assez forts pour un
brie. Le fromage ci-contre est plutôt
jeune.

❡ Bourgogne, Bordeaux,
Côtes-du-Rhône

CARACTÉRISTIQUES
ESSENTIELLES

- ◒ 18 à 20 cm de diamètre,
  3 cm d'épaisseur
- ⚖ 0,8 à 1 kg
- ⊐ 40 à 45 %
- ✔ De l'été à l'hiver
- ❒ 5 à 6 semaines

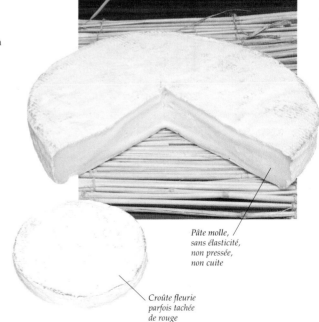

*Pâte molle,
sans élasticité,
non pressée,
non cuite*

*Croûte fleurie
parfois tachée
de rouge*

Île-de-France

Cru

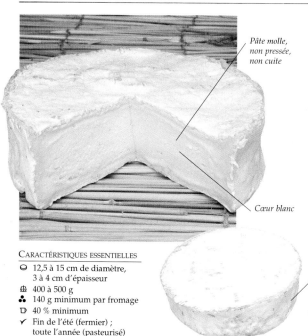

*Pâte molle,
non pressée,
non cuite*

Cœur blanc

COULOMMIERS

Il existe des bries grands, moyens et petits. Le coulommiers est petit, mais très épais. Celui que l'on voit ci-contre a atteint la maturité appréciée dans la région. Il lui reste un cœur blanc un peu suret, entouré d'une pâte jaune clair à la saveur douce et fondante. Sur ce seul fromage s'observent donc divers stades d'affinage. La production de coulommiers est fermière, artisanale ou industrielle. L'affinage dure huit semaines pour les fromages au lait cru et au moins quatre semaines pour les fromages pasteurisés.

❢ Bourgogne, Bordeaux, Côtes-du-Rhône

*Croûte de moisissure blanche
avec quelques taches rouges*

CARACTÉRISTIQUES ESSENTIELLES

- ⊖ 12,5 à 15 cm de diamètre, 3 à 4 cm d'épaisseur
- ⬗ 400 à 500 g
- ❖ 140 g minimum par fromage
- ◷ 40 % minimum
- ✔ Fin de l'été (fermier) ; toute l'année (pasteurisé)
- ⊐ 4 à 8 semaines

 Île-de-France

Cru ou pasteurisé

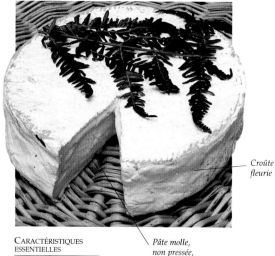

FOUGERUS

Ce fromage artisanal de la famille des bries est légèrement plus grand que le coulommiers. À l'origine, il était fabriqué à la ferme en vue d'une consommation familiale, la feuille de fougère servant autant à le décorer qu'à le parfumer. La production commerciale commença au début du XXe siècle. L'odeur de la fougère se marie avec celle des moisissures de la croûte. La pâte est souple et douce, un peu salée.

❢ Bourgogne, Bordeaux, Côtes-du-Rhône

*Croûte
fleurie*

CARACTÉRISTIQUES
ESSENTIELLES

*Pâte molle,
non pressée,
non cuite*

- ⊖ 16 cm de diamètre, 4 cm d'épaisseur
- ⬗ 650 g
- ◷ 45 à 50 %
- ✔ Du printemps à l'automne
- ⊐ 4 semaines

 Île-de-France

Cru

BRIE DE NANGIS

Il y a peu, ce produit artisanal, détrôné par le brie de Melun (p. 58), était totalement absent des marchés. Il a été ressuscité par un unique producteur, mais n'est plus fabriqué dans la ville dont il porte le nom. Le cœur du fromage photographié ici est à peine affiné et conviendrait donc aux amateurs de brie jeune.

❢ Bourgogne, Bordeaux, Côtes-du-Rhône

Pâte molle, non pressée, non cuite

Croûte fleurie

Île-de-France

Cru

CARACTÉRISTIQUES ESSENTIELLES

- ⊖ 20 à 23 cm de diamètre, 4 cm d'épaisseur
- ⚖ 1 à 1,2 kg
- Ɗ 45 %
- ✓ De l'été à l'hiver
- ❒ 4 à 5 semaines

BRIE DE PROVINS

Après une disparition totale, mais heureusement brève, le provins revient timidement sur le marché, la production étant assurée par un seul fabricant. On voit ici un fromage dont le cœur est sur le point de devenir crémeux. Son goût n'est plus râpeux. Si certains préfèrent le brie jeune, nous recommandons toutefois de consommer celui-ci bien fait, car le bouquet du lait, l'arôme persistant, l'odeur de moisissure claire et raffinée sont alors à leur apogée.

❢ Bourgogne, Bordeaux, Côtes-du-Rhône

Pâte tendre, non pressée, non cuite

Île-de-France

Cru

Croûte fleurie

CARACTÉRISTIQUES ESSENTIELLES

- ⊖ 27 cm de diamètre, 4 cm d'épaisseur
- ⚖ 1,5 à 1,8 kg
- Ɗ 45 %
- ✓ De l'été à l'hiver
- ❒ 4 à 5 semaines

Cabécou/Rocamadour (AOC)

Ces minuscules mais délicieux fromages ronds au lait de chèvre cru vieillissent bien et acquièrent avec l'âge du corps et de la présence. Chaque année, 490 tonnes de cabécou sont produites dans le triangle formé par les localités de Rocamadour, Gramat et Carlucet. En langue d'oc, un cabécou est un cabri. Les fromages frais du printemps, embaumant l'herbe et le lait, valent la peine d'être goûtés. Sous le nom de Rocamadour, toute la famille des cabécous a reçu une AOC le 16 mars 1996.

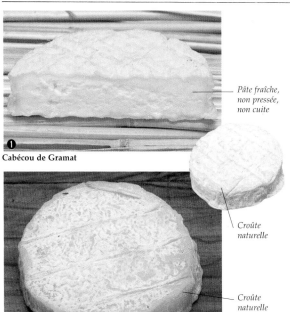

Pâte fraîche, non pressée, non cuite

❶
Cabécou de Gramat

Croûte naturelle

Croûte naturelle

❷
Cabécou

CABÉCOU DE GRAMAT

♀ Jurançon sec, Vouvray sec, Tursan

CABÉCOU

Il s'agit d'un cabécou fermier du Quercy.

♀ Jurançon sec, Vouvray sec, Tursan

PICADOU

Pour produire cette spécialité, on enveloppe un cabécou bien fait dans des feuilles de noyer ou de platane. On l'arrose ensuite de marc de prune, puis on le place dans un récipient hermétique. L'arôme du marc imprègne peu à peu le fromage. Parfois, du poivre écrasé vient apporter une agréable sensation de croquant et donne encore plus de piquant à un fromage déjà corsé (d'où son nom).

▯ Marc, Eau-de-vie de prunes

CARACTÉRISTIQUES
ESSENTIELLES

◯ 4 à 5 cm de diamètre, 1 à 1,5 cm d'épaisseur
⚖ 30 à 40 g
▯ 45 %
✔ Du printemps à l'automne
▯ 10 jours minimum

Pâte souple, non pressée, non cuite

Quercy
Rouergue
Périgord

Cru

❸
Picadou

Cabécou de Rocamadour (AOC)

En raison de leur petite taille, ces fromages fermiers arrivent vite à maturité. Leur croûte est fine, leur pâte tendre et crémeuse, avec une odeur rappelant le lait et le moisi. L'arrière-goût est également léger, sucré et parfumé à la noisette. Les fromages ci-contre ont atteint chacun un degré différent de développement.

♥ Gaillac, ♀ Bergerac sec

Quercy
Rouergue
Périgord

Cru

CARACTÉRISTIQUES ESSENTIELLES

- 4 à 5 cm de diamètre, 1 à 1,5 cm d'épaisseur
- 30 à 40 g
- 45 %
- Du printemps à l'automne
- 4 semaines maximum, en général

Pâte molle à dure, non pressée, non cuite

Croûte naturelle variant selon l'affinage

Affinage d'environ une semaine

Affinage d'environ six semaines

Affinage d'environ deux semaines

Affinage d'environ deux semaines

Affinage d'environ quatre semaines

LA FABRICATION DU CAMEMBERT

En Normandie, sous l'action conjuguée du soleil et de l'humidité, pousse une herbe grasse broutée par les typiques vaches normandes noir et blanc. Ces dernières donnent un lait d'excellente qualité avec lequel sont produits le beurre, la crème, et les nobles fromages de Pont-l'Évêque, Livarot et Camembert.

Depuis 1981, François Durand, fabrique dans un village situé tout près de Camembert un fromage fermier. Chaque semaine, il en produit environ 650 avec le lait de 45 vaches. 2,3 litres de lait et deux jours de fabrication sont nécessaires pour un fromage de 250 g.

CAMEMBERT FERMIER
Ce panneau signale l'entrée de la ferme où M. Durand fabrique le célèbre fromage.

COLLECTE DE LAIT
La traite des vaches normandes a lieu deux fois par jour, matin et soir.

TRANSPORT
Le lait quitte le lieu de la traite dans des cuves réfrigérées à 12 °C.

DÉMARRAGE DE LA FERMENTATION
La veille de la fabrication, on ajoute un ferment au lait.

ÉCRÉMAGE
Les matières grasses (20%) sont retirées, puis le lait est porté à 32°C.

CHAUFFAGE DU LAIT
Le lait chaud est versé dans des cuves de cent litres. La température de l'air est de 30 °C, avec un taux d'humidité proche de 100%.

EMPRÉSURAGE
La présure liquide, extraite de la caillette d'un veau, est ajoutée au lait à raison de 17 cm³ pour 100 litres.

CAILLAGE
Le caillage prend entre une heure et demie et deux heures.

PRÉPARATION DU PLAN DE TRAVAIL
La table en inox rainurée est recouverte d'un tapis de bois de peuplier étuvé.

LES MOULES
Les moules mesurent 13 cm d'épaisseur et 11,5 cm de diamètre. Ils sont perforés sur les côtés.

NETTOYAGE DU CAILLÉ
On passe sur le caillé une brosse qui retire les impuretés accumulées à la surface.

DÉCOUPAGE DU CAILLÉ
Le caillé est rompu quatre fois, horizontalement et verticalement, avec une lame de 60 cm.

MOULAGE DU CAILLÉ
On prélève le caillé à l'aide d'une louche avant de le mouler.

REMPLISSAGE DES MOULES
La louche est légèrement plus petite que les moules.

QUATRE COUCHES DE CAILLÉ
Chaque moule reçoit quatre pleines louches de caillé.

LA CINQUIÈME COUCHE
Une heure plus tard, une cinquième louche de caillé est ajoutée dans les moules.

ÉGOUTTAGE DU PETIT-LAIT
Le petit-lait s'écoule naturellement sous le poids du caillé. Il sert à nourrir des porcs.

LE RETOURNAGE
Au bout de sept heures, on retourne chaque moule à la main avec précaution.

MISE SOUS POIDS
Une plaque de métal de 95 g est placée sur le caillé, qui repose ensuite jusqu'au lendemain.

DÉMOULAGE
Le lendemain, les moules sont retirés, mais la plaque métallique est laissée pour faciliter l'égouttage.

RETRAIT DES PLAQUES
Les plaques sont ôtées de la surface des fromages.

ENSEMENCEMENT
Les fromages sont aspergés de trois variétés de *penicillium candidum* dilué dans l'eau.

SALAGE DU DESSUS ET DES CÔTÉS
Au bout de cinq jours, du sel sec et fin est appliqué directement sur les fromages.

SALAGE DU DESSOUS
Les fromages alignés sont retournés et légèrement salés sur le dessous.

ENSEMENCEMENT DU DESSUS
Le dessous, qui se trouve à présent au-dessus, reçoit une vaporisation de *penicillium* dilué.

MISE AU REPOS
Les fromages sont mis à reposer une nuit avant de passer au hâloir.

SÉCHAGE
Le hâloir est maintenu à 13 °C et 85 % d'humidité. Les fromages y sèchent pendant deux semaines.

LE CINQUIÈME JOUR
Au cinquième jour de séchage, les fromages sont encore assez épais, mais la croûte se développe.

LE HUITIÈME JOUR
Après huit jours, les fromages ont perdu de l'épaisseur. Ils sont retournés au cours du séchage.

APRÈS DEUX SEMAINES
La moisissure blanche caractéristique du Camembert apparaît nettement.

EMBALLAGE
Les fromages sont enveloppés dans un papier en vue de l'expédition.

MISE EN BOÎTE
Les fromages sont mis dans une boîte en copeaux de bois et envoyés chez les revendeurs.

PRÊT POUR LA DÉGUSTATION
Après deux semaines d'affinage chez le fromager, le Camembert est prêt.

CAMEMBERT DE NORMANDIE (AOC)

Le Camembert est partout synonyme de fromage français. Avant d'obtenir son AOC en 1983, il était déjà le plus copié au monde. Comment choisir un Camembert : forme parfaite, croûte fleurie blanche striée ou tachée de rouille. La pâte doit être jaune crème, souple au toucher. Il doit dégager une légère odeur de moisissure En Normandie, on préfère le déguster mi-fait, lorsque le « filet » (le cœur) est encore blanc et non crémeux.

À l'intérieur de la zone d'AOC, on produit des Camemberts laitiers et industriels, dont l'affinage dure au moins 21 jours à compter de la date de fabrication. Il est devenu difficile de trouver un bon depuis quelques temps, un jeune agriculteur a repris la production du Camembert fermier, mais n'a pas encore obtenu le label AOC (p. 64).

❢ Saint-Émilion, Saint-Estèphe

Croûte fleurie avec affleurements rouille

SPÉCIFICATIONS DE L'AOC : CAMEMBERT DE NORMANDIE

1. Il est interdit d'ajouter au lait du lait concentré ou en poudre, des protéines lactiques ou des colorants.

2. Le lait ne doit pas être porté à plus de 37 °C.

3. La masse du caillé doit être coupée verticalement.

4. Le caillé doit être moulé à l'aide d'une louche de même diamètre que le moule, en quatre fois au mois (pp. 64-65).

5. Le salage se fait exclusivement au sel sec.

6. Les fromages salés doivent être entreposés en hâloir à une température comprise entre 10 et 14 °C. Avant d'être emballés dans leur boîte caractéristique en bois, ils peuvent être rangés sur des planches, dans des caves à 8 ou 9 °C.

7. Seuls les fromages AOC peuvent faire figurer sur leur étiquette les mots « fabrication traditionnelle au lait cru avec moulage à la louche ». La mention « fabriqué en Normandie » est réservée aux fromages normands n'ayant pas droit à l'AOC.

AOC DÉLIVRÉE EN 1983

CARACTÉRISTIQUES ESSENTIELLES

◷ 10,5 à 11 cm de diamètre, 3 cm d'épaisseur
⚖ 250 g minimum
♣ 215 g par fromage
ᴆ 45 % minimum
✓ Toute l'année

Normandie

Cru

CAMEMBERT AFFINÉ AU CIDRE

Ce fromage est la spécialité d'un fromager qui fait macérer quinze jours dans le cidre de jeunes Camemberts dont la croûte est déjà formée. Ils absorbent ainsi le goût du cidre et le parfum des pommes. Leur odeur est légèrement piquante.

❢ Beaujolais, Ⅱ Cidre

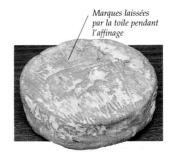

Marques laissées par la toile pendant l'affinage

CŒUR DE CAMEMBERT AU CALVADOS

Il s'agit d'un Camembert débarrassé de sa croûte et trempé dans le Calvados, mariage de deux grandes spécialités normandes.

Ⅱ Cidre-Jasnières, ❑ Calvados

Cerneaux de noix pour le décor

CANCOILLOTTE / METTON

C'est le metton, fromage de fabrication artisanale ou industrielle, qui sert à faire la cancoillotte. Le metton est fabriqué au lait écrémé, caillé, finement découpé et porté à 60 °C avant d'être pressé, écrasé puis affiné quelques jours. Pour obtenir la cancoillotte, on fait fondre du metton à feu doux dans un peu d'eau ou de lait et on y ajoute du sel et du beurre. Peut se manger chaude ou froide sur du pain, au petit déjeuner ou en collation, avec des légumes ou de la viande. On la trouve en pot, nature ou aromatisée au beurre, à l'ail, au vin. Très appréciée en Franche-Comté.

❢ Côtes-du-Jura
Bourgogne Passe-tout-grains

Le metton se présente sous forme de granulés

Metton

Pâte jaune, peu salée, onctueuse, de la consistance du miel liquide

Cancoillotte

Franche-Comté

Écrémé

Cantal, Salers, Laguiole et Aligot

Affinage de six mois

Pâte compacte mi-dure couleur ivoire, non cuite, pressée deux fois

CANTAL / FOURME DU CANTAL (AOC)

On produit aujourd'hui du cantal fermier, laitier et industriel. Un morceau de cantal est lourd et humide, la pâte fond dans la main quand on veut la pétrir. Le sel qu'il contient relève la saveur pleine de ce fromage. Un cantal bien affiné a un goût fort, tandis qu'un cantal jeune garde la douceur du lait cru. L'AOC a été délivrée en 1980.

❦ Côtes d'Auvergne, Châteaugay, Moulin-à-Vent

CARACTÉRISTIQUES ESSENTIELLES

- ⊖ 36 à 42 cm de diamètre, 35 à 40 cm d'épaisseur
- ⚖ 35 à 45 kg
- ❖ 57 g minimum pour 100 g de fromage affiné ; 56 g minimum pour 100 g de fromage blanc (juste après le pressage)
- ↧ 45 %
- ✔ Toute l'année

Auvergne
Limousin

Cru ou pasteurisé

Croûte naturelle ocre tachée de rouge et d'orange

Étiquette en aluminium : CA signifie cantal, 15 est le département de production, EE identifie le fabricant

Affinage de huit jours

La fabrication du Cantal

Il est fabriqué en trois tailles différentes : taille normale, pesant environ 40 kg, petite taille, d'environ 20 kg, et cantalet ou cantalon d'un poids de 10 kg environ.

L'emprésurage
Le lait est chauffé à 32 ℃. Le caillé se forme en une heure environ.

Le découpage du caillé
Le caillé est d'abord rompu en cubes d'un centimètre de côté, puis brassé. Le petit-lait est éliminé.

Le premier pressage
Le caillé, divisé en masses compactes de 80 à 100 kg chacune, est enveloppé dans une toile et mis sous presse (1). Il en sort sous forme de pains épais nommés tomes (2), que l'on coupe et presse plusieurs fois pour en chasser le petit-lait.

La mise en forme
Après le pressage, chaque tome repose pendant huit heures à une température de 12 à 15 ℃. Cette période de repos encourage le développement naturel des acides lactiques qui protègent et modifient la structure physique de la tome, opération indispensable à l'affinage. La tome est ensuite coupée en petits morceaux à l'aide d'une broyeuse. Ce procédé, couramment utilisé pour certains fromages étrangers, n'est employé en France que pour le cantal.

Le salage
La tome, réduite en morceaux de la taille d'une noisette, est salée : on utilise au moins 24 g de sel par kg de caillé en été, 21 g en hiver. On procède à un nouveau brassage pendant lequel le sel se dissout et s'incorpore au caillé. Le lendemain, alors que la tome s'est à nouveau agglomérée, on l'effrite rapidement. On en prélève une poignée que l'on serre dans le creux de la main. Si elle se détache facilement de la peau, le salage est réussi.

Le moulage et le pressage
Les moules, garnis de toile, sont emplis de tome (3), fermés à l'aide d'un couvercle métallique et mis sous presse (4). Les moules sont pressés trois ou quatre fois en 48 heures, la toile étant changée à chaque fois.

L'affinage
Après démoulage, le fromage est emporté vers une cave d'affinage sombre et bien ventilée où règnent une température de 10 ℃ et une humidité de 90 %. Pendant les trente premiers jours, les fromages sont retournés et brossés deux fois par semaine. Au bout de trente jours, on obtient un fromage doux, jeune et blanc. En deux à six mois, le cantal dit « entre-deux » ou « doré » est prêt. Six mois d'affinage sont nécessaires pour obtenir un cantal vieux de couleur jaune.

1. Le caillé est enveloppé dans une toile et passé dans le presse-tome

2. La tome et découpée avant d'être pressée une nouvelle fois pour éliminer le petit-lait.

3. La tome broyée et enveloppée est placée dans un moule en métal.

4. Chaque fromage est pressé trois ou quatre fois en 48 heures.

Pâte ferme, jaune, mi-dure, non cuite, pressée deux fois

Affinage de dix mois

Croûte sèche naturelle

SALERS (AOC)

Depuis 2 000 ans, on fabrique dans les monts d'Auvergne deux fromages différents, le salers et le cantal, selon des méthodes sensiblement identiques. Le salers est une version fermière du cantal ; les spécifications de l'AOC stipulent que le salers ne peut être fait qu'avec le lait de vaches paissant l'été dans la montagne. Le cantal, lui, peut être produit avec le lait de n'importe quelle saison. Sur les 32 fromages bénéficiant d'une appellation contrôlée, le salers est le seul qui soit entièrement fermier, comme en témoigne son étiquette. L'affinage, mené dans des zones strictement délimitées, doit durer au moins trois mois et se dérouler à une température maximale de 12 °C.

Une exceptionnelle teneur en matière sèche

Le salers et le cantal ne sont pas des pâtes cuites, mais des pâtes pressées deux fois, la tome étant broyée entre les deux pressages. C'est pourquoi ils contiennent plus de 57 g de matière sèche pour 100 g. Un fromage cuit et pressé comme le Beaufort (p. 26) en contient encore plus. La plupart des fromages sont composés pour moitié d'humidité ; il est rare qu'un fromage comporte plus de 50 % de matière sèche. Le salers, très compact, a une pâte dense et ferme, dont le goût complexe est d'une qualité inégalée.

La période de production

Les montagnes du Cantal sont couvertes de neige six mois durant. En avril ou mai, les vaches partent pour les alpages d'été, accompagnées de leurs gardiens. Ceux-ci vivent et travaillent dans des cabanes de pierre nommées burons, comparables aux chalets des Alpes. En 1948, on recensait 1 000 burons, où l'on fabriquait le salers haute montagne. Aujourd'hui, il n'en reste qu'une vingtaine. Un décret de 1961 stipulait que le salers haute montagne ne pouvait être produit qu'entre le 10 mai et le 30 septembre, mais cette période a été prolongée et s'étale maintenant du 1er mai au 30 octobre.

MATIÈRE SÈCHE POUR 100 G				
CANTAL	**SALERS**	**LAGUIOLE**	**BEAUFORT**	**BRIE**
57 g min.	57 g min.	57 g min.	62 g min.	44 g min.

TENEUR EN MATIÈRES GRASSES POUR 100 G				
CANTAL	**SALERS**	**LAGUIOLE**	**BEAUFORT**	**BRIE**
25,6 g min.	26,1 g min.	26,1 g min.	29,7 g min.	19,8 g min.

La production

Le salers est fabriqué dans 92 fermes, dont chacune possède entre 35 et 50 vaches. Chaque troupeau permet la production d'un salers de 40 kg par jour avec les 350 à 400 litres de lait qu'il fournit. En 1991, un total de 18 000 salers ont été fabriqués, soit 720 tonnes. Chiffre à comparer aux 16 146 tonnes de cantal produites la même année.

Les vaches de Salers

Les vaches de Salers vêlent en général tous les ans et donnent entre 7 et 9 litres de lait par jour, soit 3,3 tonnes par an. Leur lait de très grande qualité, contient 34 % de protéines et 38 % de matières grasses. Ces bovins, également appréciés pour leur viande, sont originaires du Massif central. Résistantes, d'un tempérament placide, de couleur rousse, elles portent d'impressionnantes cornes en lyre.

Après dix mois d'affinage

Le fromage de la page de gauche a été affiné dix mois. Son étiquette porte la mention SA15HK, qui permet d'identifier région et fabricant. La croûte brune du salers évoque un rocher. Elle est due à des brossages successifs et à un séjour en cave fraîche (12 °C). Épaisse, elle protège une pâte couleur jaune d'œuf à forte odeur carnée. Cette pâte d'allure ferme est étonnamment tendre au palais, où elle laisse une sensation humide et un peu grasse. Son goût de noisette se transforme vite en un véritable bouquet : arnica, anémone, pissenlit, gentiane, toute la flore montagnarde estivale est là, suivie du piquant acidulé du sel. Le salers est un fromage fort.

Après dix-huit mois d'affinage

Le fromage ci-dessous est fendillé et couvert de moisissures dues à des acariens qui dévorent la croûte et pénètrent à l'intérieur du fromage. Certains amateurs préfèrent attendre ce stade d'affinage pour déguster le salers. Ils grattent la poudre qui le recouvre avant de le manger.

❢ Saint-Pourçain, Touraine

CARACTÉRISTIQUES
ESSENTIELLES

⊖ 38 à 48 cm de diamètre (avant affinage), 30 à 40 cm d'épaisseur

⚖ 35 à 50 kg

♣ 58 g minimum pour 100 g

ᗡ 45 % min., 25,1 g min. pour 100 g

✓ Toute l'année, selon l'affinage : un salers fabriqué en mai peut être consommé dès l'automne

Affinage de dix-huit mois

Auvergne

Lait d'été, cru, entier

Pâte ferme, jaune, mi-dure, non cuite, pressée deux fois

LAGUIOLE (AOC)

Le laguiole (prononcer « layole ») tire son nom d'un bourg du plateau de l'Aubrac. C'est un fromage à pâte ferme et dorée, à croûte épaisse.
Il partage avec le cantal (p. 68) et le salers (p. 70) son mode de production, sa forme et sa forte teneur en matière sèche.
L'affinage d'un laguiole, mené dans des zones définies, dure au moins quatre mois.
Affinage et conservation doivent se faire à moins de 14 °C.
L'AOC a été délivrée en 1976.

L'histoire du laguiole

Selon l'histoire locale, le laguiole a été inventé dans un monastère de l'Aubrac au XIXᵉ siècle.
Les moines auraient ensuite transmis leur recette aux buronniers de la région.
La production a atteint son apogée au début de notre siècle. À l'époque, l'estive durait exactement 142 jours, du 25 mai au 13 octobre. Pour chaque vache, on ne pouvait obtenir que 50 kg de fromage, car non seulement la production de fromage était limitée à l'estive mais les vaches de l'Aubrac ne donnaient que 3 ou 4 litres de lait par jour.
Malgré ces contraintes, les buronniers parvenaient à fabriquer chaque été 770 tonnes d'un laguiole de grande qualité.

Naissance d'une association

À la fin du XIXᵉ siècle fut fondée une association destinée à promouvoir les ventes de ce fromage, dont la petite ville de Laguiole était devenue le centre de production le plus important.
En 1939, l'association se donna pour but de protéger le laguiole. Malgré ces efforts, la main-d'œuvre se raréfia et le nombre de burons tomba à 55. Dans les années soixante, la production annuelle n'étant plus que de 33 tonnes, la coopérative fromagère Jeune Montagne fut fondée pour tenter de pallier ce déclin. En 1976 fut enfin accordé le droit de fabriquer du laguiole toute l'année.

CARACTÉRISTIQUES ESSENTIELLES

- ⊖ 40 cm de diamètre, 30 à 40 cm d'épaisseur
- ⚖ 30 à 50 kg
- ♣ 58 g min. pour 100 g
- ⛉ 45 % min. ; 26,1 g min. pour 100 g
- ✓ Toute l'année, selon l'affinage

Croûte naturelle sèche, blanche et orange, qui fonce avec l'âge

Les vaches de Laguiole

Il est à déplorer que la qualité du laguiole ait baissé depuis 1981, date d'introduction des vaches hollandaises dans la région. Si leur lactation est importante, leur lait est moins riche en protéines que celui des races locales. Leur adaptation à cet environnement nouveau ayant posé des problèmes; des recherches ont été lancées afin de trouver quelle autre race pourrait s'adapter au climat et au sol de l'Aubrac. C'est une race suisse, la pie rouge de l'Est, qui a été sélectionnée. La pie rouge donne en 300 jours 4 800 litres de lait contenant 32,5 % de protéines. On s'efforce actuellement d'atteindre les 5 000 litres par an tout en conservant un taux de protéines de 32 % minimum.

La production

Le laguiole est fabriqué dans trois départements. Avec 47 localités produisant 649 tonnes de fromage (en 1991), il ne saurait rivaliser avec le cantal ou le salers.

La production est en grande partie laitière, mais trois burons en activité sur le plateau de l'Aubrac fabriquent encore un laguiole au lait cru. Toutefois, celui-ci est surtout vendu aux touristes sans avoir le temps de mûrir quatre mois, ainsi que l'exige le règlement de l'AOC.

🍷 Côtes-du-Frontonnais

COMMENT DÉTAILLER UN GRAND FROMAGE CYLINDRIQUE

Pour découper un grand fromage cylindrique, dont certains, comme le laguiole, peuvent atteindre 50 kg, il faut veiller à trancher la pâte franchement.

1. Tout d'abord, poser le fromage bien à plat sur l'une de ses extrémités.

2. À l'aide d'un robuste fil à couper le beurre, couper le fromage en deux dans le sens de la hauteur.

3. Recouper chaque moitié en deux perpendiculairement à la première coupe.

4. Chaque morceau se coupe ensuite en portions triangulaires de la taille voulue.

Jadis, les villageois de Laguiole allaient travailler en Espagne durant la saison hivernale. C'est là qu'ils découvrirent des canifs qu'ils s'efforcèrent de reproduire une fois rentrés au pays. Ils eurent tant de succès qu'aujourd'hui ils sont simplement appelés « Laguiole ».

Rouergue
Auvergne
Languedoc

Cru,
entier

ALIGOT / TOME FRAÎCHE

L'origine du mot aligot est disputée. Pour certains, il s'agirait d'une déformation du latin *aliquid*, « quelque chose », que les pèlerins mendiants du Moyen Âge répétaient à la porte des monastères. Les moines leur donnaient une soupe faite de pain et de tome fraîche, à laquelle le mot serait resté associé. Selon d'autres, ce serait un dérivé de l'ancien français « alicoter » : couper.

La tome fraîche est produite en trois versions : fermière, laitière et industrielle. C'est un fromage qui entre dans la composition de nombreux plats et souvent associé aux pommes de terre. Spécialité du Rouergue, l'aligot est composé de tome fraîche incorporée à une purée de pommes de terre très chaude assaisonnée d'ail, de jus de cuisson de saucisses, de sel et de poivre. On sert également la tome fraîche avec des tripous ou de la purée de marrons, accompagnée de Saint-Pourçain.

❦ Saint-Pourçain

Absence de croûte

Pâte fraîche non salée, blanche, spongieuse et élastique

CARACTÉRISTIQUES ESSENTIELLES

- ⊕ Gros bloc hexagonal
- ⚖ 20 kg, ou paquets sous vide de 2,5 kg
- ⅁ 45 %
- ✔ Toute l'année, mais surtout au printemps et en été

UN FROMAGE À CUIRE
La tome fraîche fondue s'étire en filaments pouvant atteindre deux ou trois mètres : elle « file ». Il faut la manger très chaude.

Rouergue
Auvergne

Cru ou pasteurisé

CARRÉ DE L'EST

Ce fromage dont la forme a donné le nom, a une croûte humide et élastique qui colle aux doigts. Sa pâte, percée de trous réguliers, est onctueuse, collante, salée, fondante. La dégustation est meilleure quand la croûte est un peu moisie. On produit des versions laitières et industrielles du carré de l'Est.

❗ Coteaux champenois, Pinot Noir d'Alsace, Sancerre

CARACTÉRISTIQUES ESSENTIELLES

- ◈ 11 cm de côté, 3 cm d'épaisseur
- ⚖ 300 g
- ▯ 45 %
- ✓ Toute l'année
- ⬚ 3 à 4 semaines

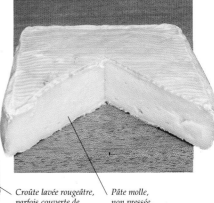

 Lorraine

 Pasteurisé

Croûte lavée rougeâtre, parfois couverte de moisissure blanche

Pâte molle, non pressée, non cuite

SAINT-RÉMY

Cousin du carré de l'Est (ci-dessus) au goût moins affirmé, ni fort ni doux, qui rappelle le Camembert (p. 66). Plutôt gras, à pâte molle et croûte lavée, le Saint-Rémy porte le nom de son village.

❗ Pinot Noir d'Alsace, Sancerre

CARACTÉRISTIQUES ESSENTIELLES

- ◈ 9 cm de côté, 3 cm d'épaisseur
- ⚖ 250 g
- ▯ 45 à 50 %
- ✓ Toute l'année
- ⬚ 2 à 3 semaines

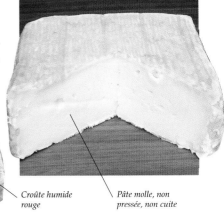

 Franche-Comté Vosges

 Pasteurisé

Croûte humide rouge

Pâte molle, non pressée, non cuite

SAULXUROIS

Originaire de Saulxures, près de Bassigny en Champagne, artisanal, il appartient également à la famille du carré de l'Est (ci-dessus). Son goût est salé. Il est lavé en saumure pendant l'affinage.

❗ Coteaux champenois, Pinot Noir d'Alsace, Sancerre

CARACTÉRISTIQUES ESSENTIELLES

- ◈ 8 à 9 cm de côté, 2,5 cm d'épaisseur
- ⚖ 200 g
- ▯ 45 %
- ✓ Toute l'année

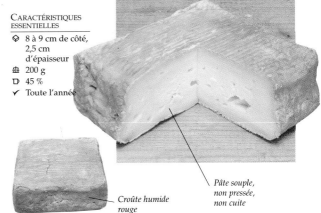

 Champagne-Ardenne

 Cru

Croûte humide rouge

Pâte souple, non pressée, non cuite

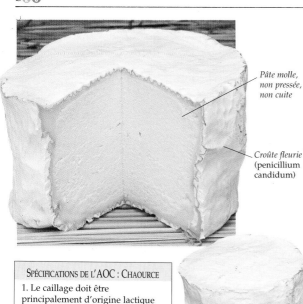

Pâte molle,
non pressée,
non cuite

Croûte fleurie
(penicillium
candidum)

CHAOURCE (AOC)

Tous les fromages ne nécessitent pas un long affinage. Le chaource ci-contre est très jeune et fond dans la bouche comme de la neige. La production, limitée à certaines zones de Bourgogne et de Champagne, est artisanale ou industrielle.

🍾 Champagne rosé,
🍷 Coteaux champenois, Irancy, Sancerre

CARACTÉRISTIQUES ESSENTIELLES

- ⊖ 9 cm de diamètre, 5 à 6 cm d'épaisseur (petit modèle) ; 11 cm de diamètre, 6 à 7 cm d'épaisseur (grand modèle)
- ⚖ 250 g minimum (petit modèle); 450 g minimum (grand modèle)
- 🌡 50 % minimum
- ✓ Toute l'année, meilleur de l'été à l'automne
- ⬦ 2 semaines à 1 mois

SPÉCIFICATIONS DE L'AOC : CHAOURCE

1. Le caillage doit être principalement d'origine lactique et durer au moins 12 heures.
2. L'égouttage doit être spontané et lent.

AOC DÉLIVRÉE EN 1977

Champagne
Bourgogne

Variable

CHAUMES

Ce fromage industriel est fabriqué par l'une des plus grosses laiteries de France, la fromagerie des Chaumes à Jurançon. Cette société produit des fromages au lait de vache et de brebis, des fromages allégés, ainsi que des bleus. De forme arrondie et plate, certains le trouvent un peu fade.

🍷 Madiran, Côtes-de-Bourg

Pâte mi-dure,
non pressée, non cuite

- ⊖ 20 à 23 cm de diamètre, 4 cm d'épaisseur
- ⚖ 2 kg
- 🌡 50 %
- ✓ Toute l'année
- ⬦ 1 mois

Croûte lavée

Pyrénées

Pasteurisé

L'APPELLATION D'ORIGINE CONTRÔLÉE (AOC)

L'appellation d'origine contrôlée, ou AOC, s'applique à certains vins, eaux-de-vie, fromages et produits agricoles. Il s'agit d'un label de qualité, qui garantit qu'un produit a été élaboré dans une région déterminée suivant une méthode de fabrication précise. L'AOC est régie par une série de lois, dont la première, en date du 6 mai 1919, fut la loi de protection du lieu d'origine. Ce texte fixait le territoire de certains produits : département, canton et commune. Les révisions furent nombreuses, et c'est aujourd'hui l'INAO (Institut National des Appellations d'Origine) qui est chargé de faire respecter la loi.

L'INAO a rédigé des descriptions précises de plusieurs fromages, incluant le lait utilisé, la région de production, les méthodes de fabrication, la durée de l'affinage. Toute violation des règlements est passible de poursuites sanctionnées par des amendes et des peines d'emprisonnement allant de trois mois à un an. Ci-dessous les dispositions les plus importantes en vigueur actuellement.

Trente-quatre fromages bénéficient d'une AOC. Deux dossiers sont à l'étude : celui de la tomme de Savoie (p. 188) et celui du valençay (p. 84).

La production des fromages AOC est en augmentation : 134 864 tonnes en 1985 ; 135 846 tonnes en 1986 ; 136 371 tonnes en 1987 ; 139 435 tonnes en 1988 ; 148 297 tonnes en 1989 ; 149 382 tonnes en 1990 et 151 179 tonnes en 1991. Cette dernière année, par exemple, la production d'Abondance (p. 20) a augmenté de 52,6 % et celle de Mont d'Or (p. 228) de 46,4 %.

Le prix d'un fromage dépend en partie du degré d'affinage. Les grandes meules à pâte dure sont vendues au poids, tandis que les fromages à pâte molle sont souvent vendus à la pièce.

Dans le tableau ci-contre, la colonne de gauche indique en quelle année l'AOC a été délivrée ; la colonne de droite donne le numéro de la page où l'on trouvera des détails sur le fromage concerné.

Label obligatoire pour tous les fromages AOC

ANNÉE	FROMAGE	PAGE
1975	Bleu d'Auvergne	29
1975	Livarot	152
1976	Beaufort	26
1976	Comté	112
1976	Fourme d'Ambert	134
1976	Laguiole	72
1976	Maroilles	154
1976	Pont-l'Évêque	172
1976	Reblochon	175
1979	Saint-Nectaire	184
1977	Bleu du Haut-Jura	31
1977	Chaource	76
1977	Neufchâtel	162
1978	Munster	158
1979	Bleu des Causses	30
1979	Salers	70
1980	Brie de Meaux	56
1980	Brie de Melun	58
1980	Cantal	68
1981	Mont d'Or	228
1983	Camembert de Normandie	66
1990	Abondance	20
1991	Époisses de Bourgogne	133
1991	Langres	151
1975	Selles-sur-Cher	83
1976	Crottin de Chavignol	80
1976	Pouligny-Saint-Pierre	81
1983	Picodon	170
1988	Cabécou/Rocamadour	63
1990	Chabichou du Poitou	79
1990	Sainte-Maure de Touraine	82
1979	Roquefort	178
1980	Ossau-Iraty-Brebis Pyrénées	43
1988	Brocciu	116

Chèvre de la Loire (AOC)

La Loire, le plus beau et le plus long fleuve de France, coule d'abord vers le nord avant d'obliquer vers l'ouest. Les plaines qui bordent ce large virage forment une région très justement surnommée « jardin de la France », parsemée de châteaux Renaissance et de vignobles.

Au VIIIe siècle, les Sarrasins furent repoussés à Poitiers. Ces descendants des Arabes, installés dans le sud de l'Espagne depuis des siècles, étaient peu à peu remontés jusqu'en France. Lorsqu'ils furent chassés du territoire, ils laissèrent derrière eux non seulement leurs chèvres, mais aussi des recettes de fromage. C'est ainsi que la vallée de la Loire est devenue le berceau du fromage de chèvre et le plus important centre de production. De chaque côté du fleuve, on produit dans diverses localités des fromages de taille et de forme diverses. Leur saveur très spécifique leur ont valu d'obtenir à ce jour cinq AOC : au sud-ouest, le chabichou du Poitou (p. 79) ; à l'est de la zone, on trouve le crottin de Chavignol (p. 80), en forme de petit tambour ; le Pouligny-Saint-Pierre (p. 81) de forme pyramidale assez élancée ; à l'ouest, le Sainte-Maure de Touraine (p. 82), bûche épaisse enrobée de cendre ; au nord, le Selles-sur-Cher (p. 83), lui aussi cendré. Le valençay cendré, qui affecte la forme d'une pyramide, est candidat à l'appellation contrôlée.

Tous ces fromages s'accompagnent d'un vin blanc tel que le Sancerre.

LA FABRICATION DU FROMAGE DE CHÈVRE

La tradition veut que l'on serve du fromage de chèvre de Pâques à la Toussaint. Le caillage est le plus souvent causé par une fermentation lactique induite par l'adjonction d'un ferment au lait. Le lait repose ensuite une nuit, avant d'être chauffé à 18 ou 20 °C. On lui ajoute une très faible quantité de présure et on le laisse reposer encore 24 heures. Le caillé n'est ni rompu, ni chauffé, ni brassé, ni pressé : l'égouttage est immédiat à partir du moment où on le verse dans une faisselle perforée sur les côtés et à la base. Le fromage est ensuite affiné à sec dans une pièce fraîche (11 °C) et bien ventilée, à 80 % d'humidité. Ce degré est assez faible comparé à certaines caves qui ont un degré de 90, voire 100 % d'humidité. Le séchage de la pâte et celui de la croûte doivent se faire simultanément; sinon, la croûte se riderait et collerait à la pâte, qui ne pourrait plus se débarrasser de son petit-lait. Des moisissures bleues apparaissent spontanément sur la croûte ; une couche de cendre de chêne ou de charbon de bois pulvérisé crée un environnement favorable à leur développement.

LES FAISSELLES
Les trous des faisselles à Valençay (à gauche) ou à Selles-sur-Cher (à droite) permettent au petit-lait de s'écouler rapidement

LE CENDRAGE
En enrobant le fromage de cendre de chêne, on favorise l'apparition de moisissures bleues

CHABICHOU DU POITOU (AOC)

Le Poitou est la plus importante région d'élevage caprin et produit particulièrement de très nombreux fromages de chèvre. Celui-ci est doté d'une saveur délicate, un peu sucrée, avec une légère acidité et une pointe de sel. La production est fermière, laitière ou industrielle. AOC en 1990.

♀ Sancerre, Pouilly Fumé

Croûte naturelle garnie de moisissures blanches, jaunes ou bleues

Pâte non pressée, non cuite ; tendre, homogène, elle durcit et devient friable avec l'âge

CARACTÉRISTIQUES ESSENTIELLES

- ⊖ 6 cm de diamètre à la base, 5 cm au sommet, 6 cm d'épaisseur
- 🜹 100 à 150 g
- ♣ 40 g minimum
- ⏲ 45 % minimum
- ✓ Toute l'année ; du printemps à l'automne (fermier)

Poitou-Charentes

Entier

CHABICHOU / CHABIS

Les fromages présentés ci-contre ont tous été achetés et photographiés avant la délivrance de l'AOC en 1990. La variété des tailles et des formes qui régnait alors est intéressante.

♀ Sancerre, Menetou-Salon

CARACTÉRISTIQUES ESSENTIELLES

- ⊖ Forme tronconique, dite « bonde » : 6,5 cm de diamètre à la base, 5 cm au sommet, 5 à 7 cm d'épaisseur
- 🜹 120 g
- ♣ 40 g minimum
- ⏲ 45 %
- ✓ Toute l'année, du printemps à l'automne (fermier)
- ⬜ 10 à 20 jours

Poitou-Charentes

Cru, entier

Chabis   Chabichou

Chabichou fermier   Chabichou

*Pâte non pressée,
non cuite, blanc cassé
ou ivoire*

*Fine croûte naturelle
parfois couverte
de moisissures
blanches ou bleues*

Affinage de deux semaines

Affinage de quatre mois

Affinage d'un mois

CARACTÉRISTIQUES
ESSENTIELLES

- ⊖ 4 à 5 cm de diamètre,
  3 à 4 cm d'épaisseur
- ⚖ 60 à 110 g
- ☐ 45 % minimum
- ⁙ 37 g minimum
- ✓ Toute l'année ;
  du printemps à
  l'automne (fermier)

CROTTIN DE CHAVIGNOL (AOC)

Ce fromage, également connu sous le nom de Chavignol, doit s'acheter dur, quand sa surface est noirâtre et irrégulière.

Un crottin blanc (frais) pèse environ 140 g et ne ressemble pas encore à un vrai crottin. Au bout de deux semaines, il ne pèse déjà plus que 110 g, sa croûte commence à bleuir et sa pâte à devenir brillante. Il est prêt à être dégusté. Il est un peu salé et l'équilibre entre acidité, douceur et goût de lait rehausse son goût. Au bout de cinq semaines, le crottin a encore rétréci et séché. Il sent fort, sa pâte a une consistance ferme, un goût robuste. Il est à cœur. Enfin, au bout de quatre mois, il ne pèse plus que 40 g, sa croûte dure et granuleuse doit être grattée avant la dégustation.

La production annuelle de crottin atteint 16 millions de pièces de qualité fermière, artisanale ou industrielle. L'affinage a obligatoirement lieu dans la zone de l'AOC. Jamais inférieur à dix jours, il dure le plus souvent entre deux et quatre semaines. La température doit être basse et le local bien ventilé.

Un crottin chaud sur un lit de salade verte assaisonnée au vinaigre de vin constitue une entrée délicieuse.

♈ Sancerre de Chavignol

**SPÉCIFICATIONS DE L'AOC :
CROTTIN DE CHAVIGNOL**

1. Le caillage doit être principalement d'origine lactique, avec très peu de présure.
2. Le caillé doit être pré-égoutté.
3. Les fromages préparés à partir de caillé surgelé ne peuvent porter les mentions « fromage fermier » ou « fabrication fermière ».

AOC DÉLIVRÉE EN 1976

Bourgogne
Berry
Beauce
Sancerrois

Entier ; le
caillé surgelé
est autorisé

POULIGNY-SAINT-PIERRE (AOC)

Il est surnommé quelquefois « pyramide » ou « tour Eiffel » en raison de sa forme. Celui ci-contre a subi un affinage de quatre semaines avant d'être à cœur. La croûte est sèche et porte une bonne moisissure bleue. La pâte est d'un blanc éblouissant, fine, humide, tendre et friable. Elle dégage une odeur de paille et de lait de chèvre. À la dégustation, une exquise sensation acidulée envahit la bouche, suivie d'un goût de noisette. Une acidité plus modérée suit et s'évanouit en laissant un arrière-goût. Six ou sept jours plus tard, la croûte est encore plus belle et plus riche : les couleurs sont chatoyantes, des crevasses se forment, la moisissure s'étend.

L'étiquette verte est réservée au Pouligny fermier, la rouge au Pouligny laitier.

♈ Reuilly, Sancerre

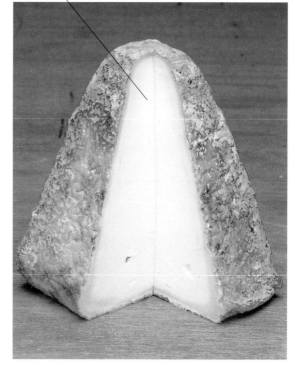

Croûte naturelle

Pâte tendre, non pressée, non cuite

CARACTÉRISTIQUES ESSENTIELLES

◈ 6,5 cm de côte à la base, 8 à 9 cm d'épaisseur
⚖ 250 g
♣ 90 g minimum
◻ 45 % minimum
✔ Toute l'année, du printemps à l'automne (fermier)
⊐ 2 à 5 semaines

SPÉCIFICATIONS DE L'AOC: POULIGNY-SAINT-PIERRE

1. Le caillage doit être principalement d'origine lactique, avec très peu de présure.
2. Les fromages préparés à partie de caillé surgelé ne peuvent porter les mentions « fromage fermier » ou « fabrication fermière ».

AOC DÉLIVRÉE EN 1976

Berry

Entier

SAINTE-MAURE DE TOURAINE (AOC)

Sa production est fidèle à la tradition (p. 78) : le lait est chauffé entre 18 et 20 °C, puis il caille 24 heures ; moulé en forme de bûche, il s'égoutte naturellement. Après démoulage, on insère au cœur de la pâte une longue paille dont le rôle est de consolider et d'aérer la fragile bûchette. Le fromage est ensuite roulé dans la cendre de charbon de bois salée, puis il termine son égouttage sur une planche.

Il existe des versions fermières, laitières et artisanales. L'affinage est mené dans la zone de l'AOC. Il a lieu dans une cave bien ventilée, à une température de 10 à 15 °C, l'air à un degré de 90 % d'humidité. Le fromage est retourné tous les jours. Le dixième jour, la croûte est jaune pâle et dépourvue de moisissures. La pâte est encore molle et dégage une odeur acide. Au cours de la troisième semaine, des moisissures bleues apparaissent sur la croûte. La pâte est devenue sèche, lisse, dense. Après la cinquième ou sixième semaine, la surface du fromage, qui a rétréci, est dure. Sous les moisissures gris-bleu, la pâte est fine, homogène et ferme. Le fromage est mûr, équilibré, rond en bouche, salé et acidulé, avec un arôme de noix.

❢ Chinon, ℣ Vouvray

Pâte fine blanche ou ivoire, non pressée, non cuite

Après 24 heures de séchage

Affinage de trois semaines

Croûte naturelle, parfois cendrée

Affinage de six semaines

Long cylindre

CARACTÉRISTIQUES ESSENTIELLES

◇ 3 à 4 cm de diamètre à une extrémité, 4 à 5 cm de diamètre à l'autre, 14 à 16 cm de long
⚖ 250 g
♣ 100 g minimum
Ʊ 45 % min., 45 g min.
✓ Toute l'année, du printemps à l'automne (fermier)
⬚ 10 jours à 1 mois

Touraine Poitou

Caillé surgelé interdit

SPÉCIFICATIONS DE L'AOC: SAINTE-MAURE DE TOURAINE

1. Le caillage doit être principalement d'origine lactique, avec très peu de présure.
2. Le caillé frais non égoutté (p. 78) doit être moulé à la louche manuelle ou mécanique.
3. L'égouttage doit être spontané.

AOC DÉLIVRÉE EN 1990

SELLES-SUR-CHER (AOC)

Le Selles-sur-Cher se reconnaît à son odeur et à son arrière-goût noisetté. Les gens du pays mangent la croûte : en effet, ils cultivent les moisissures et considèrent qu'elles font partie intégrante du fromage. Il faut environ 1,3 litre de lait pour faire un seul Selles-sur-Cher. Celui que l'on voit ci-contre a été fabriqué par la famille Moreau, qui élève des chèvres à Bellevue.

Après un affinage de quatre semaines, la surface du fromage est très irrégulière, la croûte est sèche et entièrement couverte de moisissures gris-bleu, sous lesquelles se trouve une couche de charbon de bois pulvérisé. La pâte est caractéristique d'un véritable chèvre : un peu dure au début, puis tendre, pesante et collante tandis qu'elle fond dans la bouche. Le goût est un peu acide, salé, assez doux. L'arôme du lait de chèvre et de la cave s'attarde sous le palais.

La production de ce fromage peut être fermière, laitière ou industrielle. L'affinage a lieu dans la zone de l'AOC.

♈ Sancerre, Pouilly Fumé

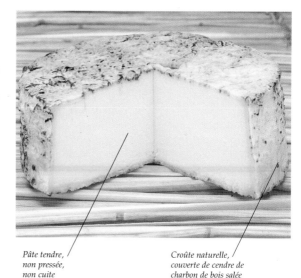

Pâte tendre, non pressée, non cuite

Croûte naturelle, couverte de cendre de charbon de bois salée

Affinage de quatre semaines environ

SPÉCIFICATIONS DE L'AOC : SELLES-SUR-CHER
1. Le caillage doit être principalement d'origine lactique, avec très peu de présure. 2. Le caillé doit être moulé à la louche.
AOC DÉLIVRÉE EN 1975

Berry

Entier

CARACTÉRISTIQUES ESSENTIELLES

- ⊖ 8 cm de diamètre à la base, 7 cm de diamètre au sommet, 2 à 3 cm d'épaisseur
- ⚖ 200 g minimum (frais), 150 g
- ⁛ 55 g minimum
- ☋ 45 % minimum
- ✓ Toute l'année ; du printemps à l'automne (fermier)
- ❐ 10 jours à 3 semaines

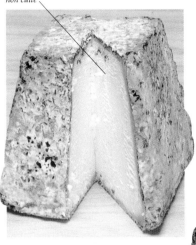

*Pâte ferme, tendre,
humide, non pressée,
non cuite*

VALENÇAY

Le Berry compte de nombreux
fromages de chèvre renommés :
crottin de Chavignol (p. 80), Selles-
sur-Cher (p. 83), Pouligny-Saint-
Pierre (p. 83).

On raconte que le Valençay avait
autrefois la forme d'une pyramide
parfaite et pointue. À son retour de la
campagne d'Égypte, Bonaparte fit
halte au château de Valençay et,
voyant ce fromage qui lui rappelait
les pyramides égyptiennes, il tira son
épée et lui coupa la pointe.

Pendant la fabrication (fermière,
artisanale ou industrielle), le caillé
égoutté est moulé dans une faisselle.
Le fromage est ensuite démoulé et
poudré de cendre de charbon de bois
salée, puis affiné dans un local bien
ventilé à 80 % d'humidité. Une
moisissure naturelle recouvre la
surface de la pyramide.

CARACTÉRISTIQUES
ESSENTIELLES

- ◈ 6 à 7 cm de côté
  à la base,
  3,5 à 4 cm
  au sommet,
  6 à 7 cm d'épaisseur
- ⚖ 200 à 250 g
- ☋ 45 % minimum
- ∴ 90 g minimum
- ✔ Du printemps
  à l'été
- ❑ 3 semaines

Ⴘ Quincy, Reuilly, Sancerre

*Croûte naturelle
cendrée*

Touraine
Berry

Cru ou
pasteurisé

Chèvre de pays

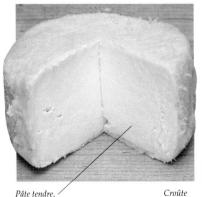

CARACTÉRISTIQUES
ESSENTIELLES

- ⬯ 6 cm de diamètre,
  3 à 3,5 cm
  d'épaisseur
- ⚖ 130 g
- ☋ Variable
- ✔ D'avril à novembre
- ❑ 10 jours

AMBERT /
CROTTIN D'AMBERT

Les fromages de chèvre sont rares en
Auvergne. Le village de Saint-Just,
près d'Ambert, où l'on produit ce
fromage fermier, est situé à 840 m
d'altitude.

Ⴘ Côtes-du-Forez, Beaujolais primeur

*Pâte tendre,
non pressée,
non cuite*

*Croûte
naturelle*

Auvergne

Cru

ANNEAU DU VIC-BILH

Fromage fermier fait à la main, dont le goût est un parfait équilibre entre acidité et salinité. Le fabricant déclare : « Dans le Midi, on l'aime jeune. »

♈ Pacherenc du Vic-Bilh

CARACTÉRISTIQUES
ESSENTIELLES

- ⊜ 10 cm de diamètre, trou de 3 cm, 2 cm d'épaisseur
- ⚖ 200 à 250 g
- ᗡ 45 %
- ✓ Du printemps à l'automne
- ⊐ 10 jours minimum

Pyrénées

Cru

Croûte naturelle enrobée de charbon de bois pulvérisé

Pâte blanche moelleuse parfaite, non pressée, non cuite

APÉROBIC

Le terme bic dérive de bicot, qui signifie chevreau. Ce minuscule fromage fermier n'est fabriqué au lait de chèvre qu'au printemps et en été ; à partir de l'automne, il est fait au lait de chèvre et de vache mélangés, et en hiver au lait de vache seul. De goût léger, il pique agréablement la langue. Il peut prétendre au titre de plus petit fromage du monde.

♈ Bourgogne aligoté

CARACTÉRISTIQUES
ESSENTIELLES

- ◈ Forme de clochette : 1,5 cm de diamètre à la base, 2 cm d'épaisseur
- ⚖ 3 g
- ᗡ Variable
- ✓ Toute l'année ; du printemps à l'été (pur chèvre)
- ⊐ 15 jours

Croûte naturelle

Bourgogne

Cru, entier

Pâte tendre, non pressée, non cuite

AUTUN

Ce fromage fermier a une consistance fine, un goût riche, raffiné, rond en bouche avec une pointe d'acidité.

♈ Mercurey, Rully

CARACTÉRISTIQUES ESSENTIELLES

- ⊝ 5 à 6 cm de diamètre, 8 cm d'épaisseur
- ⚖ 270 à 300 g
- ᗡ Variable
- ✓ Du printemps à l'automne

Bourgogne

Cru

Croûte naturelle

Pâte blanche tendre, homogène et compacte, non pressée, non cuite

CARACTÉRISTIQUES
ESSENTIELLES

- ⊖ 5 cm
  de diamètre,
  2 cm
  d'épaisseur
- ⚖ 45 g
- 🗋 45 %
- ✓ D'avril
  à octobre
- 🗋 4 à 5 semaines

BEAUJOLAIS PUR CHÈVRE (PETIT)

Ce fromage artisanal provient de Saint-Georges-de-Reneins, dans le Beaujolais. L'affinage dure jusqu'à ce que la pâte durcisse. Le fromage ci-contre, arrivé à complète maturation, a été affiné six semaines. Il a un goût légèrement acide.

❢ Beaujolais, jeune et fruité

Pâte tendre ou dure, non pressée, non cuite

Croûte marron clair couverte de moisissures gris-bleu

Lyonnais

Variable

BESACE DE PUR CHÈVRE

CARACTÉRISTIQUES
ESSENTIELLES

- ⊖ 8 cm de diamètre,
  4 cm d'épaisseur
- ⚖ 170 g ; 260 g (frais)
- 🗋 45 %
- ✓ Du printemps
  à l'automne

Ce fromage fermier est fabriqué par une femme dans une petite ferme située au pied du mont Tournier, en Savoie, à 876 m d'altitude. Elle forme ses fromages à la main en les serrant dans une toile.

♈ Crépy, Seyssel

Affinage de deux semaines

Pâte tendre, non pressée, non cuite

Croûte naturelle

Fromage frais

Savoie

Cru

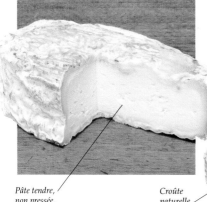

CARACTÉRISTIQUES
ESSENTIELLES

- ⊖ Forme ovale :
  5 à 6 cm de large,
  12 à 13 cm
  de long,
  4 cm d'épaisseur
- ⚖ 130 à 150 g
- 🗋 45 %
- ✓ Du printemps
  à l'automne
- 🗋 15 jours min.

BIGOTON

Fromage fermier, simple et léger, il est fabriqué dans une ferme de l'Orléanais : la chèvrerie d'Authon.

❢ Coteaux-du-Vendômois, jeune et fruité

Pâte tendre, non pressée, non cuite

Croûte naturelle

Orléanais

Cru

BILOU DU JURA (PETIT)

Les fromages de chèvre sont plutôt rares en Franche-Comté. En voici pourtant un, fabriqué avec un lait de grande qualité et qui vaut bien les chèvres du Val de Loire.

Ⴟ Côtes-du-Jura

CARACTÉRISTIQUES ESSENTIELLES

- ⊖ 6 à 7 cm de diamètre, 3 cm d'épaisseur
- ⚖ 100 à 150 g
- ⏁ 45 %
- ✓ Du printemps à l'automne
- ⏍ 10 jours minimum

 Franche-Comté

 Cru

Croûte naturelle

Pâte tendre, non pressée, non cuite

BONDE DE GÂTINE

Fermier de haute qualité, fabriqué au GAEC de la Fragnée, dans la Gâtine du Poitou. L'affinage prend entre quatre et dix semaines, mais en général le fromage est prêt à la dégustation au bout de six semaines. La pâte possède une acidité et une salinité prononcées ; elle fond dans la bouche en laissant un arôme léger mais riche.

Ⴟ Haut-Poitou

CARACTÉRISTIQUES ESSENTIELLES

- ⊖ 5 à 6 cm de diamètre, 5 à 6 cm d'épaisseur
- ⚖ 140 à 160 g
- ⏁ 45 %
- ✓ Du printemps à l'automne
- ⏍ 4 à 10 semaines

Poitou-Charentes

 Cru

Croûte naturelle

Pâte blanche tendre, non pressée, non cuite

BOUCA

Le nom de ce fromage fermier est évidemment tiré du mot bouc. Ce produit au fort arôme de lait est parfaitement équilibré entre acidité et salinité. La pâte du fromage entamé ci-contre est de bel aspect et possède la fermeté voulue. L'affinage doit durer dix jours minimum.

Ⴟ Touraine

CARACTÉRISTIQUES ESSENTIELLES

- ⊖ Forme tronconique : 7 cm de diamètre, 4 cm d'épaisseur
- ⚖ 200 g
- ⏁ 40 à 45 %
- ✓ Toute l'année, surtout du printemps à l'automne

 Centre Val-de-Loire

Cru

Croûte naturelle enrobée de charbon de bois pulvérisé

Pâte tendre, non pressée, non cuite

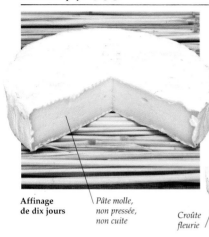

Affinage de dix jours — *Pâte molle, non pressée, non cuite* — *Croûte fleurie*

CARACTÉRISTIQUES ESSENTIELLES

- ⊖ 10 cm de diamètre, 2,5 cm d'épaisseur
- ⚖ 180 g
- 🗔 50 %
- ✔ Toute l'année
- ⬚ 2 à 3 semaines

BOUGON

Une coopérative fabrique ce fromage à partir de lait cru. Il ressemble un peu au Camembert et est emballé dans une boîte en copeaux de bois. L'étiquette recommande de le conserver à moins de 8 °C et de le laisser une heure à température ambiante avant de le déguster. Sa pâte ferme a le même goût que la croûte.

❢ Haut-Poitou

 Poitou-Charentes

 Cru, pasteurisé pour l'exportation

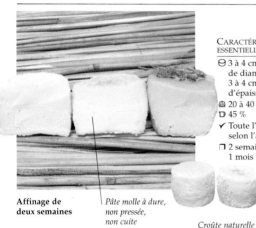

Affinage de deux semaines — *Pâte molle à dure, non pressée, non cuite* — *Croûte naturelle*

CARACTÉRISTIQUES ESSENTIELLES

- ⊖ 3 à 4 cm de diamètre, 3 à 4 cm d'épaisseur
- ⚖ 20 à 40 g
- 🗔 45 %
- ✔ Toute l'année, selon l'affinage
- ⬚ 2 semaines à 1 mois

BOUTON DE CULOTTE

Les Bourguignons mangent ce fromage à l'automne, au moment des vendanges. Il est produit à base de lait de chèvre, ou à base de lait de vache, voire avec un lait de mélange. La production est fermière ou artisanale. Après deux semaines d'affinage, des moisissures bleues apparaissent sur la croûte ; au bout d'un mois, la pâte jaunit et devient piquante.

♉ Bourgogne aligoté

Bourgogne Mâconnais

Cru

Affinage d'un mois — *Pâte tendre, non pressée, non cuite* — *Fromage en forme de poire, percé d'une paille* — *Croûte naturelle*

CARACTÉRISTIQUES ESSENTIELLES

- ◈ 3 cm de diamètre à la base, 1 cm au sommet, 3,5 cm d'épaisseur
- ⚖ 15 g
- 🗔 45 %
- ✔ Du printemps à l'automne
- ⬚ 10 jours à 1 mois

BOUTON D'OC

Petit fromage fermier de forme originale se vendant à la douzaine, parfaits à l'apéritif. La pâte de consistance très fine a une saveur agréable.

♉ Gaillac perlé ou mousseux

 Midi-Pyrénées

 Cru

BRESSAN

Bien que ce fromage fermier soit théoriquement au lait de chèvre, selon la saison et le producteur, on utilise parfois du lait de vache. Après une semaine d'affinage, il a un bon goût équilibré, aigre-doux, qui deviendra peu à peu plus prononcé. En pays bressan, on le mange au petit déjeuner avec de la confiture.

♀ Bugey, Seyssel, Roussette de Savoie

CARACTÉRISTIQUES ESSENTIELLES

- ⊖ 5 cm de diamètre à la base, 4 cm au sommet, 4 cm d'épaisseur
- ⚖ 100 g ; ⏦ 45 %
- ✔ Du printemps à l'automne
- ⊓ 1 semaine

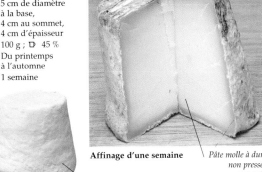

Affinage d'une semaine

Pâte molle à dure, non pressée, non cuite

 Bresse

 Cru

Croûte naturelle

BRIQUE ARDÉCHOISE

Ce fromage élégant est né de la rencontre d'un talentueux fromager, d'un lait de qualité exceptionnelle et d'une technique d'affinage attentive. Au goût un peu piquant, il s'accommode d'un vin blanc robuste.

♀ Hermitage, Saint-Joseph, Saint-Péray

CARACTÉRISTIQUES ESSENTIELLES

- ⬙ 4 à 5 cm de large, 11 à 12 cm de long, 3 cm d'épaisseur
- ⚖ 150 g
- ⏦ Variable
- ✔ Du printemps à l'automne
- ⊓ 3 à 4 semaines

Croûte naturelle

Affinage de quatre semaines

Pâte tendre, non pressée, non cuite

 Ardèche

 Cru

BRIQUE DU FOREZ

La brique ci-contre a été fabriquée avec un mélange de lait de chèvre et de vache. On peut supposer que le lait de vache est majoritaire, car le fromage ne dégage aucune odeur de chèvre. La production est soit fermière soit artisanale.

♀ Beaujolais, Côtes roannaises

CARACTÉRISTIQUES ESSENTIELLES

- ⬙ 5 à 6 cm de large, 13 cm de long, 3,5 cm d'épaisseur
- ⚖ 350 à 400 g
- ⏦ 40 à 45 %
- ✔ Toute l'année ; du printemps à l'automne (pur chèvre)
- ⊓ 2 ou 3 semaines

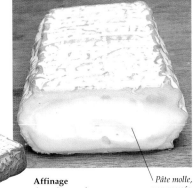

Affinage de trois semaines

Pâte molle, non pressée, non cuite

Croûte fleurie

 Auvergne Lyonnais

Cru, entier

BRIQUETTE DE COUBON

CARACTÉRISTIQUES
ESSENTIELLES

⬦ 5 cm de large,
12 cm de long,
3 cm d'épaisseur
⚖ 240 g
▽ Variable
✔ Toute l'année
❒ 8 jours minimum

Ce fromage fermier originaire du Velay porte bien son nom. Actuellement, on produit dans toute la France des briquettes au lait de chèvre, de vache ou de brebis. Celle-ci est au lait de vache.

❣ Saint-Pourçain

Auvergne

Cru

*Pâte molle,
légèrement pressée,
non cuite*

*Croûte
naturelle*

BÛCHETTE D'ANJOU

CARACTÉRISTIQUES
ESSENTIELLES

⬦ 3 à 4 cm
de diamètre,
9 cm de long
⚖ 85 à 100 g
▽ 45 %
✔ Du printemps
à l'automne
❒ 2 semaines

C'est le Sainte-Maure (p. 82) qui a inspiré la création de ce fromage artisanal à la fin des années quarante. C'est un fromage encore jeune, presque frais, qui sent légèrement le lait et possède un goût acidulé. La croûte, enrobée de charbon de bois pulvérisé, est consommable, mais le fromage est meilleur sans.

♈ Saumur, Anjou Villages

Anjou

Cru

*Croûte
naturelle*

*Pâte tendre,
non pressée, non cuite*

BÛCHETTE DE BANON

CARACTÉRISTIQUES
ESSENTIELLES

⬦ 3 cm de diamètre,
14 cm de long
⚖ 120 g
▽ 45 %
✔ Du printemps à
l'automne
❒ Variable

La légère acidité de ce fermier frais se marie à l'arôme du brin de sariette, qui lui donne une saveur typiquement provençale. Fromage à déguster sous un arbre par un beau jour d'été, de préférence en début de repas. La bûchette de Banon peut se manger fraîche ou après une semaine d'affinage.

♈ Coteaux d'Aix rosé

Provence

Cru

*Pâte d'un blanc
pur, molle, lisse,
non pressée,
non cuite*

*Absence
de croûte*

*Brin de
sariette en
décoration*

CAPRI LEZÉEN

Chaque petit fromage, produit au GAEC du Capri lezéen, est enveloppé dans une feuille de châtaignier et placé dans une boîte en bois. La croûte collante jaune pâle porte des traces de moisissure bleue. La particularité de ce fromage tient à sa pâte crémeuse et un peu coulante. L'affinage se fait dans une atmosphère à un degré d'humidité de 100 %, ce qui est élevé pour un chèvre.

♀ Haut-Poitou

CARACTÉRISTIQUES ESSENTIELLES

◉ 8 à 9 cm de diamètre, 1,5 cm d'épaisseur
⚖ 120 g
🌡 50 %
✔ Toute l'année
⬚ 8 à 15 jours

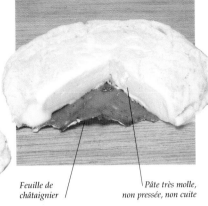

Poitou-Charentes

Cru

Croûte naturelle

Feuille de châtaignier

Pâte très molle, non pressée, non cuite

CAPRICORNE DE JARJAT

Ce fromage fermier, fabriqué par R. Gribaldi, appartient à la famille du picodon (p. 170). Il est couvert d'une moisissure au goût corsé qui pique la langue et va bien avec le vin. L'affinage s'effectue à un taux d'humidité de 90 %. Le capricorne peut également se manger frais.

♀ Saint-Péray, Crozes-Hermitage

CARACTÉRISTIQUES ESSENTIELLES

◉ 10 cm de diamètre, 3,5 cm d'épaisseur
⚖ 250 g
🌡 45 %
✔ Toute l'année
⬚ 3 à 4 mois

Ardèche Vivarais

Cru

Affinage d'un mois

Croûte naturelle couverte de moisissures blanches et bleues

Pâte tendre, non pressée, non cuite

CATHELAIN

En savoyard, *cathelain* signifie chèvre. Le fromage montré ici est très jeune ; sa pâte lisse et un peu acide fond dans la bouche.

♀ Crépy

CARACTÉRISTIQUES ESSENTIELLES

◉ 7 cm de diamètre, 4 cm d'épaisseur
⚖ 170 g
🌡 45 %
✔ D'avril à décembre
⬚ 15 jours

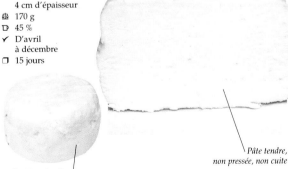

Savoie

Cru

Croûte naturelle

Pâte tendre, non pressée, non cuite

CARACTÉRISTIQUES ESSENTIELLES

- ⊖ 5 à 6 cm de diamètre, 7 à 8 cm d'épaisseur
- ⚖ 200 g
- ▯ 45 %
- ✔ Du printemps à l'automne
- ▢ 2 à 6 semaines

CHAROLAIS / CHAROLLES

Fermier ou artisanal, il provient des plaines granitiques du Charolais, en Bourgogne. Il met en valeur toutes les qualités du lait, et son acidité, son goût de sel, sa douceur se développent dans la bouche. Les couleurs et la texture des moisissures sont agréables et laissent un arrière-goût persistant.

♈ Mercurey, Rully, Montagny

Bourgogne

Cru

Pâte tendre et raffinée, non pressée, non cuite

Croûte naturelle couverte de moisissures bleues ou blanches

CARACTÉRISTIQUES ESSENTIELLES

- ◈ 7 à 8 cm de côté à la base, 4 cm au sommet, 6 à 7 cm d'épaisseur
- ⚖ 250 g
- ▯ 45 %
- ✔ Du printemps à l'automne

CHEF-BOUTONNE

Ce fromage fermier ou laitier devrait satisfaire le goût actuel pour les fromages jeunes de goût léger et simple, sans saveurs fortes. En plus de la forme pyramidale ci-contre, le chef-boutonne existe également en version ronde et carrée. L'affinage dure de deux à quatre semaines.

♈ Haut-Poitou

Poitou-Charentes

Cru

Pâte tendre, non pressée, non cuite

Croûte naturelle

CARACTÉRISTIQUES ESSENTIELLES

- ⊖ 6 cm de diamètre, 3 à 4 cm d'épaisseur
- ⚖ 100 à 130 g
- ▯ 45%
- ✔ Du printemps à la fin de l'automne
- ▢ 2 à 4 semaines

CHÈVRE FERMIER

Ce chèvre fermier est le produit de la ferme Marchal, en Lorraine, près du Thillot. Celui que l'on voit ci-contre est encore assez humide, couvert de moisissures bleues et brunes. Sa croûte commence à sécher. Son goût est équilibré entre acidité et salinité.

♈ Vin gris des Côtes de Toul

Lorraine

Cru

Pâte tendre, non pressée, non cuite

Croûte naturelle

Chèvre Fermier des Alpilles

Ce jeune chèvre fermier a été fabriqué au pied des Alpilles, en Provence. À la saveur délicate mais déjà robuste, il s'affirmera avec l'âge.

🍷 Bellet, Côtes-de-Provence

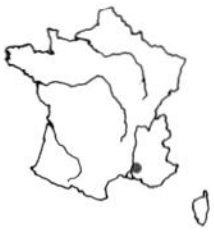

Provence

Cru

Caractéristiques essentielles

- 6 cm de diamètre, 2 cm d'épaisseur
- 60 g
- 45 %
- Tout l'été
- 10 jours minimum

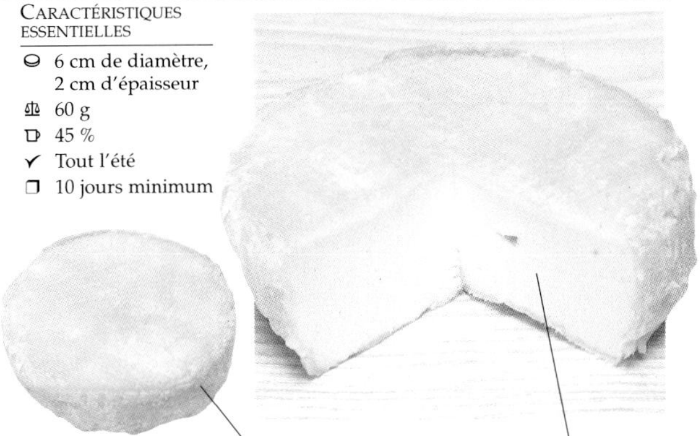
Croûte naturelle
Pâte tendre, non pressée, non cuite

Chèvre Fermier du Château-Vert

Ce fromage fermier provient des pentes du mont Ventoux, en Provence. Sa croûte est couverte de charbon de bois pulvérisé et de moisissures grises. La pâte est lisse, acidulée, douce.

🍷 Côtes-du-Ventoux blanc ou rosé

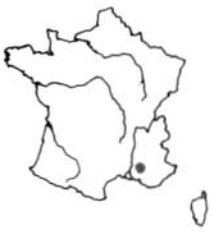

Provence

Cru

Caractéristiques essentielles

- 6 cm de diamètre, 2 cm d'épaisseur
- 70 g
- 45 %
- Du printemps à l'automne
- 10 jours minimum

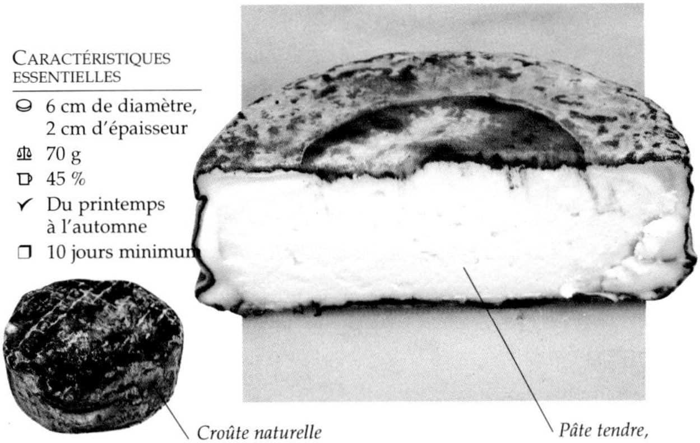
Croûte naturelle couverte de charbon de bois pulvérisé
Pâte tendre, non pressée, non cuite

Civray

Ce fromage fermier tendre provient des plaines de Civray, dans la Vienne, et appartient à la famille du chabichou (p. 79). Des moisissures naturelles lui donnent une saveur agréable ; sa pâte fine pauvre en sucres possède une acidité prononcée.

🍷 Haut-Poitou

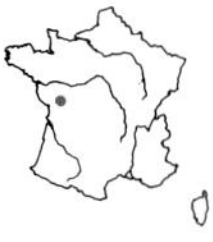

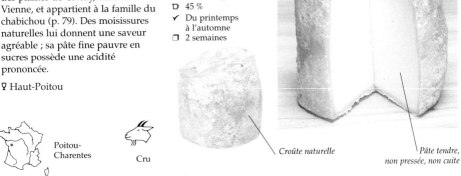

Poitou-Charentes

Cru

Caractéristiques essentielles

- 5 à 6 cm à la base, 5 cm d'épaisseur
- 110 à 150 g
- 45 %
- Du printemps à l'automne
- 2 semaines

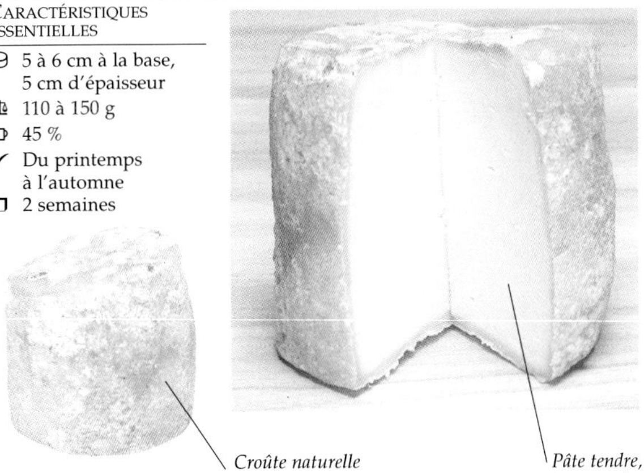
Croûte naturelle
Pâte tendre, non pressée, non cuite

CARACTÉRISTIQUES ESSENTIELLES

⊖ 5 cm de diamètre, 7 à 8 cm d'épaisseur
⚖ 150 g
🗓 45 %
✓ Du printemps à l'automne

Pâte tendre, non pressée, non cuite

Croûte naturelle

CLACBITOU

Comme le charolais (p. 92), auquel il ressemble, ce fromage fermier d'invention récente est produit en Bourgogne. Il est meilleur très jeune et son affinage se déroule sur 2 à 3 semaines.

♈ Bourgogne aligoté de Bouzeron

Bourgogne

Cru

CARACTÉRISTIQUES ESSENTIELLES

◊ 8 à 9 cm de diamètre à la base, 9 cm d'épaisseur
⚖ 250 g
🗓 45 %
✓ Du printemps à l'automne
🗓 2 semaines minimum

Pâte tendre, non pressée, non cuite

Croûte naturelle enrobée de charbon de bois pulvérisé

CLOCHETTE

Fermier fabriqué par le GAEC Jousseaume de Saint-Estèphe. Son arôme plaisant naît du mariage de la moisissure et de la cave où il est affiné.

♈ Haut-Poitou

Charente

Cru

CARACTÉRISTIQUES ESSENTIELLES

⊖ 9 à 10 cm de large, 10 cm de long, 3 cm d'épaisseur
⚖ 150 g
🗓 45 %
✓ Du printemps à l'automne
🗓 2 semaines

Pâte tendre, non pressée, non cuite

Croûte naturelle enrobée de charbon de bois pulvérisé

CŒUR DU BERRY

Fromage artisanal, il appartient à la famille du Selles-sur-Cher (p. 83), mais de forme différente. Il est affiné après avoir été poudré de charbon de bois.

♈ Quincy, Reuilly

Berry

Cru

LE CORNILLY

Les trois fromages artisanaux ci-contre, originaires du Berry, ont atteint chacun un stade de maturation différent. L'affinage dure en général entre trois et quatre semaines, mais il arrive qu'on les consomme frais. Ils ont très peu d'odeur et une saveur de noisette.

♀ Quincy, Reuilly

Berry

Cru

CARACTÉRISTIQUES ESSENTIELLES

◊ 5 à 8 cm à la base, 5 cm au sommet, 7 à 9 cm d'épaisseur
⚖ 150 à 250 g
🌡 45 %
✔ Toute l'année
❐ Variable

Pâte tendre à dure, non pressée, non cuite

Croûte naturelle

Fromage frais

Fromage affiné

Fromage sec

COUHÉ-VÉRAC

La feuille de platane dans laquelle est enveloppé ce fromage fermier ou artisanal lui communique son parfum, qui se marie à celui des moisissures.

♀ Haut-Poitou

CARACTÉRISTIQUES ESSENTIELLES

◊ 9 cm de côté, 3 cm d'épaisseur
⚖ 250–280 g
🌡 45 %
✔ Du printemps à l'automne
❐ 3 à 4 semaines

Poitou-Charentes

Cru

Feuille de platane ou de châtaignier

Croûte naturelle

Pâte tendre, non pressée, non cuite

CROTTIN DE PAYS

Fromage fermier doux, de la région d'Albi, il est fait avec du lait de chèvre des montagnes. Il est parfaitement biologique, car aucun engrais chimique n'est utilisé dans les pâturages.

♀ Gaillac

CARACTÉRISTIQUES ESSENTIELLES

⊖ 5 cm de diamètre, 3 cm d'épaisseur
⚖ 50 à 60 g
🌡 45 %
✔ Toute l'année ; meilleur du printemps à l'automne
❐ 2 semaines environ

Midi-Pyrénées

Cru

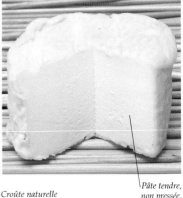

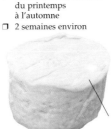

Croûte naturelle

Pâte tendre, non pressée, non cuite

CARACTÉRISTIQUES ESSENTIELLES

◊ 7 à 8 cm diamètre à la base, 5 cm d'épaisseur
⚖ 160 à 200 g
🌡 45 %
✔ Toute l'année
❐ 2 semaines min.

FIGUE

Ce fromage artisanal est pressé et moulé dans une toile, pendant son affinage. De la taille d'un poing d'adulte, il est assez friable. Il est parfois cendré. Sa fabrication est la même que celle du besace de pur chèvre (p. 86).

♈ Bergerac sec

*Pâte tendre,
non pressée,
non cuite*

*Croûte
naturelle*

Périgord

Cru

FOURME DE CHÈVRE DE L'ARDÈCHE

Fromage fermier légèrement acide.

♈ Saint-Péray

CARACTÉRISTIQUES ESSENTIELLES

⊖ 9 à 10 cm de diamètre, 15 cm d'épaisseur
⚖ 1 kg
🌡 45 %
✔ Du printemps à l'automne
❐ 6 semaines

*Pâte tendre,
non pressée,
non cuite*

*Croûte naturelle
couverte de moisissures
bleues et brunes*

**Affinage
d'un mois**

Rhône-Alpes

Cru

CARACTÉRISTIQUES ESSENTIELLES

⊖ 10 cm de diamètre, 3 cm d'épaisseur
⚖ 250 g
🌡 40 %
✔ Du printemps à l'automne
❐ 10 jours minimum

FROMAGE DE CHÈVRE DE L'ARIÈGE

L'acidité et la douceur sont les deux caractéristiques de ce fromage fermier fabriqué dans une ferme de montagne près de Foix, dans les Pyrénées centrales.

♈ Limoux, Vouvray sec

*Pâte tendre,
non pressée, non cuite*

*Croûte
naturelle*

Comté de Foix

Cru

FROMAGE DE CHÈVRE DE GLÉNAT OU CHÈVRE DE COIN

Jadis, les habitants de Glénat fabriquaient ce fromage pour leur propre consommation. Peu à peu, ils se mirent à le vendre au marché sous le nom du village et le commercialisèrent tout en lui conservant son aspect rustique.

♈ Saint-Pourçain

CARACTÉRISTIQUES ESSENTIELLES

- ⊖ 6 cm de diamètre, 2 cm d'épaisseur
- ⚖ 50 g
- ⋄ 45 %
- ✓ Du printemps à l'automne
- ⊓ 10 jours minimum

Cantal

Cru

Croûte naturelle — Pâte tendre, non pressée, non cuite

FROMAGE DE CHÈVRE FERMIER (1)

Le fromage fermier que l'on voit ci-contre a été fabriqué à la ferme de Cierp-Gaud, dans les Pyrénées, tout en haut d'un sentier nommé *cap del mail*, c'est-à-dire « sommet du rocher ». Petit mais de bonne facture, il exhale une légère odeur de chèvre. Il peut être dégusté dès le quatrième jour d'affinage.

♈ Limoux, Vouvray sec

CARACTÉRISTIQUES ESSENTIELLES

- ⊖ 5 à 6 cm de diamètre, 3 cm d'épaisseur
- ⚖ 100 g ; 200 g (frais)
- ⋄ 45 %
- ✓ De février à novembre
- ⊓ Variable

Midi-Pyrénées

Cru

Affinage d'un mois

Croûte naturelle — Pâte tendre, non pressée, non cuite

FROMAGE DE CHÈVRE FERMIER (2)

Fromage à peine affiné, il possède une agréable acidité qui témoigne de la grande qualité du lait dont il est tiré. À Marciac, en Gascogne, on le mange souvent au petit déjeuner saupoudré d'un peu de poivre moulu. À déguster frais ou légèrement affiné.

♈ Gaillac

CARACTÉRISTIQUES ESSENTIELLES

- ⊖ 6 cm de diamètre, 3 à 4 cm d'épaisseur
- ⚖ 120 g
- ⋄ 45 %
- ✓ Du printemps à l'automne
- ⊓ 2 semaines

Gascogne

Cru

Affinage de dix jours

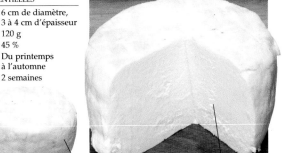
Croûte naturelle — Pâte tendre, non pressée, non cuite

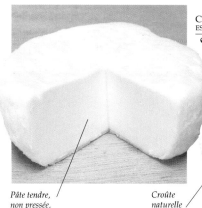

CARACTÉRISTIQUES
ESSENTIELLES

⊖ 5 à 6 cm de diamètre,
2 cm d'épaisseur
⚖ 50 à 60 g
Ɗ 45 %
✔ Du printemps
à l'automne

FROMAGE DE CHÈVRE DU LARZAC

Fermier qui se déguste très frais, après une semaine d'affinage, à la bonne odeur du lait de qualité. Il provient du plateau du Larzac, proche de Roquefort, qui est traditionnellement un pays de fromage de brebis.

❢ Coteaux-du-Languedoc

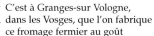

Massif central
Rouergue
Causses

Cru

Pâte tendre, non pressée, non cuite

Croûte naturelle

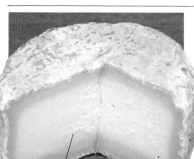

CARACTÉRISTIQUES
ESSENTIELLES

⊖ 5 à 6 cm de diamètre,
2,5 à 3 cm d'épaisseur
⚖ 70 g
Ɗ Variable
✔ Du printemps à la
fin de l'automne
⎚ 10 jours minimum

FROMAGE FERMIER

C'est à Granges-sur Vologne, dans les Vosges, que l'on fabrique ce fromage fermier au goût légèrement piquant.
Celui que l'on voit ci-contre a été affiné quatre semaines : il est sec, dur, couvert de moisissures blanches, brunes et bleu pâle.

♈ Vin gris des Côtes de Toul

Vosges

Cru

Pâte tendre, non pressée, non cuite

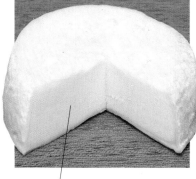

CARACTÉRISTIQUES
ESSENTIELLES

⊖ 6 cm de diamètre,
2 cm d'épaisseur
⚖ 60 g
Ɗ 45 %
✔ Toute l'année, surtout
du printemps à l'automne
⎚ 1 à 3 semaines

FROMAGE DU JAS

Fermier, de saveur un peu aigre-douce, ce fromage est fabriqué au domaine du Jas, à la Roque-sur-Pernes, dans le Vaucluse. En provençal, *jas* signifie bergerie.

♈ Côtes-de-Provence

Provence
Vaucluse

Cru

Pâte tendre, non pressée, non cuite

Croûte naturelle

FROMAGE AU LAIT DE CHÈVRE / CHÈVRE DE PAYS

À Saint-Jean-de-Chapteuil, localité de 1 700 habitants, les industries principales sont la dentelle et la chaussure. Au domaine de Villeneuve, J.-A. Garnier fermier, fabrique, lui, des fromages en forme de petit tambour.

❦ Saint-Pourçain

CARACTÉRISTIQUES ESSENTIELLES

- ⊖ 5 cm de diamètre, 4 cm d'épaisseur
- ⚖ 100 à 120 g
- ▯ Variable
- ✓ D'avril à octobre
- ⬚ 15 jours minimum

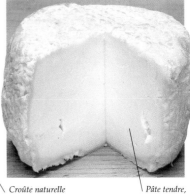

Auvergne

Cru

Croûte naturelle

Pâte tendre, non pressée non cuite

GALET DE BIGORRE

Fermier combinant plusieurs saveurs : goût salé, puis acidulé, suivi d'une douceur finale qui s'épanouit sous le palais. Un producteur local nous a conseillé de le déguster plutôt jeune, accompagné d'abricots bien mûrs.

❦ Jurançon moelleux

CARACTÉRISTIQUES ESSENTIELLES

- ◇ 9 cm à la base, 8 cm au sommet, 3 à 4 cm d'épaisseur
- ⚖ 200 à 220 g
- ▯ 45 %
- ✓ Du printemps à l'automne
- ⬚ 2 semaines

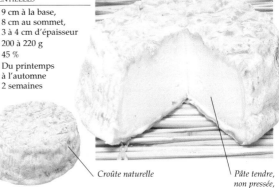

Pyrénées

Cru

Croûte naturelle

Pâte tendre, non pressée, non cuite

GALET SOLOGNOT

Les belles moisissures qui recouvrent ce fromage fermier lui confèrent une odeur forte et une saveur aigre-douce équilibrée. Elles influent à la fois sur le goût et sur l'odeur de la pâte. Quand la surface moisie d'un fromage est laide, elle n'est guère appétissante et donne souvent au produit un arrière-goût déplaisant, même si on ne consomme pas la croûte.

❦ Reuilly

CARACTÉRISTIQUES ESSENTIELLES

- ◇ 7 cm de diamètre à la base, 6 cm au sommet, 3 cm d'épaisseur
- ⚖ 120 g
- ▯ 45 %
- ✓ Du printemps à l'automne
- ⬚ 2 semaines

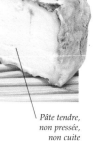

Orléanais

Cru

Croûte naturelle cendrée

Pâte tendre, non pressée, non cuite

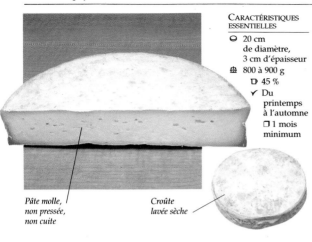

CARACTÉRISTIQUES ESSENTIELLES

◯ 20 cm de diamètre, 3 cm d'épaisseur
⚖ 800 à 900 g
▫ 45 %
✓ Du printemps à l'automne
❐ 1 mois minimum

GRAND COLOMBIER DES AILLONS

Ce fromage fermier est produit dans le massif des Bauges, en Savoie. Il est le plus souvent au lait de chèvre ou au lait de mélange. Son goût s'affirme au fur et à mesure de sa maturation.

♈ Vin de Savoie

Pâte molle, non pressée, non cuite

Croûte lavée sèche

Savoie
Cru

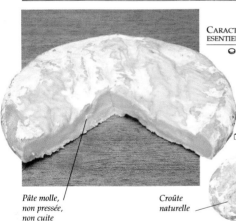

CARACTÉRISTIQUES ESENTIELLES

◯ 10 cm de diamètre, 1 à 1,5 cm d'épaisseur
⚖ 120 à 140 g
▫ 45 %
✓ Du printemps à l'automne
❐ 2 à 4 semaines

MONT D'OR DU LYONNAIS

Ce petit fromage fermier ou artisanal au lait de chèvre se distingue par sa croûte rougeâtre parsemée de moisissures bleues, qui apparaissent après un affinage en milieu humide. Son goût est fortement salé, mais non acide.

♈ Beaujolais, Mâcon

Pâte molle, non pressée, non cuite

Croûte naturelle

Lyonnais

Cru

CARACTÉRISTIQUES ESSENTIELLES

◯ 10 cm de diamètre, 1,5 cm d'épaisseur
⚖ 100 à 140 g
▫ 45 %
✓ Toute l'année
❐ 2 à 3 semaines

GALETTE DES MONTS DU LYONNAIS

Artisanal à la saveur très douce et légère, qui rappelle plus le lait que le fromage. Il est si coulant qu'il doit être mangé à la cuillère et ne peut être transporté en dehors de sa boîte en copeaux de bois. Il est l'œuvre d'un unique fabricant installé dans les monts du Lyonnais.

♈ Coteaux-du-Lyonnais

Pâte coulante, non pressée, non cuite

Croûte naturelle

Lyonnais

Cru

MÂCONNAIS

Également connu sous le nom de chevreton de Mâcon, ce fromage fermier ou artisanal est fait soit au lait de chèvre, soit au lait de vache, soit au lait de mélange. Cela dépend de la saison et du producteur. Celui que l'on voit ci-contre est assez dur pour être transformé en fromage fort (p. 140). La pâte dense dégage une légère senteur d'herbe de printemps.

♈ Bourgogne aligoté

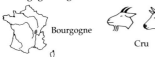

Bourgogne

Cru

CARACTÉRISTIQUES ESSENTIELLES

- ⊖ 4 à 5 cm de diamètre, 3 à 4 cm d'épaisseur
- ⚖ 50 à 60 g
- ⅁ 45 %
- ✓ Toute l'année
- ⊓ 2 semaines

Croûte naturelle

Pâte tendre à dure, non pressée, non cuite

PAVÉ BLÉSOIS

On produit dans la région de Blois, sur les berges de la Loire, des pavés carrés et rectangulaires. La croûte est sèche et couverte de moisissure bleu argent. La pâte est fine, dense, et pique un peu la langue. L'affinage dure entre deux et quatre semaines.

♈ Sancerre, Pouilly Fumé

CARACTÉRISTIQUES ESSENTIELLES

- ◈ 8 cm de côté, 3 à 4 cm d'épaisseur (pavé);
- ◈ 11 à 12 cm de long, 6 à 7 cm de large, 3,5 cm d'épaisseur (rectangle)
- ⚖ 250 g (pavé); 300 g (rectangle)
- ⅁ 45 %
- ·✓ Du printemps à l'automne
- ⊓ 2 à 4 semaines

Croûte naturelle cendrée au charbon de bois

Pâte tendre, non pressée, non cuite

Orléanais

Cru

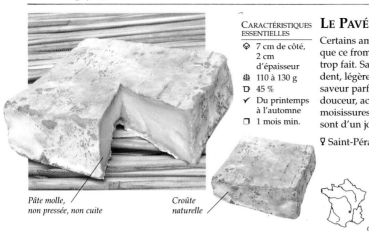

Pâte molle,
non pressée, non cuite

Croûte
naturelle

CARACTÉRISTIQUES
ESSENTIELLES

◈ 7 cm de côté,
2 cm
d'épaisseur
▨ 110 à 130 g
▯ 45 %
✓ Du printemps
à l'automne
❏ 1 mois min.

LE PAVÉ

Certains amateurs pourraient penser
que ce fromage fermier est trop sec et
trop fait. Sa pâte est ferme sous la
dent, légèrement collante, mais d'une
saveur parfaitement équilibrée entre
douceur, acidité et salinité. Les
moisissures qui recouvrent la croûte
sont d'un joli bleu pâle.

♈ Saint-Péray

Ardèche

Cru

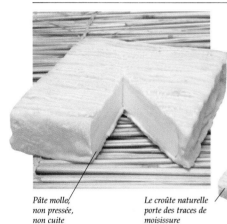

Pâte molle,
non pressée,
non cuite

Le croûte naturelle
porte des traces de
moisissure

CARACTÉRISTIQUES
ESSENTIELLES

◈ 8 cm de côté,
2 à 2,5 cm
d'épaisseur
▨ 150 à 200 g
▯ 45 %
✓ Toute l'année ;
meilleur du
printemps à
l'automne
❏ 2 sem.

PAVÉ DE LA GINESTARIÉ

Voici un fromage de chèvre
biologique produit dans l'Albigeois.
La méthode de production fermière
reste secrète. On décèle des traces de
paille sur la croûte. La paille, porteuse
de bactéries qui jouent un rôle dans la
maturation, a la propriété d'absorber
l'humidité en excès.

❗ Coteaux-du-Languedoc, Collioure

Albigeois

Cru

Pâte tendre,
non pressée,
non cuite

Croûte
naturelle

CARACTÉRISTIQUES
ESSENTIELLES

⊖ 7 cm de diamètre à la
base, 6 cm au sommet,
6 à 7 cm d'épaisseur
▨ 250 à 300 g
▯ 45 %
✓ Du printemps
à l'automne
❏ Variable

POURLY

Ce fromage artisanal est fabriqué sur
les plateaux calcaires de l'Auxerrois,
en Bourgogne. Il séduira ceux qui
aiment les chèvres doux. L'affinage
dure en général deux à quatre
semaines, mais le fromage est
consommable frais, dès le cinquième
jour.

❗ Sauvignon de Saint-Bris

Bourgogne
Auxerrois

Cru

QUATRE-VENTS

Pour éviter d'en modifier le goût, ce fromage fermier est fabriqué sans adjonction de présure. Il doit son nom à la situation de la ferme où il est fabriqué : au sommet d'une colline exposée aux quatre vents.

♈ Saint-Péray

CARACTÉRISTIQUES ESSENTIELLES

- ⬭ 5 à 6 cm de diamètre, 2,5 cm d'épaisseur
- ⚖ 60 g
- ▯ 45 %
- ✔ Du printemps à l'automne
- ▱ 12 à 15 jours

 Dauphiné

 Cru

Croûte naturelle

Pâte tendre, non pressée, non cuite

PETIT QUERCY

Ce chèvre fermier de goût léger tient son nom de sa province d'origine. La croûte est joliment décorée de feuilles de mûriers sauvages.

♈ Côtes-du-Roussillon

Feuille de ronce

CARACTÉRISTIQUES ESSENTIELLES

- ⬭ 7 cm de diamètre, 2 cm d'épaisseur
- ⚖ 100 g
- ▯ Variable
- ✔ Du printemps à l'automne
- ▱ 2 semaines min.

 Quercy

 Cru

Croûte naturelle

Cœur blanc

Pâte molle, non pressée, non cuite

ROGERET DE LAMASTRE

Pendant l'affinage de ce fromage fermier ou artisanal, des moisissures rouges se développent sur la croûte, d'où son nom (on l'appelle aussi fromage de Lamastre rouge). La pâte est crémeuse et délicate. Lamastre se trouve au pied des monts du Vivarais.

♈ Saint-Péray

CARACTÉRISTIQUES ESSENTIELLES

- ⬭ 7 à 8 cm de diamètre à la base, 2 cm d'épaisseur
- ⚖ 100 à 120 g
- ▯ Variable
- ✔ Toute l'année
- ▱ 2 à 4 semaines

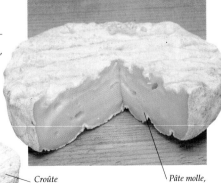

 Vivarais

 Cru

Croûte naturelle

Pâte molle, non pressée, non cuite

103

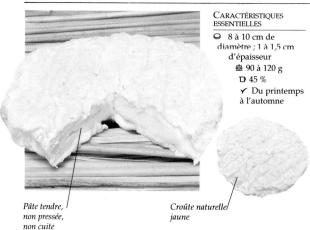

Pâte tendre,
non pressée,
non cuite

Croûte naturelle
jaune

CARACTÉRISTIQUES ESSENTIELLES

- 8 à 10 cm de diamètre ; 1 à 1,5 cm d'épaisseur
- 90 à 120 g
- 45 %
- ✓ Du printemps à l'automne

SAINT-FÉLICIEN DE LAMASTRE

Croûte molle, pâte tendre et saveur délicate : ce fermier est fabriqué à partir de caillé doux.

♈ Saint-Péray, Saint-Joseph

Vivarais

Cru

Pâte tendre,
non pressée, non cuite

Croûte naturelle
parsemée de
moisissures bleues

CARACTÉRISTIQUES ESSENTIELLES

- 11 cm de diamètre, 2 cm d'épaisseur
- 200 à 220 g
- 45 %
- ✓ Du printemps à l'automne
- ❑ 2 à 3 semaines

SAINT-PANCRACE

Les chèvres de l'élevage où est produit ce fromage fermier paissent sur les flancs d'une montagne nommée Saint-Pancrace. Lorsque le fromage commence à sécher, des taches de moisissure bleue apparaissent à la surface. La pâte est ferme, lisse, fondante au palais, et révèle une certaine douceur, ainsi qu'une saveur modérée.

♈ Condrieu, Château-Grillet

Rhône-Alpes

Cru

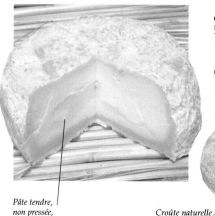

Pâte tendre,
non pressée,
non cuite

Croûte naturelle

CARACTÉRISTIQUES ESSENTIELLES

- 6 cm de diamètre, 3 cm d'épaisseur
- 120 à 150 g
- 45 %
- ✓ Du printemps à l'automne
- ❑ 1 mois

SANTRANGES

Dans le Berry, et plus exactement dans le Sancerrois, on fabrique trois fromages de chèvre portant le nom de leur village : le Chavignol (p. 80), le Crézancy et le Santranges. Si le Chavignol est le plus célèbre, le Santranges n'est pas sans qualités. Produit en petite quantité, ce fromage robuste se déguste avec un verre de vin. L'affinage dure un mois.

♈ Sancerre, Pouilly Fumé

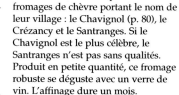

Berry
Sancerrois

Cru

SÉCHON DE CHÈVRE DRÔMOIS

C'est parce qu'il est petit et sec que ce fromage fermier s'appelle séchon. Il porte également le nom de la Drôme, rivière de cet immense Dauphiné où il est produit. Son goût est assez salé et doux.

♀ Saint-Péray

CARACTÉRISTIQUES ESSENTIELLES

⊖ 5 cm de diamètre, 2 cm d'épaisseur
⚖ 50 g
▭ 45 %
✓ Toute l'année
⎕ 3 semaines min.

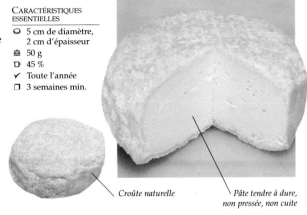

Dauphiné

Cru

Croûte naturelle

Pâte tendre à dure, non pressée, non cuite

TARENTAIS

Ce fermier provient de la Tarentaise, en Savoie. Après quatre semaines d'affinage, sa croûte se couvre d'une légère couche de moisissure bleue. Une semaine plus tard, elle se teinte de rouge. Cet affinage peut durer de quinze jours à trois mois, mais le tarentais peut également se déguster frais.

♀ Crépy

CARACTÉRISTIQUES ESSENTIELLES

⊖ 6 à 7 cm de diamètre, 7 cm d'épaisseur
⚖ 250 g
▭ 45 %
✓ Du printemps à l'automne
⎕ Variable

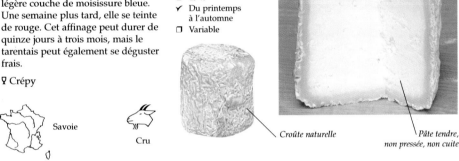

Savoie

Cru

Croûte naturelle

Pâte tendre, non pressée, non cuite

TAUPINIÈRE

Fromage fermier de création récente, similaire par la forme au gaperon (p. 150). Il est fabriqué à partir d'un lait très concentré et fait l'objet de tous les soins de M. Jousseaume, fermier à Saint-Estèphe, dans l'Angoumois. Pendant l'affinage, le fromage absorbe les moisissures naturelles présentes dans la cave, ce qui lui donne bon goût.

♀ Haut-Poitou

CARACTÉRISTIQUES ESSENTIELLES

⊖ 9 cm de diamètre à la base, 5 cm d'épaisseur
⚖ 220 à 250 g
▭ 45 %
✓ Toute l'année
⎕ 2 semaines

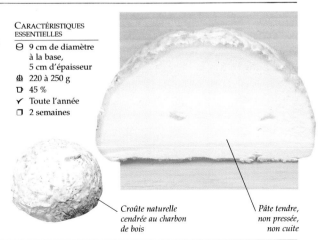

Poitou-Charentes

Cru

Croûte naturelle cendrée au charbon de bois

Pâte tendre, non pressée, non cuite

Pâte tendre,
non pressée,
non cuite

Croûte
naturelle

CARACTÉRISTIQUES
ESSENTIELLES

⊖ 6 cm à la base,
5 cm au sommet,
4 à 5 cm d'épaisseur
⚖ 170 à 200 g
⏺ 45 %
✓ Du printemps
à l'automne
⏹ 10 jours minimum

TOUCY

Chèvre fermier ou artisanal, fabriqué dans l'Auxerrois, au nord de la Bourgogne, et portant le nom du lieu d'où il est issu, il est léger et facile à manger.

♈ Sauvignon de Saint-Bris

Bourgogne
Auxerrois

Cru

Pâte tendre,
non pressée,
non cuite

Croûte naturelle
cendrée au charbon
de bois

CARACTÉRISTIQUES
ESSENTIELLES

⊖ 6 à 7 cm
de diamètre,
3 cm d'épaisseur
⚖ 90 à 100 g
⏺ 45 %
✓ Du printemps
à l'automne
⏹ 10 jours min.

VENDÔMOIS

Chèvre fermier, fabriqué au nord de Vendôme. Malgré l'aspect de la croûte, qui pourrait laisser supposer que le fromage ci-contre est à point, la pâte se révèle plutôt jeune. Elle est fine et légèrement acide.

♈ Coteaux-du-Vendômois

Vendômois

Cru

Les fromages marinés
dans l'huile s'imprègnent
des saveurs des herbes de
Provence et des épices

CROTTIN DU BERRY À L'HUILE D'OLIVE

Pour cette spécialité provençale, faites mariner des petits fromages de chèvre à pâte tendre dans de l'huile d'olive additionnée de poivre, de thym, de romarin, de laurier, de baies de genièvre et d'ail. Les crottins ainsi marinés se servent avec du pain, de la salade et des tomates.

♈ Tavel rosé, Sancerre rosé

Provence

Variable

Chèvre à l'Huile d'Olive et à la Sarriette

Faites mariner des petits chèvres de Provence dans l'huile d'olive parfumée avec des baies de genièvre et des brins de sarriette. Choisissez des fromages dépourvus de moisissures, qui donneraient une vilaine couleur à la marinade. La sarriette doit être bien sèche.

♈ Bandol rosé

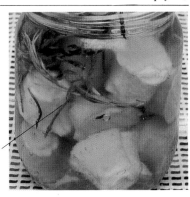

Huile d'olive parfumée à la sarriette et au genièvre

  Provence

  Variable

Les fromages de chèvre saisonniers

Jean-Pierre Moreau est propriétaire de l'élevage caprin de Bellevue où, avec sa femme et deux employés, il élève 200 chèvres et huit boucs. Toutes les bêtes sont de pure race Saanen (en haut à droite) ou alpine ; leurs qualités se reflètent dans les fromages. M. Moreau emmène lui-même ses fromages à Paris deux fois par semaine.

Le goût d'un chèvre est soumis à divers facteurs : race et nourriture de l'animal, mode d'élevage, teneur en protéines et en matières grasses du lait, méthode de caillage et d'égouttage, pour n'en citer que quelques-uns. Les chèvres ont leur premier chevreau vers l'âge d'un an, puis elles mettent bas une fois par an entre janvier et la mi-mars. Chacune a deux ou trois chevreaux ; la valeur de ceux-ci diminuant avec l'âge, les petits en surplus sont vendus très vite. À deux ans, les chèvres sont adultes : elles donnent davantage de lait et leur lactation continue encore cinq ans. Avec 200 chèvres, on obtient chaque jour 700 litres de lait, qui servent à la fabrication d'une douzaine de fromages différents.

Les fromages saisonniers sont fabriqués suivant des méthodes traditionnelles à partir du lait de printemps, produit après la mise bas par des bêtes paissant en plein air dans des prairies grasses. Ce lait frais est transformé en fromage en avril et en mai. Aujourd'hui, les fromages de chèvre sont plus souvent produits avec le lait d'animaux élevés sous des hangars et nourris au foin. L'insémination artificielle et la congélation du caillé permettent de produire des fromages même en plein hiver, mais leur goût n'égale pas celui des saisonniers.

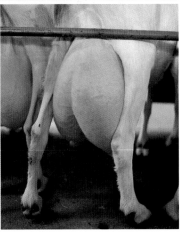

CHEVRETTE DES BAUGES

En Savoie, on appelle chevrette un fromage au lait de mélange et chevrotin un fromage pur chèvre. Aujourd'hui, ce fromage fermier n'est plus fabriqué que par les anciens dans deux ou trois fermes ; il est donc menacé de disparition. La photographie du haut montre un fromage contenant trois quarts de lait de chèvre et un quart de lait de vache. Il provient d'une fromagerie de Thonon-les-Bains.

Sur la photo du bas, se trouve un fromage mi-vache mi-chèvre ; il vient d'une fromagerie de Chambéry. Les patrons de ces deux magasins sont renommés pour la qualité de leurs produits savoyards, qu'ils affinent suivant leurs propres méthodes. Selon eux, les moisissures qui se développent à la surface du chevrette dépendent de la nourriture des bêtes, de l'altitude des pacages dans la montagne, et même de l'heure à laquelle on les a trait. Cela explique la différence de chacun des fromages.

♈ Seyssel

Croûte naturelle

Pâte mi-dure, pressée, non cuite

Fromage fabriqué avec trois quarts de lait de chèvre et un quart de lait de vache

CARACTÉRISTIQUES ESSENTIELLES

- ◒ 10 à 15 cm de diamètre, 5 cm d'épaisseur
- ⚖ 500 g à 1 kg
- ⅁ Variable
- ⅄ Du début du printemps au début de l'hiver
- ⊓ 1 à 3 mois

Fromage mi-vache mi-chèvre

Savoie

Cru

CHEVROTIN D'ALPAGE, VALLÉE DE MORZINE

Le fromage de chèvre fermier ci-
contre a été fabriqué dans un chalet
de la vallée de Morzine. Sa surface
humide porte encore la trace de la
toile dans laquelle il était enveloppé
pendant l'affinage. Le lait utilisé est
celui de chèvres qui paissent dans
les pâturages fleuris des Alpes, ce
qui donne à la pâte jaune pâle une
odeur sucrée et un goût de miel.
Elle est régulièrement percée de
petits trous caractéristiques d'un
fromage à pâte pressée. Le chevrotin
d'alpage a été inspiré par un autre
grand fromage : le reblochon
(p. 175).

♀ Vin de Savoie

*Pâte pressée
non cuite,
mi-dure, qui
cède sous le
doigt*

Savoie

Cru

**Affinage de
quatorze semaines**

*Croûte humide
naturelle,
couvertes de
moisissures
blanches et brunes*

CARACTÉRISTIQUES
ESSENTIELLES

- ⊖ 17 à 20 cm de diamètre,
  4 cm d'épaisseur
- ⚖ 1 à 1,3 kg
- ⅅ Variable
- ✓ De l'automne à l'hiver
- ☐ 4 mois maximum

CHEVROTIN DES ARAVIS

Ce chèvre fermier est fabriqué
dans un chalet d'alpage de la vallée
des Aravis. Il se démarque
franchement des chèvres de Loire
à la fois par l'aspect et par le goût.
Il possède une croûte orangée
humide tachée de moisissure blanche.
Sa pâte est onctueuse, douce,
de consistance fine ; elle coule
sur les côtés un peu comme
celle du reblochon. L'affinage exige
une atmosphère humide à 95 % ;
les fromages sont lavés en saumure,
retournés et légèrement pressés
à la main.

♀ Vin de Savoie

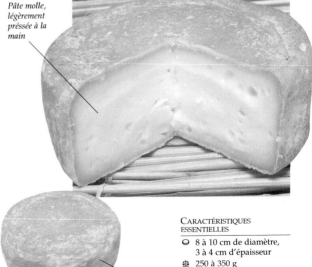

*Pâte molle,
légèrement
préssée à la
main*

Savoie

Cru

*Croûte lavée
humide, orangée,
poudrée de
moisissures naturelles*

CARACTÉRISTIQUES
ESSENTIELLES

- ⊖ 8 à 10 cm de diamètre,
  3 à 4 cm d'épaisseur
- ⚖ 250 à 350 g
- ⅅ 45 %
- ✓ De l'été à l'automne
- ☐ 3 à 6 semaines

Croûte naturelle

- ⊖ 10 à 11 cm de diamètre, 6 cm d'épaisseur
- ⬚ 500 à 600 g
- ▯ 45 %
- ✔ De juin à décembre
- ▢ 1 à 3 mois, repos d'1 mois

Pâte mi-dure, pressée, non cuite

Affinage d'un mois

CHEVROTIN DE MACÔT

Une bonne fromagerie doit disposer d'un local d'affinage, où les fromages sont « finis » avant la vente.
Ce fromage est fabriqué dans un ancien abri de la Seconde Guerre mondiale. Il s'agit d'une cave d'environ 300 mètres carrés, à flanc de montagne, où les conditions d'obscurité, de fraîcheur et d'humidité sont idéales.

Au départ de leur ferme d'origine, dans la Tarentaise, les fromages sont blancs. On les emmène chez un fromager qui les affine entre un et trois mois. Ils reposent ensuite un mois encore, afin que les moisissures jaunes et roses fleurissent à la surface. La pâte mûrit lentement.

♀ Vin de Savoie

Savoie

Cru

Pâte mi-dure, pressée, non cuite

- ⊖ 45 cm de diamètre, 8 cm d'épaisseur
- ⬚ 8 kg
- ▯ 45 %
- ✔ Meilleur à partir de l'automne
- ▢ 6 mois

Croûte lavée

CHEVROTIN DU MONT-CENIS

Comme son nom l'indique, ce chèvre fermier est fabriqué dans la région du Mont-Cenis.
Pendant un assez long affinage, la croûte lavée en saumure est régulièrement essuyée avec une toile trempée dans la morge (p. 21). En se développant, la croûte protège la pâte contre les moisissures néfastes tout lui en permettant de rester en contact avec l'air de la cave.
Le fromage ci-contre a été affiné durant six mois. Sa croûte est toujours souple, mais la pâte élastique commence à devenir collante.

♀ Crépy

Savoie

Cru

CHEVROTIN DE MONTVALEZAN

Fromage fermier découvert dans la Tarentaise par un fromager qui a ensuite aidé son producteur à le fabriquer. Son apparence témoigne de leur enthousiasme commun et du sérieux de leur travail. C'est un fromage à pâte compacte, fine, de couleur ivoire, tendre et qui sent un peu le moisi.

♀ Roussette de Savoie

Pâte mi-dure, pressée, non cuite

Croûte naturelle

Savoie

Cru

CARACTÉRISTIQUES ESSENTIELLES
- ⊖ 10 à 12 cm de diamètre, 6 cm d'épaisseur
- ⚖ 500 à 600 g
- ▭ 45 %
- ✓ Du printemps à l'automne
- ▢ 4 à 5 semaines

CHEVROTIN DE PEISEY-NANCROIX

Les villages de Peisey et de Nancroix, situés à une altitude de 1 300 mètres, ne comptent que 181 habitants à eux deux. On y produit un chèvre fermier dont l'affinage peut durer jusqu'à six mois, ce qui est assez long étant donné sa petite taille. Après l'affinage, la croûte a radicalement changé d'aspect. La pâte est assez collante. C'est un fromage de qualité, de goût mature.

♀ Roussette de Savoie

Pâte mi-dure, pressée, non cuite

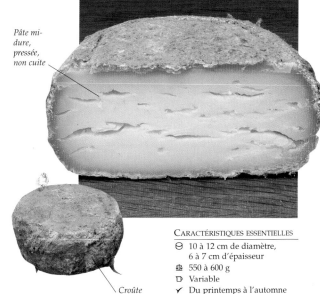

Croûte naturelle

Savoie

Cru

CARACTÉRISTIQUES ESSENTIELLES
- ⊖ 10 à 12 cm de diamètre, 6 à 7 cm d'épaisseur
- ⚖ 550 à 600 g
- ▭ Variable
- ✓ Du printemps à l'automne
- ▢ 6 mois

*Croûte naturelle,
piquée, jaune d'or
à brunâtre*

*Pâte ferme, légèrement
élastique, ivoire à jaune pâle ;
cuite à mois de 53 °C et pressée*

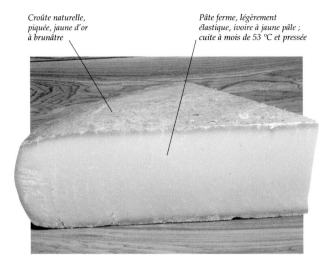

Affinage d'environ un an

- ⊖ 40 à 70 cm de diamètre,
  9 à 13 cm d'épaisseur
- ⚖ 35 à 55 kg
- ♣ 62 g pour 100 g
- ⛿ 45 % ; 27,9 g min. pour 100 g
- ⋎ Toute l'année

Œil

LES YEUX
Les yeux du comté sont le
résultat d'un affinage soigné.
Leur taille varie entre celle
d'un pois et celle d'une petite
cerise. Si l'affinage est mené à
trop basse température, les
yeux ne se forment pas.

COMTÉ (AOC)

Avec le Beaufort, le comté, également appelé gruyère de comté, est le fromage le plus riche et le plus apprécié de France. Il est produit traditionnellement dans le Jura, où les fermiers apportent leur lait aux « fruitières », coopératives gérées en commun par un groupe de villages. Il faut jusqu'à 530 litres de lait, soit la production journalière de trente vaches, pour faire une seule meule de comté.

Aspect et saveur

La surface du fromage ci-contre est large et plane ; la croûte est humide, fraîche, jaune et ocre. À la coupe, on découvre une pâte ferme et souple qui fond dans la bouche, en laissant un goût légèrement sucré.
On note une forte salinité, tempérée par un parfum de noisette acidulé.
Le comté est un fromage nourrissant qui se prête à tous les usages :
il est délicieux à l'apéritif, dans une salade, avec des fruits, en sandwich, dans un croque-monsieur ou dans une fondue.

La production et l'affinage

Régulièrement consommé par 40 % de la population française, le comté est le fromage dont la production est la plus importante : 38 000 tonnes par an. L'AOC a limité la zone de fabrication à la Franche-Comté, à l'est de la Bourgogne, et à certaines zones de Lorraine, de Champagne et de la région Rhône-Alpes. Les contrôles de qualité sont sévères : chaque année, 5 % de la production se voit refuser le label AOC. L'affinage doit avoir lieu dans des zones déterminées et durer au moins 90 jours, à moins de 19 °C et à 92 % d'humidité. Les meules sont régulièrement essuyées et brossées à la saumure. La croûte doit être passée à la morge et piquée.

Ⴘ Côtes du Jura (jaune),
Vin de Paille doux

Franche-Comté
Champagne
Bourgogne
Lorraine

Cru

COMMENT COUPER UN COMTÉ

Pour couper une meule de comté en deux ou en quatre, on utilise un fil à couper le beurre. Ensuite, un couteau de cuisine suffit.

1. La meule est coupée en deux moitiés

2. Chaque moitié est recoupée en deux

3. On supprime la pointe de chaque quart...

4. ... puis on coupe une part de chaque côté

5. On recoupe une tranche en travers de la pointe...

6. ... puis une autre.

7. Ce qui reste du quart est détaillé en tranches comme une tarte.

8. Couper ainsi toute la meule

SPÉCIFICATIONS DE L'AOC : COMTÉ

1. Le lait doit être apporté sur le lieu de production immédiatement après la traite. S'il est réfrigéré et conservé entre 14 et 18 °C, l'emprésurage doit avoir lieu dans les 14 heures qui suivent. Si le lait est conservé à 4 °C, il doit avoir lieu dans les 24 heures, 36 heures l'hiver.
2. Le lait est chauffé une fois à un maximum de 40 °C, uniquement au moment de l'emprésurage. Ni machine, ni méthode permettant de chauffer le lait plus vite et à plus de 40 °C ne peuvent être employées avec l'emprésurage.
3. Le salage se fait en surface, au sel sec ou à la saumure.
4. Une étiquette de caséine verte portant la date de fabrication doit être apposée sur le talon de la meule.
5. Le fromage râpé ne saurait être vendu sous le nom de comté.

AOC DÉLIVRÉE EN 1976

BARÈME DE NOTATION DU COMTÉ AOC

Le comté est noté sur une échelle de 1 à 20. La note minimum d'admissibilité est de 12. Les fromages obtenant entre 15 et 20 ont droit à une étiquette verte, les autres à une étiquette rouge brique.

La note minimale pour l'épreuve de goût est de 3 à 9. Une note nulle dans les domaines suivants entraîne l'élimination du fromage, qui sera vendu sous le nom de gruyère : forme, croûte, yeux et pâte.

ASPECT	NOTES	QUALITÉS IDÉALES
Aspect général	1/20	Talon convexe, forme nette, sans joint entre le dessus, le talon et le dessous ; proportions harmonieuses, absence de bosses et de crevasses.
Qualité croûte sur le dessus, les côtés, le dessous	1,5/20	Traité à la morge, piqué (avec marques de la toile) ; solide (non friable), propre (sec, lisse, sans taches ni voiles) ; de couleur unie (orange clair à ocre), sans défauts ni fêlures.
Aspect de la coupe et des yeux	3,5/20	Les yeux doivent être au nombre de 10 à 20 par demi-meule, ronds, nets, de la taille d'une cerise, bien répartis ; absence de rainures et autres défauts.
Qualité de la pâte	5/20	Couleur unie (blanc crème à jaune orangé clair) ; souple (légèrement élastique), lisse (ni trop humide, ni huileuse) ; résistance moyenne à la déformation ; pâte fine (absence de particules quand le fromage est dégusté) ; ne doit pas coller au palais.
Qualités gustatives	9/20	Simple (sans défauts) ; parfumé (goût de noix) ; fruité (abricot, fruits secs) ; lactique (goût de lait, de beurre) ; légèrement caramélisé ; gras (goût de foin) ; équilibré (acidulé, salé, sucré, amer) ; ne doit pas piquer ; arrière-goût persistant.

Corse

La légende veut qu'une mythique bergère italienne, prénommée « Corsica », venue à la nage depuis la côte toscane, soit à l'origine de la découverte de la Corse. Les produits laitiers ne pouvaient donc qu'être au premier rang de l'alimentation corse.

En raison de sa situation stratégique et de son potentiel commercial, l'île a toujours fait l'objet de convoitises, d'invasions et de dominations de la part des Grecs, des Romains, des Sarrasins, des Pisans, des Gênois, et, depuis 200 ans, des Français. Ce sont les Grecs qui y ont introduit le mouton, l'olivier et la vigne, les Sarrasins y ayant apporté des chèvres.

La majeure partie de l'île jouit d'un climat méditerranéen, mais au-dessus de 1 500 mètres d'altitude l'air est plus froid et plus alpin. La diversité des climats a permis l'implantation de 2 000 espèces végétales capables de résister à la chaleur, à l'aridité, aux vents violents et au froid intense. De toutes ces plantes, 78 sont inconnues ailleurs. Le maquis, végétation de rocaille faite d'arbustes et de fourrés, explose de couleurs au printemps et fournit une excellente pâture aux chèvres et aux moutons.

La variété des climats et des terrains, la végétation robuste, les bêtes vivant à l'état demi sauvage rendent possible la production de fromages qui n'ont rien à voir avec ceux du continent. Les fromages corses sont en général de petite taille et marqués par la faisselle où ils ont été moulés. Toujours délicieux, à pâte molle ou dure, au goût prononcé ou doux. Un long affinage donne à beaucoup d'entre eux une saveur… corsée, qui s'accommode tout particulièrement aux vins locaux.

VUE AÉRIENNE DE NIOLO
Le Niolo, région montagneuse du centre de la Haute-Corse, abrite de nombreux troupeaux de chèvres et de moutons à demi sauvages, dont le lait entre dans la composition d'une large gamme de fromages.

Bastia

HAUTE-CORSE

Monte Cinto

NIOLO   Corte

Ajaccio

CORSE DU SUD

Sartène

CARTE DE LA CORSE

FROMAGE CORSE

La maison de M. Manenti est perchée à 360 m d'altitude, au col San Bastiano proche de Calcatoggio, situé lui-même à 411 mètres. Fin juin, début juillet, les troupeaux de brebis et de chèvres sont menés dans la montagne, et y restent jusqu'en octobre. Les brebis passent l'année en plein air. La présure (p. 11) utilisée pour faire cailler le lait est préparée sur place à partir d'une enzyme, la chymosine, présente dans l'estomac des chevreaux : l'estomac du chevreau sacrifié sèche à l'abri pendant au moins 40 jours avant d'être coupé finement et mis à tremper deux jours dans de l'eau tiède. Jadis, la faisselle de jonc tressé où s'égouttaient les fromages était elle aussi fabriquée sur place. Aujourd'hui, le jonc est souvent remplacé par du plastique. Au bout de cent jours, le fromage est couvert de moisissure. Il est salé, de consistance fine.

❢ Patrimonio

CARACTÉRISTIQUES
ESSENTIELLES

◒ 11 à 13 cm de diamètre, 3 à 4 cm d'épaisseur

⚖ 500 g

🗇 48 %

✓ Du printemps à l'automne

⊐ 2 mois maximum

Affinage de quatre mois

Pâte molle, légèrement élastique sous le doigt, non pressée, non cuite

Après dix heures d'égouttage

Affinage de huit jours

Corse-du-Sud

Cru

Affinage de cinq mois

Croûte lavée

Estomac de chevreau séché

*Pâte fraîche
et blanche*

**Brocciu très frais,
encore fumant**

CARACTÉRISTIQUES
ESSENTIELLES

☷ En faisselle de
différentes tailles

⚖ En général 500 g (voir
photo), jusqu'à 1 kg

🗋 40 à 51 %

✓ Du printemps à
l'automne (chèvre) ;
de l'hiver au début
de l'été (brebis) ;
toute l'année (affiné)

Brocciu / Fromage de Lactosérum (AOC)

À l'origine du mot corse *brocciu* (on dit aussi *broccio*) se trouve peut-être le mot « brousse », qui désigne un fromage frais au lait de brebis ou de chèvre. Le brocciu ressemble à la ricotta italienne. Ce fromage est un cas particulier, car le seul d'appellation contrôlée qui soit fabriqué à base de lactosérum, autrement dit de petit-lait, que l'on jette généralement pour ne garder que le caillé, mais qui contient des protéines et des éléments nutritifs. Très apprécié par les Corses, ce fromage est vendu sur les marchés dans des paniers d'osier qu'il faut rapporter au vendeur.

La fabrication

Le petit-lait est d'abord chauffé à 35 °C et salé, puis on lui ajoute entre 10 et 15 % de lait frais. Ce mélange est porté à 90 °C. Les particules blanches qui remontent à la surface sont écumées, déposées dans une faisselle et égouttées par couches successives. La production est fermière, artisanale ou laitière.

La dégustation

Le brocciu se mange chaud ou froid, généralement dans les 48 heures qui suivent sa fabrication. Égoutté et salé, il peut toutefois être affiné comme n'importe quel fromage. Il a une pâte molle, douce, qui séduit tous les palais. Il est excellent au petit déjeuner avec de la confiture, ou assaisonné de sel et de poivre. On peut également l'arroser de marc du pays, ou en farcir des omelettes et des cannelloni. En dessert, avec des œufs, du sucre, un zeste de citron et d'orange râpés, on réalise la célèbre *fiadone*, un gâteau merveilleusement moelleux.

L'AOC a été délivrée en 1983.

▢ Marc de Corse

Corse

Cru,
entier

QUELQUES TYPES DE BROCCIU

1. Brocciu dans son panier traditionnel *(caciagia)*, acheté au domaine de la Porette, près de Corte.

2. Brocciu acheté chez un fromager parisien.

3. Brocciu acheté au marché d'Ajaccio.

4. Brocciu acheté au marché de Lyon.

5. Brocciu au poivre acheté au marché de Sainte-Maure.

*Pâte molle,
non pressée,
non cuite*

CALENZANA (LE NIOLO)

Voici un fromage renommé venu du plateau du Niolo, au nord de la Corse. Le fromage ici est assez blanc ; sa croûte est humide, sa pâte lourde rappelle l'argile et possède un goût fort.

♉ Patrimonio

CARACTÉRISTIQUES ESSENTIELLES

◈ Forme carrée à angles arrondis :
   10 cm de côté,
   4 à 5 cm d'épaisseur
⚖ 600 g
⚁ Variable
✓ Du printemps à l'automne
❐ 3 mois minimum

Croûte naturelle

Haute-Corse

Cru

LE FIUM'ORBO

Ce fromage artisanal, qui porte le nom d'une petite rivière du nord de la Corse, a une croûte collante, marquée par la faisselle où le caillé s'est égoutté. De saveur concentrée, sa pâte n'est pas très souple au toucher.

Durant l'affinage, le fromage est retourné tous les deux jours.

♉ Vin de Corse

*Pâte molle
non élastique,
non pressée,
non cuite*

CARACTÉRISTIQUES ESSENTIELLES

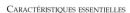

◯ 10 à 12 cm de diamètre,
   4 cm d'épaisseur
⚖ 400 à 450 g
⚁ 50 %
✓ De novembre à fin juin
   (brebis) ; de janvier
   à fin juin (chèvre)
❐ 2 mois minimum

*Croûte
naturelle*

Haute-Corse

Cru

FLEUR DU MAQUIS

Ce fromage artisanal est de création récente. Son nom rend hommage à la végétation typique de la Corse.

Piments, baies de genièvre, sarriette et romarin

Fleur du Maquis

CARACTÉRISTIQUES ESSENTIELLES

- ❖ 10 à 12 cm de côté, 5 à 6 cm d'épaisseur
- ⚖ 600 à 700 g
- ▱ Fleur du maquis : 45 % ; brin d'amour : variable
- ✓ De l'hiver à l'été

Pâte molle, non élastique, non pressée, non cuite

Brin d'Amour

Croûte naturelle enrobée de sarriette et de romarin

BRIN D'AMOUR

Comme le précédent, de production artisanale, ce fromage dégage une forte odeur d'herbes aromatiques. La pâte est fine, de couleur ivoire, légèrement acidulée. Ces deux fromages sont parfois fabriqués sur le continent, où ils remportent plus de succès que sur leur île. L'affinage dure un mois minimum.

♈ Vin de Corse, Côtes-de-Provence

Haute-Corse

Cru

A Filetta

A filetta signifie « la fougère » en corse. Ce fromage artisanal, décoré d'une feuille de fougère, est originaire d'Isolaccio, à 45 km au sud de Bastia. Il sent un peu la vache et la fougère. Les fromages sont retournés durant l'affinage. Les plus jeunes sont parfois expédiés sur le continent.

♈ Patrimonio

Pâte molle, non élastique, non pressée, non cuite

CARACTÉRISTIQUES ESSENTIELLES

- ⊖ 10 cm de diamètre, 3 à 4 cm d'épaisseur
- ⚖ 300 à 350 g
- ⅅ 45 %
- ✓ De décembre à juin (brebis) ; de mars à novembre (chèvre)
- ⅂ 3 à 4 semaines

Croûte naturelle marquée par la faisselle et décorée d'une fougère

Haute-Corse

Cru

Fromage de Brebis

Le fromage fermier ci-contre a été fabriqué en novembre à Santa-Maria-Siché avec le lait des brebis de M. Cianfarani. Le fromage de la photo a une semaine seulement. La croûte blanche semble fraîche et la pâte souple. L'utilisation du lait de la première traite matinale donne un fromage légèrement amer.

♈ Patrimonio

Croûte lavée

CARACTÉRISTIQUES ESSENTIELLES

Pâte molle, élastique, non pressée, non cuite

- ⊖ 11 à 13 cm de diamètre, 7 cm d'épaisseur
- ⚖ 1 kg
- ⅅ 50 %
- ✓ Du printemps à l'automne
- ⅂ 3 mois minimum

Corse-du-Sud

Cru

FROMAGE FERMIER DE BREBIS

Ce fromage à croûte humide et à pâte collante appartient à la famille du venaco (p. 130). Il est meilleur entre le printemps et l'automne. La production commence au début de l'hiver, dès le début de la lactation des brebis, et dure jusqu'à l'été. Pendant l'affinage, les fromages sont lavés dans un peu d'eau et retournés tous les jours. Ils n'ont pratiquement aucune odeur au début de l'affinage.

𝒱 Patrimonio

Pâte molle, non élastique, non pressée, non cuite

CARACTÉRISTIQUES ESSENTIELLES
- ⊖ 9 à 11 cm de diamètre, 4 cm d'épaisseur
- ⚖ 350 à 400 g
- ⅁ 45 %
- ✔ Meilleur du printemps à l'automne
- ⊐ 45 jours

Croûte lavée

 Haute-Corse

Cru

UN PRODUIT FAIT À LA MAIN Bien que ce fromage ait l'aspect d'une croûte lavée, il est simplement humidifié à la main et retourné plusieurs fois.

Fromage frais

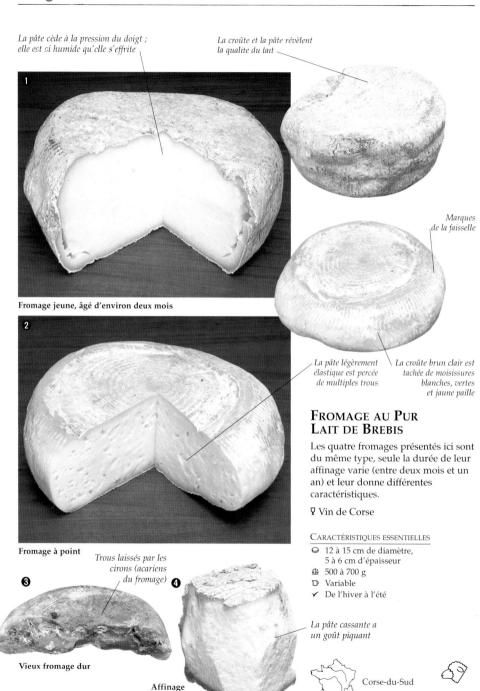

La pâte cède à la pression du doigt ; elle est si humide qu'elle s'effrite

La croûte et la pâte révèlent la qualité du lait

Fromage jeune, âgé d'environ deux mois

Marques de la faisselle

La pâte légèrement élastique est percée de multiples trous

La croûte brun clair est tachée de moisissures blanches, vertes et jaune paille

Fromage à point

Trous laissés par les cirons (acariens du fromage)

Vieux fromage dur

Affinage d'un an

Fromage au Pur Lait de Brebis

Les quatre fromages présentés ici sont du même type, seule la durée de leur affinage varie (entre deux mois et un an) et leur donne différentes caractéristiques.

♀ Vin de Corse

Caractéristiques essentielles

⊖ 12 à 15 cm de diamètre, 5 à 6 cm d'épaisseur
⚖ 500 à 700 g
▯ Variable
✓ De l'hiver à l'été

La pâte cassante a un goût piquant

Corse-du-Sud

Cru

FROMAGE CORSE

Il n'y a pratiquement pas de fromageries en Corse ; on achète son fromage au marché du matin. Les fabricants vendent directement leurs produits, qui sont souvent désignés sous leur nom : par exemple, « le fromage de Mme Nicole ». Le fromage fermier ci-contre est si jeune qu'il sue encore un peu. La pâte et le sel ne sont pas encore complètement mêlés.

❦ Ajaccio

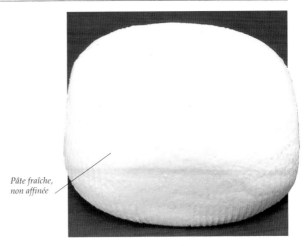

Pâte fraîche, non affinée

 Haute-Corse

 Cru

CARACTÉRISTIQUES ESSENTIELLES

- ◈ 11 cm de côté, 5 cm d'épaisseur
- ⚖ 570 g
- ▯ Variable
- ✓ De l'hiver au début de l'été

FROMAGE CORSE NIOLO

Ce fromage fermier a été acheté sur un marché lyonnais. Vendu sous le nom de Niolo, il est du type du bastelicaccia de la région d'Ajaccio. Une moisissure bleue et rousse couvre la croûte humide.
La pâte cède sous le doigt.
Il est encore un peu jeune, mais il a déjà du goût.

❦ Patrimonio rosé

Pâte molle, non pressée, non cuite

Croûte lavée, marquée par la faisselle

 Haute-Corse

 Cru

CARACTÉRISTIQUES ESSENTIELLES

- ◯ 11 à 12 cm de diamètre, 4,5 cm d'épaisseur
- ⚖ 450 g
- ▯ 45 %
- ✓ De l'hiver au début de l'été
- ▢ 3 mois minimum

FROMAGE DE CHÈVRE FERMIER DE LA TAVAGNA

La maison de la famille Giancoli se trouve sur le littoral montagneux, à une heure de route au sud de Bastia. Huit mois sur douze, on y fabrique 70 fromages fermiers par jour. Ils sont enfermés dans un emballage hermétique. À l'ouverture, une puissante odeur se dégage et le papier qui l'enveloppe porte les traces de la faisselle. Le fromage lui-même est d'aspect humide et dur comme du savon. Il a atteint sept mois de maturation. Durant l'affinage, les fromages sont essuyés régulièrement avec une toile humide.

♀ Château-Chalon (jaune), Arbois jaune, ▯ Marc de Corse,

Pâte molle, non pressée, non cuite

Croûte naturelle

CARACTÉRISTIQUES ESSENTIELLES
- ◈ 9 à 10 cm de large, 11 cm de long 4 cm d'épaisseur
- ⚖ 300 à 400 g
- ▯ 45 %
- ✔ Toute l'année
- ❐ 2 mois

 Haute-Corse

 Cru

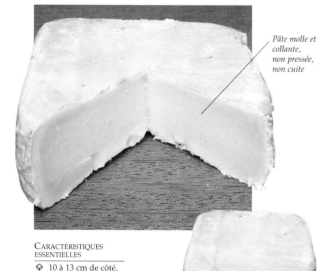

NIOLO

Le village de Casamaccioli ne compte que 140 habitants. C'est là, au plus profond des montagnes corses, que les frères Santini fabriquent leur Niolo. C'est un fromage fermier à l'odeur puissante, de consistance collante, qui pique la langue. Son odeur se développe au fil du temps sans jamais s'atténuer. C'est au Niolo que pensent les métropolitains quand ils évoquent le fromage corse.

♀ Château-Chalon (jaune), Arbois jaune, ▯ Marc de Corse

Pâte molle et collante, non pressée, non cuite

Croûte lavée portant des marques de faisselle

CARACTÉRISTIQUES ESSENTIELLES
- ◈ 10 à 13 cm de côté, 4 cm d'épaisseur
- ⚖ 400 à 500 g
- ▯ 50 %
- ✔ Du printemps à l'automne
- ❐ 3 mois minimum

 Haute-Corse

 Cru

MOUFLON

Ce fromage fermier est fabriqué au lait de chèvre cru à Calgese, en Corse-du-Sud. L'affinage a lieu à Calacuccia, localité des montagnes du nord de l'île.

Ⴘ Patrimonio

CARACTÉRISTIQUES ESSENTIELLES

◈ 12 cm de côté,
3 cm d'épaisseur
⚖ 400 à 500 g
🗈 50 %
Ⲩ Meilleur en été
☐ 3 mois

Croûte lavée

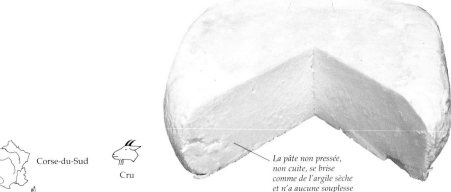

Corse-du-Sud

Cru

La pâte non pressée, non cuite, se brise comme de l'argile sèche et n'a aucune souplesse

LE MOUFLON

Bien que les fromagers le considèrent comme une chèvre, le mouflon est plutôt une sorte de mouton sauvage, ancêtre des ovins domestiques d'Europe. Il a des cornes recourbées mais pas de barbiche. De nos jours, on le rencontre surtout en Sardaigne et en Corse, où on l'appelle *muflone* ou *mufoli*. Aujourd'hui en voie de disparition, cet animal était jadis consommé rôti ou en ragoût, comme du mouton ou de la venaison.

PÂTE DE FROMAGE

La pâte de fromage (voir p. 140) est une spécialité corse. Pour l'obtenir, on broie un fromage parvenu à maturité, on le dépose dans un récipient et on le laisse vieillir. Selon certains autochtones, il est encore meilleur lorsque les cirons l'ont investi.

♀ Château-Chalon (jaune), Arbois jaune, ❏ Marc de Corse

CARACTÉRISTIQUES
ESSENTIELLES

- ☐ En bocal
- ⚖ 200 g net
- ⛁ 50 %
- ✔ Toute l'année
- ❐ 5 à 6 mois

 Haute-Corse

Cru, entier

A FILETTA (EN PÂTE)

On dit que ce fromage artisanal se faisait autrefois dans tous les foyers corses. Son odeur est si forte qu'elle pique les yeux.

♀ Château-Chalon (jaune), Arbois jaune, ❏ Marc de Corse

CARACTÉRISTIQUES
ESSENTIELLES

- ☐ En bocal
- ⚖ 230 g net
- ⛁ 45 %
- ✔ Toute l'année
- ❐ 5 à 6 mois

 Haute-Corse

 Cru

SAN PETRONE

Voici une autre pâte fabriquée
à partir de vieux fromage broyé ;
celui-ci est façonné à la main sans
additifs. Il n'a pas de croûte.
La pâte ressemble à une pâte à pain à
peine pétrie. Collante, d'un goût salé,
puissant et piquant, elle rappelle le
fromage fort (p. 140). La production
est artisanale.

Ψ Château-Chalon (jaune),
Arbois jaune, ⬚ Marc de Corse

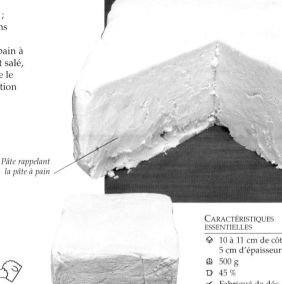

Pâte rappelant
la pâte à pain

 Haute-Corse

 Cru

CARACTÉRISTIQUES
ESSENTIELLES

◈ 10 à 11 cm de côté,
   5 cm d'épaisseur
⚖ 500 g
ⴹ 45 %
✓ Fabriqué de déc. à fin juin ;
   disponible toute l'année
❒ 7 mois environ

VIEUX CORSE

Il s'agit d'une pâte de fromage
artisanal, enveloppée dans trois
couches de papier sulfurisé. Teintée
de moisissures bleues, la pâte est
salée, piquante, avec du goût.
Les Corses l'étalent généreusement
sur du pain.

Ψ Château-Chalon (jaune),
Arbois jaune, ⬚ Marc de Corse

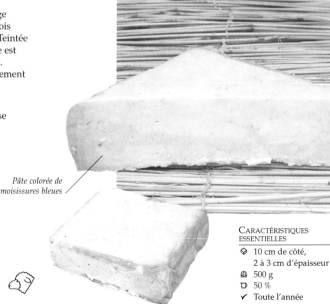

Pâte colorée de
moisissures bleues

 Haute-Corse

 Cru

CARACTÉRISTIQUES
ESSENTIELLES

◈ 10 cm de côté,
   2 à 3 cm d'épaisseur
⚖ 500 g
ⴹ 50 %
✓ Toute l'année
❒ 3 mois minimum

TOME DE CHÈVRE (1)

Cet excellent fromage fermier est dû à M. Andreani, établi au village de Piaggiola, près de Sartène, où il va parfois vendre lui-même ses produits. Ce fromage n'a rien à voir avec les chèvres fabriqués sur le continent. Sa croûte ressemble à une pierre sèche mangée par un lichen roussâtre, et la pâte, si dure qu'il faut la casser au marteau, brille comme de la cire. Il exhale une légère odeur de cave. Ce fromage est probablement un cousin du fleur-de-Sardaigne, dont l'origine remonterait à l'ère romaine.

♀ Patrimonio

Croûte naturelle

Pâte dure, pressée, non cuite

CARACTÉRISTIQUES ESSENTIELLES

- ⊖ 17 à 18 cm de diamètre, 8 à 9 cm d'épaisseur
- ⚖ 2 kg
- ☋ Variable
- ✔ De l'été à l'hiver
- ⬡ 3 mois minimum

 Corse-du-Sud

 Cru

TOME DE CHÈVRE (2)

Ce fromage fermier très sec sent bon le foin. C'est peut-être l'odeur des fleurs du maquis que les chèvres ont broutées.

♀ Patrimonio

Pâte mi-dure, pressée, non cuite

Croûte naturelle

CARACTÉRISTIQUES ESSENTIELLES

- ⊖ 16 cm de diamètre, 6 cm d'épaisseur
- ⚖ 1,5 kg
- ☋ Variable
- ✔ Toute l'année
- ⬡ 3 mois minimum

 Corse

 Cru

TOMME CORSE (1)

Mordez dans la pâte dure de ce fromage artisanal de brebis et un bouquet presque cuivré de sel, de sucre, de piment et d'acidité explosera dans votre bouche. Ce fromage se marie parfaitement avec un vin corse millésimé. On peut le rapprocher de l'ossau fermier (p. 54) ou du salers (p. 71).

♟ Vin corse millésimé

Pâte mi-dure, pressée, non cuite

Haute-Corse

Cru

Croûte naturelle

CARACTÉRISTIQUES ESSENTIELLES

- ◯ 20 cm de diamètre, 8 cm d'épaisseur
- ⚖ 2 kg
- 🌡 47 %
- ✓ Toute l'année

TOMME CORSE (2)

La coopérative A pecurella, où est fabriqué ce fromage, a été fondée en 1975. *Pecurella* est le terme corse désignant la brebis qui donne le lait riche et très parfumé dont ce fromage est issu. Celui que l'on voit ci-contre, âgé d'un an, est très friable. La tomme corse est affinée à 12 °C et 85 % d'humidité. Très appréciée par les Corses.

♟ Vin corse millésimé

Pâte mi-dure qui devient granuleuse avec l'âge, pressée, non cuite

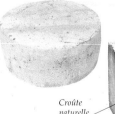

Corse-du-Sud

Cru

Croûte naturelle

CARACTÉRISTIQUES ESSENTIELLES

- ◯ 20 cm de diamètre, 8 à 10 cm d'épaisseur
- ⚖ 2,5 kg
- 🌡 48 %
- ✓ Toute l'année
- ⏳ 3 mois à 1 an

Affinage d'un an

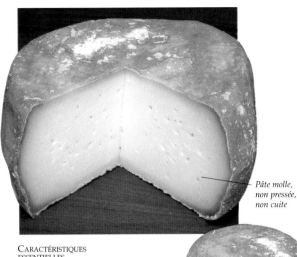

U RUSTINU

En règle générale, les fromages corses hormis le brocciu, n'ont pas de nom particulier. Joseph Guidicelli a baptisé ses deux productions *U Rustinu* et *U Muntanacciu* (le montagnard). *U Rustinu* est un fromage artisanal retourné régulièrement durant sa période d'affinage.

♈ Patrimonio

Pâte molle, non pressée, non cuite

CARACTÉRISTIQUES
ESSENTIELLES

- ⊖ 10 cm de diamètre, 5 cm d'épaisseur
- ⚖ 450 g
- ▯ 45 %
- ✓ Produit de décembre à fin juin ; meilleur au printemps
- ❐ 3 mois minimum

Croûte humide rouge, tachée de moisissures blanches

Haute-Corse

Cru

VENACO

Le Venaco est, avec le Niolo (p. 124), le calenzana (p. 118) et le brocciu (p. 116), le plus typique des fromages corses. S'il tire son nom de son lieu de naissance, une localité du centre de l'île, il n'y est plus fabriqué.
C'est un fromage fermier au lait de chèvre ou de brebis.

♟ Ajaccio

Pâte molle, collante, non pressée, non cuite

CARACTÉRISTIQUES
ESSENTIELLES

- ⊖ 9 cm de diamètre, 3 à 4 cm d'épaisseur
- ⚖ 350 g
- ▯ 45 %
- ✓ Produit de l'hiver au début de l'été ; meilleur du printemps à l'automne
- ❐ 2 mois minimum

Croûte lavée

Haute-Corse

Cru, entier

Dreux à la Feuille / Feuille de Dreux

La ville de Dreux se trouve au cœur des plaines céréalières du bassin parisien. On y fabrique des fromages en forme de galette qui vieillissent lentement sous une feuille de châtaignier destinée à les empêcher de se coller les uns aux autres. Un léger parfum de feuille se mêle à l'odeur agréable de la moisissure qui recouvre la croûte, qui devient brune ou rouge à la fin de l'affinage. Ce fromage artisanal était autrefois la collation type des paysans qui travaillaient aux champs.

❢ Touraine

Cru ou pasteurisé, partiellement écrémé de lait de vache

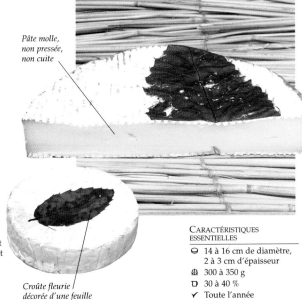

Pâte molle, non pressée, non cuite

Val-de-Loire

Croûte fleurie décorée d'une feuille de châtaignier

CARACTÉRISTIQUES ESSENTIELLES

- ⊖ 14 à 16 cm de diamètre, 2 à 3 cm d'épaisseur
- ⚖ 300 à 350 g
- ⌓ 30 à 40 %
- ✓ Toute l'année
- ⬚ 2 à 3 semaines

Emmental Grand Cru

L'étiquette de caséine rouge apposée sur ce fromage est une garantie de qualité. Elle précise son lieu de production et sa teneur en matières grasses, ainsi que le matricule du producteur. Il s'agit d'une meule de grande dimension, de fabrication laitière ou industrielle, à pâte cuite et pressée apparentée au Beaufort (p. 26) et au comté (p. 112). Faite au lait cru, elle provient aujourd'hui de Franche-Comté ou de Savoie, de Champagne-Ardenne, de Bourgogne et de Lorraine. La pâte est tendre, l'arôme et le goût sont doux.

❢ Vin de Savoie, Givry, Rully, Mercurey

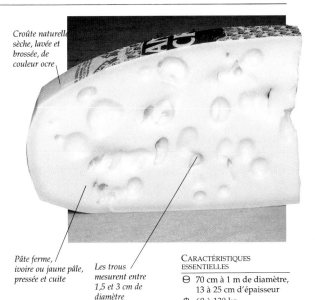

Croûte naturelle sèche, lavée et brossée, de couleur ocre

Pâte ferme, ivoire ou jaune pâle, pressée et cuite

Les trous mesurent entre 1,5 et 3 cm de diamètre

Nord-Est de la France

Cru

CARACTÉRISTIQUES ESSENTIELLES

- ⊖ 70 cm à 1 m de diamètre, 13 à 25 cm d'épaisseur
- ⚖ 60 à 130 kg
- ⦂ 62 g min. pour 100 g
- ⌓ 45 % min.
- ✓ Toute l'année
- ⬚ 10 semaines à 5 mois

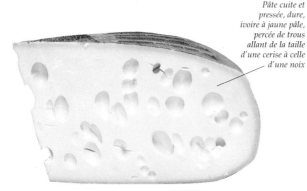

Pâte cuite et pressée, dure, ivoire à jaune pâle, percée de trous allant de la taille d'une cerise à celle d'une noix

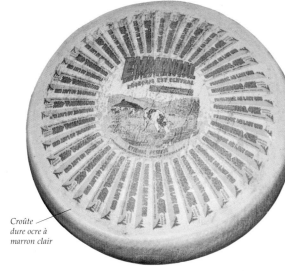

Croûte dure ocre à marron clair

EMMENTAL

Ce fromage industriel est pratiquement identique à l'Emmental grand cru, mais il est préparé au lait pasteurisé.

🍷 Vin de Savoie, Givry, Rully, Mercurey

CARACTÉRISTIQUES ESSENTIELLES

- ⊖ 70 cm à 1 m de diamètre, 13 à 25 cm d'épaisseur
- ⚖ 60 à 130 kg
- ♣ 60 g pour 100 g
- ▯ 45 % min., 27 g pour 100 g
- ✓ Toute l'année

LA FABRICATION DE L'EMMENTAL GRAND CRU

La fabrication de l'Emmental s'étale sur au moins dix semaines.

Le caillage

Il faut entre 800 et 900 litres de lait pour fabriquer une meule de 70 kg d'Emmental. Le lait est chauffé à 33 °C au moment de l'emprésurage et caille en moins de 30 minutes. Le caillé est centrifugé pour activer la séparation du petit-lait, puis chauffé et cuit 90 minutes à 53 °C au maximum.

Le moulage

Le caillé est versé dans des moules et mis sous presse pour 24 heures. Le fromage blanc obtenu est ensuite placé dans un bain de saumure où il reste 48 heures. Il y absorbe du sel et amorce la formation de sa croûte.

L'affinage

La meule est entreposée dans un local dont la température varie entre 10 et 13 °C pendant quatre ou cinq jours. Ce délai écoulé, la température est portée à 16-18 °C. Au bout d'une semaine, on transporte le fromage vers une cave à 21-25 °C où règne une humidité de 60 %, où il restera un mois. Des bactéries naturelles transforment l'oxygène présent dans la pâte en CO_2, ce qui entraîne la formation de trous. La pâte devient peu à peu élastique, s'affine et acquiert du goût. Lorsque la surface du fromage est devenue convexe, on le stocke dans une cave à 16-18 °C pour y reposer une semaine environ puis dans une autre à 10-13 °C. L'affinage se déroule sur une période variable, allant de cinq mois à un an.

 Toute région

 Pasteurisé

Des fromages blancs flottent dans la saumure où ils absorbent du sel

M. Boujon, fromager, coupe une impressionnante meule

ÉPOISSES DE BOURGOGNE (AOC)

On dit que Napoléon faisait honneur à ce fromage, qu'il dégustait avec du Chambertin. Très prisé à la fin du siècle dernier, l'Époisses connut une éclipse après la Seconde Guerre mondiale. Il fut ressuscité en 1956 par M. Berthaut, établi à Époisses même. Aujourd'hui, une seule ferme assure toute la production d'Époisses fermier. Il en existe aussi des versions artisanales, en grande et petite taille.

C'est un fromage à croûte lavée, à l'odeur pénétrante parfumée de marc. La pâte fine fond dans la bouche en un bouquet de saveurs : sel, sucre, arôme de lait et léger goût de métal. Le fromage est lavé à l'eau ou à la saumure, puis avec du marc dilué. Cette opération a lieu entre une et trois fois par semaine, la proportion de marc augmentant progressivement.

♀ Pouilly-Fuissé, Sauternes moelleux,
☐ Marc de Bourgogne

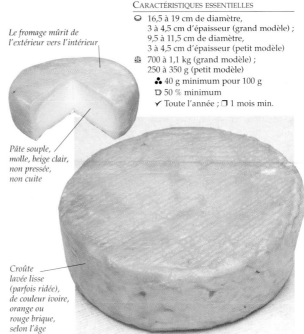

Le fromage mûrit de l'extérieur vers l'intérieur

Pâte souple, molle, beige clair, non pressée, non cuite

Croûte lavée lisse (parfois ridée), de couleur ivoire, orange ou rouge brique, selon l'âge

CARACTÉRISTIQUES ESSENTIELLES

⊖ 16,5 à 19 cm de diamètre,
3 à 4,5 cm d'épaisseur (grand modèle) ;
9,5 à 11,5 cm de diamètre,
3 à 4,5cm d'épaisseur (petit modèle)

⚖ 700 à 1,1 kg (grand modèle) ;
250 à 350 g (petit modèle)

♣ 40 g minimum pour 100 g

🜄 50 % minimum

✓ Toute l'année ; ☐ 1 mois min.

Bourgogne Champagne

Entier

SPÉCIFICATIONS DE L'AOC : ÉPOISSES DE BOURGOGNE

1. Le caillage du lait, d'une durée de 16 heures, doit être essentiellement d'origine lactique.

2. Le caillé doit être grossièrement coupé et non rompu.

3. Après égouttage, le fromage doit être salé au sel sec.

AOC DÉLIVRÉE EN 1991

L'AMI DU CHAMBERTIN

Ce fromage artisanal est fabriqué à Gevrey-Chambertin, en Bourgogne.

☐ Marc de Chambertin

CARACTÉRISTIQUES ESSENTIELLES

⊖ 9 cm de diamètre,
4 cm d'épaisseur

⚖ 250 g

🜄 50 %

✓ Toute l'année

☐ 1 mois minimum

Bourgogne

Pasteurisé

Croûte humide, rouge, lavée à l'eau et au marc de Bourgogne

Fourme d'Ambert

Croûte
naturelle
rouge ou
grise

Fourme de Montbrison

Pâte persillée
non pressée,
non cuite

FOURME D'AMBERT / FOURME DE MONTBRISON (AOC)

Ces deux fromages, fabriqués chacun autour de la localité dont ils portent le nom, sont protégés par une même AOC qui a uniformisé les méthodes de production. Le mot « fourme » vient du latin *forma*, forme, qui aurait également donné le terme « fromage ».

Comme pour le Roquefort (p. 178), on ensemence la pâte de moisissure bleue avant d'y injecter de l'air avec une seringue pour accélérer le développement des micro-organismes (p. 181). La fourme est l'un des bleus les plus doux. Sous une croûte plutôt sèche se cache une pâte ferme et crémeuse qui sent un peu la cave. La production est laitière ou artisanale : il n'existe pas de fourme fermière.

L'AOC a été délivrée en 1976.

Ɏ Sauternes moelleux, Rivesaltes (VDN)

CARACTÉRISTIQUES
ESSENTIELLES

Ɵ 13 cm de diamètre, 19 cm d'épaisseur
⚏ 1,5 à 2 kg
❖ 50 g minimum pour 100 g
Ɗ 50 % min., 25 g min. pour 100 g
✓ Toute l'année
⎁ 28 jours à 2 mois

Loire
Auvergne

Pasteurisé

FRINAULT

Le propre d'un fromage cendré de qualité est de sécher lentement sous sa double croûte et de s'affermir sans durcir. Enrober de cendre un fromage encore humide afin de le protéger est une méthode de conservation originaire de l'Orléanais. Jadis, on utilisait exclusivement de la cendre de sarments. Le fromage ci-contre est moins fait que celui ci-dessous. Le frinault révèle ses qualités à la dégustation et possède un léger arrière-goût.

❧ Touraine

Pâte molle, non pressée, non cuite

Croûte naturelle cendrée

Orléanais

Pasteurisé

CARACTÉRISTIQUES
ESSENTIELLES

- ⊖ 9 à 10 cm de diamètre, 2 cm d'épaisseur
- ⊞ 120 à 150 g
- ⊡ 50 %
- ✓ De l'été à l'automne
- ⊓ 3 à 4 semaines

LES DIFFÉRENTS LAITS UTILISÉS POUR LA PRODUCTION DE FROMAGE

Nos fromages sont fabriqués au lait de vache, de chèvre ou de brebis. C'est le type de lait employé qui détermine le goût du produit fini. Le lait de brebis est le plus concentré de tous ; il donne un fromage fort, charpenté, au goût affirmé et à l'arrière-goût prononcé.

La lactation de la vache dure en moyenne 305 jours par an ; durant cette période, l'animal fournit environ 6 065 kg de lait. Une chèvre en donne 644 kg en 244 jours et une brebis 200 kg en 180 jours.

On utilise le lait cru ou pasteurisé. Le lait cru n'est pas chauffé avant transformation et doit être utilisé dans les 12 heures qui suivent la traite. Il peut attendre jusqu'à 24 heures à condition d'être immédiatement réfrigéré à 4 °C.

Le lait cru, qui contient des bactéries naturelles, donne un fromage de goût et de parfum plus raffinés. Tous les fromages fermiers sont au lait cru, dont l'emploi est d'ailleurs obligatoire pour l'obtention de certaines AOC.

Le lait pasteurisé est traité à haute ou basse température avant transformation. Pour pasteuriser le lait à basse température, on le chauffe à 72 °C pendant 15 secondes avant de le réfrigérer brutalement à 4 °C. Ce procédé, largement utilisé dans les fromageries industrielles, détruit une grande partie des bactéries présentes dans le lait, ce qui permet de le conserver plus longtemps. Les fromages d'usine au lait pasteurisé sont de goût et d'aspect ordinaires.

POIDS ET COMPOSITION D'UN LITRE DE LAIT

	LAIT DE VACHE	LAIT DE CHÈVRE	LAIT DE BREBIS	
Matières grasses	35 à 45 g	30 à 42 g	65 à 75 g	
Protéines	30 à 35 g	28 à 37 g	55 à 65 g	(D'après *Les*
Sucres	45 à 55 g	40 à 50 g	43 à 50 g	*productions*
Sels minéraux	7 à 9 g	7 à 9 g	9 à 10 g	*laitières*, vol. 1,
Eau	888 à 915 g	892 à 925 g	838 à 866 g	tableaux des
Poids approx. au litre	1 032 g	1 030 g	1 038 g	calories, 1993.)

Fromage allégé

« Allégé » est désormais le terme consacré pour désigner des produits alimentaires dont la teneur en matières grasses est réduite : yaourts, beurre, margarine, fromage blanc. On appelle donc fromage allégé un fromage affichant un taux de matières grasses compris entre 20 et 30 %. La classification détaillée est la suivante :

• *Maigre :* moins de 20 % de matières grasses
• *Allégé :* entre 20 et 30 %
• *Normal :* entre 40 et 50 %
• *Double-crème :* entre 60 et 75 %
• *Triple-crème :* plus de 75 %
• La teneur en matières grasses de certains fromages fermiers est indéterminée, car le lait employé peut connaître de légères fluctuations d'un jour à l'autre.
• Le fromage fondu (p. 230) contient au minimum 40 % de matières grasses, celui allégé entre 20 et 30 %.

Selon des règles publiées au *Journal officiel*, seul un produit laitier renfermant au moins 23 g de matière sèche pour 100 g a droit à l'appellation de fromage. Le taux est de 43 g pour le fromage fondu et de 31 g pour le fromage fondu allégé.

La teneur en matières grasses et le goût sont étroitement liés. Les fromages affichant 40 à 50 % de matières grasses sont généralement fermes, leur goût est rond en bouche. Les plus gras sont mous et se tartinent facilement, un peu comme du beurre.

Les allégés ne peuvent prétendre ni à la saveur, ni à l'onctuosité d'un fromage normal. Ils sont toutefois précieux aux personnes astreintes à un régime pauvre en graisses et en cholestérol qui ne souhaitent pas renoncer au plaisir de la dégustation de fromage.

BERGUES

La ville flamande de Bergues n'est qu'à 12 km de la frontière belge. Le fromage présenté est nettement moins épais que la moyenne et a peut-être été endommagé pendant son transport. Le Bergues est un fromage fermier ou artisanal. Il est lavé à plusieurs reprises à la saumure ou à la bière, lors de son affinage.

🍺 Bière locale, 🍷 Beaujolais

Pâte molle, non pressée, non cuite

CARACTÉRISTIQUES ESSENTIELLES

⊖ 12 cm de diamètre, 4 cm d'épaisseur
⚖ 320 à 350 g
⧖ 15 à 20 %
✓ Toute l'année
⊐ 3 semaines à 2 mois, parfois plus

Croûte lavée

 Flandre

 Écrémé

BOURRICOT

Ce fromage est fabriqué par une laiterie industrielle du Cantal. Il garde un léger goût du lit de paille sur lequel il a été posé lors de l'affinage.

❦ Saint-Pourçain

Croûte naturelle

Pâte mi-dure, non pressée, cuite

Auvergne

Écrémé

CARACTÉRISTIQUES ESSENTIELLES

- ⊖ 12 cm de diamètre, 4 cm d'épaisseur
- ⚖ 500 g
- ᗡ 30 %
- ✓ Toute l'année
- ❐ 2 mois

FROMAGE CENDRÉ

Ce fromage artisanal est également connu sous le nom de « cendré de Champagne ». C'est une spécialité qui se prépare au moment des vendanges. La cendre de bois blanche qui recouvre la croûte éloigne les mouches. Elle est retirée avec une brosse humide au moment de la dégustation du fromage. L'odeur de moisi est celle de la cave d'affinage. Pendant leur maturation, les fromages restent couverts de cendre pendant plus de deux mois.

❦ Bouzy, Coteaux champenois

Pâte molle, non pressée, non cuite

Croûte cendrée

Champagne-Ardenne

Écrémé

CARACTÉRISTIQUES ESSENTIELLES

- ⊖ 12 à 14 cm de diamètre, 3 cm d'épaisseur
- ⚖ 300 à 400 g
- ᗡ 20 à 30 %
- ✓ Toute l'année

LOU MAGRÉ

Produit artisanal originaire de Terraube, village de Gascogne. Il sent légèrement la cave.

🍷 Madiran

Pâte mi-dure, légèrement élastique, pressée, non cuite

CARACTÉRISTIQUES
ESSENTIELLES

- ⊖ 20 cm de diamètre, 5 cm d'épaisseur
- ⚖ 1,8 à 2 kg
- 🍶 25 %
- ✔ Toute l'année
- ⌒ 3 à 10 semaines

Croûte naturelle portant des traces de moisi

 Gascogne

 Cru, écrémé

SOURIRE LOZÉRIEN

C'est au village Cévenol de Luc, que l'on fabrique ce fromage artisanal. Son odeur discrète évoque à la fois la cave d'affinage et la moisissure.

🍷 Corbiéres, Fitou

Pâte mi-molle, souple, non pressée, non cuite

CARACTÉRISTIQUES
ESSENTIELLES

- ⊖ 11 cm de diamètre, 4 à 5 cm d'épaisseur
- ⚖ 380 à 450 g
- 🍶 25 %
- ✔ Toute l'année
- ⌒ 10 jours minimum

Croûte naturelle

 Cévennes

 Écrémé

TOMME DE LOMAGNE

Fromage artisanal qui sent un peu la cave, produit en Lomagne, région de Gascogne.

🍷 Madiran

Pâte mi-dure,
pressée,
non cuite

Gascogne

Cru,
écrémé

Croûte
naturelle
portant des
traces de
moisissures

CARACTÉRISTIQUES
ESSENTIELLES

◯ 18 à 20 cm
de diamètre,
6 à 7 cm d'épaisseur
⚖ 2 kg
🌡 30 %
✔ Toute l'année
◻ 2 mois

VACHARD

Artisanal à la senteur de moisi produit au village de Saint-Bonnet-le-Courreau, dans les collines auvergnates du Forez.

🍷 Côtes-d'Auvergne, Châteaugay

Pâte mi-dure,
pressée,
non cuite

Auvergne

Cru,
écrémé

Croûte
naturelle

CARACTÉRISTIQUES
ESSENTIELLES

◯ 12 à 13 cm
de diamètre,
3 cm d'épaisseur
⚖ 600 g
🌡 30 %
✔ Toute l'année
◻ 1 mois

Fromage fort

À l'origine, le fromage fort était une préparation familiale : des restes de fromage étaient broyés ou râpés et mis à fermenter dans un liquide tel que le petit-lait, lait ou du bouillon de légumes. On y ajoutait de l'huile, de l'eau-de-vie ou du vin afin de stabiliser le mélange, que l'on assaisonnait d'herbes, d'épices, de sel, de vin ou de cidre. Au bout de plusieurs mois, le fromage fort était servi avec du vin. Cette spécialité est surtout présente dans les régions de vignobles, où chaque village a développé sa propre recette. Il existe ainsi quantité de noms : cachat ou cacheilla, par exemple, dans les pays de chèvre. Aujourd'hui, la tradition persiste surtout dans le Lyonnais, le Mâconnais, le Beaujolais, le Dauphiné et le massif du Ventoux.

M. Voy, maître fromager et propriétaire de la fromagerie « La Ferme Saint-Hubert », à Paris, déclare : « Notre fromage fort est vraiment fort. Nous le conservons dans un pot de grès couvert. Si vous descendiez dans le métro avec ce pot sans son couvercle, on vous éviterait comme la peste. »

À « La Ferme Saint-Hubert », on prépare le fromage fort du Lyonnais à partir de fromages déjà très corsés : Époisses (p. 133), langres (p. 151) ou maroilles (p. 154). Le mélange est arrosé de marc de Bourgogne jusqu'à devenir complètement lisse. Lorsque le magasin ne sent pas assez le fromage, on laisse le pot ouvert et on en remue le contenu de temps à autre afin de parfumer l'atmosphère.

Le fromage fort se vend à la louche. Il pique la langue et se révèle délicieux sur du pain frotté à l'ail ou à l'apéritif. À la dégustation, une multitude de goûts s'épanouissent dans la bouche avant d'y laisser un arrière-goût complexe. Accompagnez ce produit de marc de Bourgogne.

La terrine maintient le fromage fort à température constante.

FROMAGE FORT DU LYONNAIS

Cette spécialité du Lyonnais se prépare chez soi ou dans une fromagerie avec des restes de fromages de chèvre ou de vache, mis à fermenter dans un pot de grès. Son odeur et son goût, puissants et piquants, s'accommodent mieux de marc que de vin.

❑ Marc, ♀ Château-Chalon (jaune), Arbois jaune

Lyonnais

Variable

CACHAT

Le cachat et le confit d'Époisses ci-dessous sont tous deux préparés par Georges Carbonel et son épouse dans leur restaurant d'Aix-en-Provence. Le cachat est à base de fromages de chèvre jeunes (comme le banon, p. 24) macérés dans le marc. Le mélange devient crémeux à partir du quinzième jour.

♈ Arbois jaune

Provence

Variable

Cachat dans sa terrine

CONFIT D'ÉPOISSES

Ce confit, qui était à l'origine préparé à Époisses, s'obtient en faisant macérer une semaine un Époisses jeune dans du Bourgogne blanc additionné de marc. Le liquide est ensuite égoutté et renouvelé. L'Époisses de Bourgogne (p. 133) est l'un des plus forts fromages à croûte lavée. Il possède une odeur puissante et un goût de sel prononcé. Après un séjour d'une semaine dans l'alcool, il pique la langue, sa saveur est forte et cuivrée. Deux semaines plus tard, il devient crémeux. Le sel semble bien dissous et le fromage a acquis une douceur que l'on peut qualifier de métallique. Il se mange tartiné sur du pain.

Selon M. Carbonel, on trouvait autrefois nombre de fromages aromatisés avec du sel, du poivre, du safran, de l'ail, du romarin, du thym, de la moutarde. La viande était chère et l'on se nourrissait souvent de pain et d'un peu de fromage. Celui-ci était si fort qu'il donnait du goût au pain.

▯ Marc de Bourgogne

Provence

Variable

Confit d'Époisses

CACHAILLE

CARACTÉRISTIQUES ESSENTIELLES

- En bocal
- 200 g net
- Variable
- Toute l'année
- 2 à 3 mois

Ce fromage fort provient du village de Puimichel. Après avoir râpé du fromage sec dans un pot en terre, on y ajoute de l'eau-de-vie, du poivre, de l'huile d'olive, et du fromage frais n'ayant pas plus de trois jours. Il est important de bien mélanger. La cachaille se conserve jusqu'à 20 ans si l'on prend soin de remettre régulièrement du fromage dans le pot...

Ƽ Coteaux varois rosé

 Provence

 Cru

FROMAGÉE DU LARZAC

CARACTÉRISTIQUES ESSENTIELLES

- En bocal de grès
- 160 g net
- 50 %
- Toute l'année

Comme le Roquefort, ce fromage fort de brebis à la saveur douce vient du Causse du Larzac, dans le Rouergue. C'est une préparation artisanale vendue en pot de grès.

Ƽ Sainte-Croix-du-Mont moelleux, Rivesaltes (VDN)

 Rouergue

 Variable

PÂTEFINE FORT

CARACTÉRISTIQUES ESSENTIELLES

- En pot de plastique
- 200 g net
- Variable
- Toute l'année

C'est dans un pot en plastique qu'est vendu ce fromage artisanal fabriqué dans l'Isère, à Saint-Georges-d'Espéranche. Il est composé à 90 % de fromage de vache, additionné de vin blanc, d'épices, de sel et de poivre. On le tartine sur du pain de campagne ou du pain grillé. Son goût est acide.

Ƽ Saint-Joseph

 Dauphiné

 Variable

Fromage frais

Le fromage frais doit répondre aux critères suivants :
• Non affiné, il est à base de lait caillé par fermentation lactique.
• Les bactéries, par exemple celles du ferment lactique, doivent être vivantes au moment de la vente.
• Il doit contenir entre 10 et 15 g de matière sèche pour 100 g.
• Il doit être consommé très rapidement. La date de péremption doit être clairement indiquée.
• On utilise généralement du lait pasteurisé. Il existe néanmoins quelques fromages frais fermiers au lait cru.

• Selon sa teneur en matières grasses, le fromage frais est dit maigre, allégé, double-crème, ou triple-crème (voir p. 213).

COMPOSITION DU FROMAGE FRAIS COMPARÉE À CELLE DE QUELQUES FROMAGES (POUR 100 G)

	EAU	MATIÈRE SÈCHE	MATIÈRES GRASSES
Fromage frais	85 g	15 g	45 % (7 g env.)
Camembert	55 g	45 g	45 % (20 g env.)
Cantal	43 g	57 g	45 % (25 g env.)
Comté	38 g	62 g	45 % (28 g env.)
Roquefort	44 g	56 g	52 % (29 g env.)

BROUSSE DU ROVE

En provençal, « brousser » signifie mélanger, battre. Ce fromage artisanal est nommé brousse car le caillé est fortement battu avant d'être égoutté. On l'appelait autrefois « fromage frais de corne », car il était versé dans des cornes de bélier. C'est un produit liquide, léger, doux et délicat, qui sent un peu le lait.

♀ Côtes-de-Provence blanc ou rosé

Provence

Variable

CARACTÉRISTIQUES ESSENTIELLES
🝆 En pots en plastique évasés de 9 cm de hauteur
🝆 45 %
✓ Toute l'année ; de décembre à juin (brebis)

CERVELLE DE CANUT / CLAQUERET LYONNAIS

Voici comment on déguste traditionnellement le fromage frais en pays lyonnais : le fromage blanc frais (p. 145) est bien égoutté et additionné d'échalote, d'ail, de persil, de cerfeuil, de ciboulette et d'autres fines herbes. La saveur fraîche et acidulée va bien avec le pain grillé. Ce fromage peut éventuellement être servi bien froid à la fin d'un repas.

♀ Saint-Véran, Mâcon

Lyonnais
Variable

CHÈVRE FRAIS

CARACTÉRISTIQUES
ESSENTIELLES

⊖ 5 à 6 cm
de diamètre
4 cm
d'épaisseur
⚖ 125 g
🕽 45 %
✔ Toute l'année

Fromage artisanal fabriqué dans le Berry, comme le Selles-sur-Cher AOC (p. 83). Il dégage un délicat parfum de lait de chèvre.

♀ Quincy

 Berry

 Variable

FAISSELLE DE CHÈVRE

CARACTÉRISTIQUES
ESSENTIELLES

⊖ En faisselle
🕽 Variable
✔ Du printemps
à l'automne

Ce fromage fermier du Rouergue porte le nom du récipient dans lequel il est vendu. Une version industrielle de la faisselle, faite au lait de vache, se trouve partout. Ce produit se déguste à la petite cuillère.

❢ Côtes-d'Auvergne

 Rouergue

 Cru

*Vendu
dans un pot garni
de gaze*

FONTAINEBLEAU

CARACTÉRISTIQUES
ESSENTIELLES

🕽 60 %
✔ Toute l'année

On dit que ce fromage crémeux a été créé aux environs de Fontainebleau. Il s'agit d'un mélange artisanal de crème fouettée et de fromage frais, préparé par le fromager. Le goût est léger, doux, délicat, plus proche de celui d'un dessert lacté que d'un fromage. Délicieux avec des fruits confits.

♀ Maury, Banyuls (VDN) ;
❢ Bordeaux (avec des fruits confits)

 Île-de-France

 Pasteurisé

FROMAGE BLANC

Le terme de fromage blanc s'applique à deux produits différents. Le premier est un fromage jeune, égoutté et moulé mais non encore affiné. Le second, présenté ci-contre, est un fromage ayant subi une simple fermentation lactique. Légèrement égoutté, il est vendu au poids. Il constitue un plat lacté rafraîchissant avec un léger arrière-goût acidulé. Se déguste salé ou sucré.

❦ Beaujolais, ♈ Coteaux-du-Layon moelleux, Vouvray moelleux (dessert)

CARACTÉRISTIQUES ESSENTIELLES

- ▭ En pot
- ▭ 40 %
- ✓ Toute l'année

 Toute la France

 Pasteurisé

Consistance crémeuse qui se marie bien avec le sel, le poivre et la ciboulette ou, comme dessert avec de la confiture, du miel ou des fruits

---

FROMAGE BLANC FERMIER

Il s'agit ici d'un fromage blanc fabriqué dans la petite ville gasconne de Marciac, dans le Gers. Comme le fromage blanc ci-dessus, il s'agit d'un plat rafraîchissant possédant une légère saveur aigre-douce.

❦ Tursan

CARACTÉRISTIQUES ESSENTIELLES

- ▭ 9 cm de large, 10 cm de long, 3,5 cm d'épaisseur
- ▭ 200 g
- ▭ Variable
- ✓ Du printemps à l'automne

 Gascogne

 Cru

FROMAGE FRAIS DE NÎMES

Ce fromage frais produit de manière artisanale vient du Languedoc. Il est décoré d'une feuille de laurier dont l'arôme se mêle au goût de lait de la pâte. De consistance lisse, il a un goût un peu acide avec une pointe de douceur.

❦ Faugères

CARACTÉRISTIQUES ESSENTIELLES

- ▭ 8 cm de diamètre, moins de 2 cm d'épaisseur
- ▭ 150 g
- ▭ Variable
- ✓ Toute l'année

 Languedoc

 Cru

La feuille de laurier décore et parfume le fromage

Feuille de laurier   *Baie de genièvre*

CARACTÉRISTIQUES ESSENTIELLES

- 6 à 7 cm de diamètre, 3 cm d'épaisseur
- 250 g
- 45 %
- De décembre en été (brebis) ; toute l'année (vache)

GARDIAN

Ces petits fromages frais au lait de vache ou de brebis sont fabriqués dans les Bouches-du-Rhône. Ils sont parsemés de poivre et d'herbes de Provence, puis décorés d'une feuille de laurier. La production est uniquement fermière.

Côtes-de-Provence rosé

 Provence

 Variable

CARACTÉRISTIQUES ESSENTIELLES

- En pot de grès
- 45 à 50 %
- De décembre à juin

GASTANBERRA

Gastanberra signifie « caillé de brebis » en basque. Ce fromage fermier est préparé par une femme; sa belle-fille se charge de les vendre au marché. L'acheteur est prié de rapporter la terrine en grès dans lequel le fromage est vendu. Son goût est celui du lait solidifié.

Irouléguy

 Pays basque

 Cru

CARACTÉRISTIQUES ESSENTIELLES

- 10 cm de large, 10 cm de long, 3,5 cm d'épaisseur
- 250 g
- 45 %
- Toute l'année

GOURNAY FRAIS

Ce fromage artisanal est fabriqué dans le pays de Bray, en Seine-Maritime. Il a un doux parfum de lait et une saveur légère.

Bordeaux, Bourgogne, Côtes-du-Rhône

 Normandie

 Variable

PETIT-SUISSE

Ce fromage frais de fabrication artisanale ou industrielle a été créé vers 1850 par un garçon de ferme suisse employé dans une laiterie normande. Il est généralement vendu par lots de six. Le goût est aigre-doux, la pâte très molle. Consommé souvent en dessert, accompagné de sucre ou de confiture.

❢ Bordeaux, Bourgogne, Côtes-du-Rhône

CARACTÉRISTIQUES ESSENTIELLES

- ⊖ 3 cm de diamètre, 4 cm d'épaisseur
- ⚖ 30 g parfois 60 g
- ♣ 23 % minimum
- ⅅ 40 % minimum
- ✓ Toute l'année

Pâte fraîche et homogène très molle

Toute la France

Pasteurisé, enrichi de crème

SÉGALOU

Le nom de ce produit fermier est tiré de celui de sa région d'origine : le ségala du sud du Quercy. En effet, seul le seigle parvient à pousser sur les terres pauvres de cette partie du Tarn. Bien qu'il soit frais, le fromage ci-contre a déjà commencé à mûrir. Il est souple, à base de lait de bonne qualité, et possède un arrière-goût persistant.

❢ Gaillac, Cahors

CARACTÉRISTIQUES ESSENTIELLES

- ⊖ 4 cm de diamètre au milieu, 15 cm de long
- ⚖ 250 g
- ⅅ 45 %
- ✓ Toute l'année

Quercy

Cru

VACHE FRAIS

Ce fromage fermier non salé est fabriqué dans le Béarn par M. A. Penen. Après la traite du soir, le lait est emprésuré ; le caillé est moulé une heure plus tard et égoutté toute la nuit. Le fromage est vendu au marché dès le lendemain.

❢ Tursan

CARACTÉRISTIQUES ESSENTIELLES

- ⊖ 8 cm de diamètre, 4 cm d'épaisseur
- ⚖ 280 g
- ✓ Toute l'année

Béarn

Cru

Fromage de lactosérum

Les fromages de lactosérum sont fabriqués par coagulation ou précipitation du lactosérum, c'est-à-dire du petit-lait. Généralement pauvres en graisses, ils sont soit concentrés, soit enrichis d'autres ingrédients. L'un des plus célèbres est le brocciu corse (p. 116), seul fromage de lactosérum protégé par une AOC.

Le petit-lait est le liquide qui s'écoule lorsque le lait caille. La plupart des protéines et des matières grasses restent dans le caillé et constituent le principal composant du fromage, mais certains nutriments passent dans le petit-lait, liquide aqueux et blanchâtre : protéines, matières grasses et sels minéraux.

Le fromage de lactosérum est donc le résultat d'une coagulation secondaire (généralement provoquée par chauffage), qui solidifie les protéines et les matières grasses avant que le petit-lait résiduel ne soit enfin jeté.

Les fromages de lactosérum doivent avoir un goût de lait délicat et doux ; on peut les tartiner sur du pain en guise de collation ou les déguster au dessert, seuls ou avec de la confiture.

Pâte fraîche et molle obtenue
par chauffage, coagulation
et égouttage du petit-lait

CARACTÉRISTIQUES
ESSENTIELLES

⊖ 9 à 10 cm
de diamètre,
4,5 cm d'épaisseur
⚖ 360 g
⋻ Variable
✓ Toute l'année

BREBIS FRAIS DU CAUSSEDOU

Ce fermier, préparé au Poux del Mas, dans le Quercy lotois, n'est ni salé ni acide, mais plutôt doux. Le lait des brebis qui paissent sur les plateaux du Quercy est parfumé et concentré.

Ⴠ Bergerac, Gaillac

 Quercy

Petit-lait
cru

Pâte fraîche et molle obtenue
par chauffage, coagulation
et égouttage du petit-lait

CARACTÉRISTIQUES
ESSENTIELLES

⊟ En pot
⋻ 30 %
✓ De décembre à juin

BREUIL / CENBERONA

Ce fromage fermier s'appelle « breuil » en français et « *cenberona* » en basque. Il a une légère odeur de lait et une consistance souple. Traditionnellement, on le sert dans un bol et on l'arrose de café fort. Les gens du pays affirment que l'acidité et les matières grasses du fromage se mélangent avec bonheur au café. Au moment du dessert, se déguste avec du sucre et de l'Armagnac.

⊡ Café, Armagnac

Le fromage a
la forme du
récipient

 Pays basque

Petit-lait
cru

GREUILH

Produit fermier de la vallée de l'Ossau, dans le Béarn. Le greuilh se mange seul ou accompagné de confiture. Léger et rafraîchissant, il se marie particulièrement bien avec la gelée de coing. Vendu en paquets sous vide, il doit être consommé dans les 21 jours.

♥ Tursan

CARACTÉRISTIQUES ESSENTIELLES

▣ En paquets sous vide de 2 à 3 kg ; également en vrac, au poids
▯ Variable
✓ De décembre à fin juin

Béarn

Petit-lait cru

Pâte fraîche et molle obtenue par chauffage, coagulation et égouttage du petit-lait

SÉRAC OU « RECUITE »

Ce fromage fermier de Savoie est délicieux seul ou sur du pain grillé, avec des herbes et de l'huile d'olive. Il en existe une version préparée avec le petit-lait issu de la fabrication du Beaufort (p. 26).

♥ Roussette de Savoie

CARACTÉRISTIQUES ESSENTIELLES

Taille variable en fonction du récipient
▯ Variable
✓ Du printemps à l'automne (chèvre) ; toute l'année (vache)

Savoie

Petit-lait cru de vache ou de chèvre

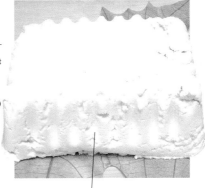

Pâte fraîche et molle obtenue par chauffage, coagulation et égouttage du petit-lait

---

LA VALEUR NUTRITIONNELLE DU FROMAGE

Le fromage est particulièrement recommandé aux enfants et aux personnes âgées en raison de sa haute valeur nutritive. Comparé au lait, il contient les mêmes nutriments en plus concentrés : matières grasses, protéines, sels minéraux (calcium, phosphore), vitamines A et B ; en revanche, il contient moins d'eau. Les protéines sont transformées par la digestion en acides aminés assimilables. Le calcium est absorbé de la même manière. Il renferme également beaucoup de bêtacarotène (ou vitamine A) ; les seuls éléments qui en sont absents sont la vitamine C et les fibres. Associé à des fruits et légumes, le fromage constitue donc un repas complet.

VALEUR NUTRITIONNELLE POUR 100 G

	PROTÉINES	MATIÈRES GRASSES	CALCIUM	CALORIES
Fromage frais	6,5 à 9,6 g	0,9 à 4 g	75 à 170 mg	44 à 160 kcal
Pâte molle (Camembert)	20 à 21 g	20 à 23 g	150 à 380 mg	260 à 350 kcal
Pâte pressée non cuite (tomme)	24 à 27 g	24 à 29 g	657 à 865 mg	326 à 384 kcal
Pâte pressée cuite (comté)	27 à 29 g	28 à 30 g	900 à 1 100 mg	390 à 400 kcal
Pâte persillée (Roquefort)	20 g	27 à 32 g	722 à 870 mg	414 kcal

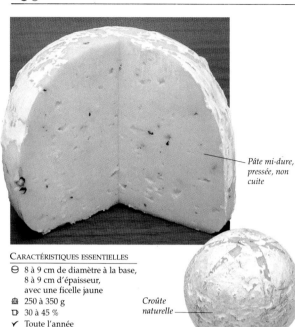

Pâte mi-dure,
pressée, non
cuite

GAPERON

Le nom de gaperon dériverait de *gap* ou *gape* : « babeurre » en auvergnat. En effet, ce « lait de beurre » ou « lait battu » était autrefois mélangé à du lait frais pour confectionner le gaperon.

Ce fromage artisanal a une croûte dure et sèche ; la pâte, qui renferme de l'ail et du poivre moulu, est élastique. Son goût est rude et piquant. Pauvre en matières grasses, il est affiné suspendu à un crochet placé près de la cheminée, ce qui explique son léger parfum de fumée.

❢ Côtes-d'Auvergne

CARACTÉRISTIQUES ESSENTIELLES
- ⊖ 8 à 9 cm de diamètre à la base, 8 à 9 cm d'épaisseur, avec une ficelle jaune
- 🏵 250 à 350 g
- ⅂ 30 à 45 %
- ✓ Toute l'année
- ❐ 1 ou 2 mois

Croûte
naturelle

 Auvergne

Cru ou pasteurisé, entier, ou partiellement écrémé

Pâte molle, non cuite,
légèrement pressée

GRATARON D'ARÈCHES

Le fermier ci-contre a été affiné durant quatre semaines. Préparé dans un chalet du Beaufortin à partir d'un lait assez fort, il est salé et collant. Pendant son affinage, il est essuyé à la saumure et retourné.

❢ Crépy, Seyssel

CARACTÉRISTIQUES
ESSENTIELLES
- ⊖ 9 à 11 cm de diamètre, 3 à 4 cm d'épaisseur
- 🏵 300 à 400 g
- ⅂ 45%
- ✓ Du printemps à l'automne

Croûte
lavée

 Savoie

 Cru

LANGRES (AOC)

Comme son nom l'indique, ce produit artisanal est originaire des hautes plaines de Langres, en Champagne. Il a la forme d'un cylindre dont le dessus est évidé sur une profondeur d'environ 5 mm : la « fontaine ». On peut y verser du champagne ou du marc ce qui est, dans les régions vinicoles, souvent une manière typique d'accommoder le fromage.

Sa surface est collante, humide, brillante ; son odeur est forte. La pâte est ferme et souple, fondante au palais ; elle révèle une combinaison complexe d'arômes. Le goût de sel est également assez prononcé, mais le Langres est moins fort que l'Époisses de Bourgogne (p. 133). Les fromages photographiés sont parfaitement à point.

Fabriqué en deux tailles, son affinage, mené dans des zones fixées par le règlement de l'AOC, dure généralement de cinq à six semaines. Dans une cave à 95 % d'humidité, les fromages sont régulièrement frottés à la saumure, avec une toile humide ou à la main. L'affinage dure au moins 21 jours pour les fromages de grand format, 15 jours pour les petits. La croûte est colorée au rocou, teinture extraite du rocouyer et que l'on ajoute parfois aussi au beurre et à d'autres fromages.

❏ Marc de Champagne

Pâte non pressée, non cuite, de couleur blanche à beige clair, plus molle vers le cœur

Croûte lavée lisse et fine, rouge brique à marron clair

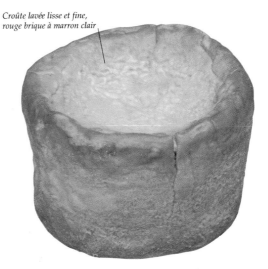

SPÉCIFICATIONS DE L'AOC : LANGRES

1. Le caillé tranché ne doit être ni rincé ni malaxé. (L'usage de lait concentré ou reconstitué est prohibé.)
2. Il est permis de colorer au rocou la saumure avec laquelle la croûte est frottée, afin de lui donner une teinte rouge orangé.

AOC DÉLIVRÉE EN 1975

Champagne

Pasteurisé

CARACTÉRISTIQUES ESSENTIELLES

- ⬭ 16 à 20 cm de diamètre, 5 à 7 cm d'épaisseur (grand modèle); 7,5 cm de diamètre, 4 à 6 cm d'épaisseur (petit modèle)
- ⬭ 800 g min. (grand modèle) ; 150 g min. (petit modèle)
- ❖ 42 g minimum pour 100 g
- ⬭ 50 % minimum, 21 g minimum pour 100 g
- ✓ Toute l'année
- ❐ Variable selon la taille

1. Le caillé doit être divisé et malaxé pour forcer le petit-lait à s'égoutter.

2. Trois petit formats sont autorisés en plus du format normal :
Trois-quarts Livarot : diamètre intérieur du moule : 10,6 cm minimum, 135 g de matière sèche minimum par fromage.
Petit-Livarot : diamètre intérieur du moule : 9 cm minimum, 120 g de matière sèche minimum par fromage.
Quart-Livarot : diamètre intérieur du moule : 7 cm, 60 g de matière sèche minimum par fromage.

AOC DÉLIVRÉE EN 1975

LIVAROT (AOC)

Fromage artisanal ou industriel qui porte le nom du village normand. Il est également surnommé « colonel », à cause des cinq brins de jonc ou de papier dont il est ceint, et qui rappellent les cinq galons du grade.

L'odeur et le goût du Livarot se sont atténués avec les années. Il doit être acheté à point, quand la pâte cède sous le doigt. Il ne doit dégager aucune odeur ammoniacale, qui trahit un fromage trop fait.

Le Livarot possède un goût très prononcé. Sa croûte lavée, colorée au rocou, colle aux doigts. Quand elle est à point, la pâte n'est pas souple; humide, elle pèse sur la langue. Elle se dissout dans la bouche en libérant une saveur épicée.

Le fromage est frotté à l'eau ou à la saumure diluée et retourné régulièrement.

Ⓥ Tokay, Pinot Gris d'Alsace vendanges tardives, ❢ Pomerol jeune

Pâte molle,
non pressée,
non cuite

CARACTÉRISTIQUES ESSENTIELLES

◯ Diamètre du moule :
   12 cm, 4 à 5 cm d'épaisseur
⚖ 450 g
⁂ 230 g minimum
Ɖ 40 % minimum, 92 g minimum
✓ Toute l'année
❒ 3 semaines à 2 mois

Croûte
lavée humide

Normandie

Cru ou
pasteurisé

MAMIROLLE

La saveur de ce fromage en forme de briquette est douce. La pâte est de consistance fine et élastique. Le mamirolle est un fromage à croûte lavée fabriqué dans le Doubs par les élèves de l'École Nationale d'Industrie Laitière, établissement renommé d'accès difficile. Il est également produit par l'Union Agricole Comtoise de Besançon. Au cours de l'affinage, les fromages sont passés dans un bain de saumure colorée au rocou.

♥ Arbois

Pâte mi-dure, élastique, pressée, non cuite

Franche-Comté

Pasteurisé

Croûte lavée humide rouge brique

CARACTÉRISTIQUES ESSENTIELLES

- ◈ Forme de brique : 15 cm de long, 6 à 7 cm de large, 4 cm d'épaisseur
- ⚖ 500 à 650 g
- 🌡 45 %
- ✓ Toute l'année
- ⏱ 15 jours max.

ACHETER, CONSERVER ET DÉGUSTER LE FROMAGE

L'achat

• Apprenez à choisir le fromage d'abord à l'œil, puis au goût. Vos yeux et votre palais apprendront peu à peu à travailler ensemble.
• N'achetez que la quantité que vous ne pourrez consommer. Les gros morceaux de fromages à pâte pressée (l'Emmental, par exemple) se gardent bien, de même que les chèvres secs. Évitez les portions préemballées, souvent de moindre qualité que les fromages à la coupe.

La conservation

• Le fromage contient des micro-organismes vivants qui ont besoin de respirer ; il faut toutefois éviter le dessèchement. Un gros morceau se conserve toujours mieux qu'un petit.
• L'endroit idéal pour la conservation du fromage est un local sombre, frais et bien aéré. Bien qu'il remplisse les deux premières conditions, le réfrigérateur n'est pas assez ventilé.
• Couvrez les parties exposées de la pâte du fromage pour le laisser respirer par la croûte

uniquement. Préférez au film plastique le papier sulfurisé ou paraffiné et enveloppez les morceaux sans trop les serrer.
• Ne rangez pas le fromage près des aliments qui sentent fort. Le fromage pourrait absorber des parfums parasites et se gâter.
• Les petites quantités de fromage peuvent rester au réfrigérateur pour de courtes périodes à condition d'être enveloppées dans du papier sulfurisé ou paraffiné.

La dégustation

• Laissez le fromage à température ambiante pendant une demi-heure avant de le servir, afin que son arôme et son parfum se développent. Couvrez-le d'un linge humide si l'air est très sec.
• En coupant le fromage, prenez autant de croûte que de cœur (voir p. 227).
• Certains fromages se consomment sans leur croûte dure.
• Offrez du pain et du vin en même temps que le fromage. Rien n'égale un fromage bien affiné associé à du pain frais et à un bon vin.

Maroilles

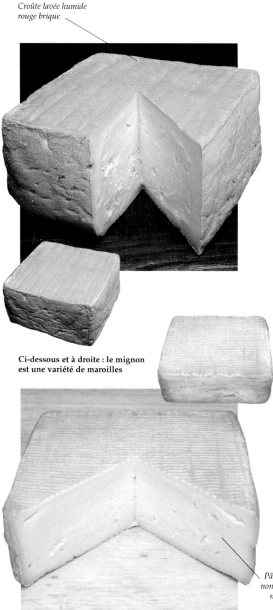

*Croûte lavée humide
rouge brique*

**Ci-dessous et à droite : le mignon
est une variété de maroilles**

*Pâte molle,
non pressée,
non cuite*

 Thiérache

 Cru ou
pasteurisé

MAROILLES (AOC)

La légende dit que ce fromage aurait
été inventé par un moine en 962.
Le maroilles, parfois appelé marolles,
est fermier ou industriel, au goût
puissant. Il possède une pâte dorée,
molle, huileuse. Son parfum persiste
dans la bouche. Lors de l'affinage, le
fromage est régulièrement retourné et
rincé dans un bain de saumure, puis
brossé. La croûte passe du jaune à
l'orange, puis au rouge. Les lavages et
brossages éliminent les moisissures
naturelles blanches et facilitent le
développement de bactéries rouges qui
donnent sa couleur caractéristique à la
croûte.

♈ Châteauneuf-du-Pape

CARACTÉRISTIQUES ESSENTIELLES

- ◈ 12,5 à 13 cm de côté,
  6 cm d'épaisseur
- ⚖ 700 g
- ⁘ 360 g minimum
- ♉ 45 % minimum, 162 g minimum
- ✓ Toute l'année
- ❐ 5 semaines à 4 mois

SPÉCIFICATIONS DE L'AOC : MAROILLES

1. Le caillé divisé ne doit pas être rincé.

2. L'usage de fongicides est interdit.

3. Trois tailles sont autorisées :
Sorbais : 12 à 12,5 cm de côté, 4 cm
d'épaisseur, 550 g avec un minimum
de 270 g de matière sèche. Affinage de
quatre semaines au moins.
Mignon : 11 à 11,5 cm de côté, 3 cm
d'épaisseur, 350 g avec un minimum
de 180 g de matière sèche. Affinage de
trois semaines au moins.
Quart : 8 à 8,5 cm de côté, 3 cm
d'épaisseur, 180 g avec un minimum de
90 g de matière sèche. Affinage d'au
moins deux semaines.

AOC DÉLIVRÉE EN 1976

Baguette Laonnaise ou Baguette de Thiérache

Il s'agit d'un fromage industriel fabriqué à Laon, généralement en forme de brique. On fabrique aussi des fromages en baguette dans l'Avesnois et en Thiérache. Tous sont forts, puisqu'ils appartiennent à la famille du maroilles. L'invention de la baguette laonnaise date des années quarante.

❢ Coteaux champenois, Bouzy

Picardie • Pasteurisé

Caractéristiques essentielles

- ⬦ 6 cm de large, 15 cm de long, 6 cm d'épaisseur
- ⬗ 500 g
- ⧟ 45 %
- ✔ Toute l'année
- ⬚ 2 mois

Croûte lavée humide de couleur rouge

Pâte molle, non pressée, non cuite

Baguette de 250 g (petite taille)

Boulette d'Avesnes

Fermier ou industriel qui porte le nom de son village d'origine, situé près de la frontière belge, il est fabriqué à partir de babeurre ou de maroilles blanc (frais). Parfumé de persil, de poivre, d'estragon et de clous de girofle, il est façonné à la main puis coloré au rocou ou roulé dans le paprika. La version fermière est lavée à la bière.

❢ Bourgogne Passe-tout-grains

Flandre Cru ou pasteurisé

Caractéristiques essentielles

- ⬥ 6 à 8 cm de diamètre à la base, 10 cm d'épaisseur
- ⬗ 180 à 250 g ; ⧟ 45 %
- ✔ Toute l'année
- ⬚ 2 à 3 mois

Croûte humide rouge foncé, colorée au rocou ou au paprika

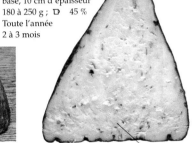

Pâte de saveur modérée, non pressée, non cuite

Boulette de Cambrai

Le Cambraisis est surtout un pays de betteraves et de céréales, renommé pour ses andouillettes. La boulette de Cambrai est façonnée à la main à partir de fromage frais auquel on ajoute du sel, du poivre, de l'estragon, du persil et de la ciboulette. La production est fermière ou artisanale. C'est un fromage sans affinage.

❢ Bourgogne Passe-tout-grains, Beaujolais

Nord Cru ou pasteurisé

Caractéristiques essentielles

- ⬥ 7 à 8 cm à la base, 8 cm d'épaisseur
- ⬗ 200 g ; ⧟ 45 %
- ✔ Toute l'année

Absence de croûte

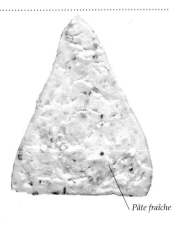

Pâte fraîche

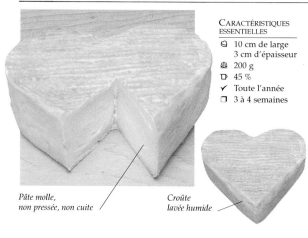

CARACTÉRISTIQUES ESSENTIELLES

- ◨ 10 cm de large
  3 cm d'épaisseur
- ⊕ 200 g
- ▯ 45 %
- ✔ Toute l'année
- ▯ 3 à 4 semaines

CŒUR D'ARRAS

Ne vous laissez pas intimider par la puissante odeur de ce fromage artisanal de la famille du maroilles. Son goût est certes fort, mais sa pâte pesante fond dans la bouche en laissant un long arrière-goût sucré. C'est un fromage à croûte lavée.

♈ Châteauneuf-du-Pape, Collioure

Pâte molle, non pressée, non cuite

Croûte lavée humide

 Artois

 Pasteurisé

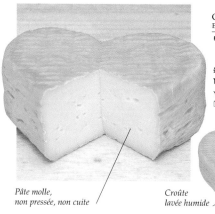

CARACTÉRISTIQUES ESSENTIELLES

- ◨ 10 cm de large
  8 cm de long
  3,5 cm d'épaisseur
- ⊕ 200 g
- ▯ 45 %
- ✔ Toute l'année
- ▯ 3 à 4 semaines

CŒUR D'AVESNES

Ce fromage artisanal est parfait pour qui veut s'initier aux croûtes lavées. Il a un goût et une odeur modérés, un arrière-goût assez doux. La pâte est jaune, légèrement souple, percée de quelques trous. La croûte orange est humide et un peu collante sous le doigt. Au cours de l'affinage, le fromage est régulièrement lavé.

❦ Bordeaux

Pâte molle, non pressée, non cuite

Croûte lavée humide

 Nord

 Pasteurisé

CARACTÉRISTIQUES ESSENTIELLES

- ◌ Moins de 5 cm d'épaisseur
- ⊕ 300 à 500 g
- ▯ 45 %
- ✔ Du printemps à l'automne
- ▯ 2 à 4 mois

DAUPHIN

La légende raconte que Louis XIV, de passage dans le Hainaut, apprécia tant ce fromage qu'il autorisa les fromagers à le nommer dauphin, comme l'héritier du trône. Il est fabriqué à partir de maroilles blanc aromatisé de persil, d'estragon, de poivre et de clous de girofle. Il en existe une version artisanale et une version industrielle.

❦ Côtes-du-Rhône

Croûte lavée humide de couleur rouge brique

Pâte non pressée, non cuite, molle, légèrement collante

 Flandre

 Cru ou pasteurisé

GRIS DE LILLE OU VIEUX-LILLE

Ce fromage artisanal ou industriel est également connu sous les noms de « puant de Lille », « puant macéré » et « vieux-Lille ». C'est un maroilles macéré trois mois en saumure, ce qui lui confère un goût salé. Le terme de « puant » lui convient bien : il sent effectivement très fort, mais pour beaucoup, plus il sent, plus il est apprécié. C'était, paraît-il, le fromage préféré des mineurs de fond.

🍺 Bière locale, 🍷 Champagne

CARACTÉRISTIQUES ESSENTIELLES

◈ 13 cm de côté 5 à 6 cm d'épaisseur
⚖ 700 g à 1 kg
◗ 45 %
✓ Toute l'année

Flandre

Cru ou pasteurisé

Surface collante, suintante ; pas de croûte

Pâte molle, non pressée, non cuite, légèrement élastique

GUERBIGNY

Voici un fromage artisanal picard qui possède une odeur et un goût forts, ainsi qu'une croûte humide qui colle à la langue. C'est peut-être un cousin du Rollot en cœur.

🍷 Sancerre, Coteaux champenois

CARACTÉRISTIQUES ESSENTIELLES

◖ 11 cm de large, 8 à 9 cm de long, 2,5 cm d'épaisseur
⚖ 250 g
◗ 45 %
✓ Du printemps à l'automne
⬓ 5 semaines

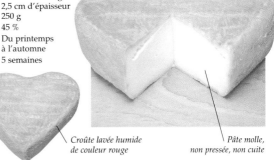

Picardie

Cru, entier

Croûte lavée humide de couleur rouge

Pâte molle, non pressée, non cuite

ROLLOT

Le premier Rollot était un fromage fermier fabriqué dans le village du même nom. Sa saveur est particulière, assez salée, avec un arrière-goût persistant. Le fromage présenté est assez jeune et doux, mais une fois bien fait il sera très fort. Il existe aussi un Rollot en forme de cœur, de fabrication industrielle.

🍷 Sancerre, Coteaux champenois

CARACTÉRISTIQUES ESSENTIELLES

◖ 7 à 8 cm de diamètre, 3,5 cm d'épaisseur
⚖ 280 à 300 g
◗ 45 %
✓ Du printemps à l'automne
⬓ 1 mois

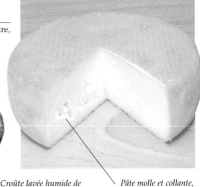

Picardie

Cru ou pasteurisé

Version industrielle

Croûte lavée humide de couleur rouge brique

Pâte molle et collante, non pressée, non cuite

**Affinage
de trois
semaines**

Fromage frais ne bénéficiant pas de l'AOC

MUNSTER / MUNSTER-GÉROMÉ (AOC)

Ce fromage existe sous différents noms sur les deux versants des Vosges, en Alsace à l'est, en Lorraine à l'ouest. On dit plutôt « Munster » en Alsace et « Géromé » en Lorraine. L'AOC délivrée en 1978 s'applique indifféremment aux deux fromages.

Aspect et saveur

Les principales caractéristiques de ce fromage sont d'abord son odeur forte, puis sa pâte molle et lisse, de la consistance du chocolat en train de fondre. La croûte est rouge orangé, la pâte fine et dorée, un peu collante, douce ; correctement affinée, elle a un riche goût de lait.

Lorsqu'il est jeune, le Munster a une croûte jaune orangé et une pâte couleur crème, cassante comme du savon sec. Un Munster à cœur se signale surtout par son odeur. On le déguste avec du cumin entier ou des pommes de terre en robe des champs. Il est possible de se procurer un Munster déjà aromatisé au cumin.

Alsace
Lorraine

Cru ou
pasteurisé

Les vaches de Munster

Le lait qui sert à faire le Munster est celui des vaches vosgiennes ; cette race scandinave a été introduite dans la région au XVIIIᵉ siècle. Ce sont des bêtes solides dont le lait, de bonne qualité, est riche en protéines.

La fabrication et l'affinage

Le Munster peut être de fabrication fermière, industrielle ou laitière. L'usage de lait concentré ou reconstitué est interdit. L'affinage doit avoir lieu dans des lieux spécifiés par décret pendant un minimum de trois semaines (deux semaines pour le petit-Munster), mais ce délai est souvent porté à deux ou trois mois. Pendant l'affinage, les fromages sont entreposés dans une cave à 11-15 ℃, l'hygrométrie étant de 95 à 96 %. Tous les deux ou trois jours, ils sont frottés à la saumure diluée, soit à l'aide d'une toile, soit directement à la main. C'est ainsi que se développe la croûte rouge orangé bien connue.

♀ Gewürztraminer, Tokay, Pinot Gris d'Alsace

Munster au cumin

*Croûte jaune
à rouge orangé ;
la coloration est due
à des ferments
(bacterium linens)*

Affinage d'une semaine

*Pâte molle,
non pressée, non cuite*

CARACTÉRISTIQUES ESSENTIELLES

- ◯ 13 à 19 cm de diamètre,
  2,4 à 8 cm d'épaisseur ;
  7 à 12 cm de diamètre,
  2 à 6 cm d'épaisseur (petit-Munster)
- ⚖ 450 g min., 120 g min. (petit-Munster)
- ♣ 44g pour 100 g
- ♢ 45 % min., 19.8 g pour 100 g
- ✓ Toute l'année ; de l'été à l'hiver (fermier)

SPÉCIFICATIONS DE L'AOC : MUNSTER

1. Avant le moulage, le caillé divisé ne doit être ni lavé ni malaxé.

2. Si le fromage est affiné dans une région autre que celle où il a été fabriqué, l'étiquette doit préciser le lieu de fabrication et le lieu d'affinage.

AOC DÉLIVRÉE EN 1978

MORBIER

Le morbier est un fromage à croûte naturelle brossée, à la pâte souple et délicate. Ni doux ni fort, il fut d'abord réservé à la consommation familiale des producteurs de comté. Autrefois, on saupoudrait de suie le caillé frais afin d'éviter la formation d'une croûte et éloigner les insectes, avant de laisser reposer le fromage une nuit au fond d'un tonneau. Au matin, on le recouvrait d'un nouveau fromage frais. Aujourd'hui, la ligne noire qui le traverse en son milieu n'est plus qu'un produit végétal inoffensif et purement décoratif. De forme ronde, le morbier est renflé sur les bords. Il peut être artisanal, fermier, laitier ou industriel.

Ⓨ Crépy, Seyssel

Croûte naturelle humide de couleur beige

CARACTÉRISTIQUES ESSENTIELLES

Pâte mi-dure, non cuite, pressée, de couleur ivoire à jaune pâle

- ◒ 30 à 40 cm de diamètre, 6 à 8 cm d'épaisseur
- ⚖ 5 à 9 kg
- ♣ 50 g min. pour 100 g
- ▭ 45 % min.
- ✓ Tout l'année
- ❐ 1 à 2 mois

Franche-Comté

Cru ou pasteurisé

Affinage humide de trois à quatre semaines

Feuille de châtaignier

MOTHAIS À LA FEUILLE

Chèvre fermier à la croûte collante, il possède une pâte fondante au goût délicat. En général, les caves d'affinage destinées aux fromages de chèvre sont mieux ventilées et plus sèches que les autres. Le mothais fait exception : il passe trois ou quatre semaines dans un local où le taux d'humidité atteint presque 100 %. Posé sur une feuille de châtaignier ou de platane qui l'empêche de sécher, il est retourné tous les quatre ou cinq jours.

Ⓨ Fleurie, Ⓨ Champagne rosé, ⌷ Café

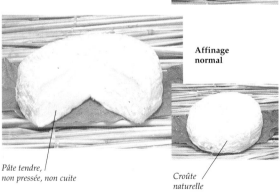

Affinage normal

CARACTÉRISTIQUES ESSENTIELLES

- ◒ 10 cm de diamètre, 3 cm d'épaisseur
- ⚖ 250 g
- ▭ 45%
- ✓ Du printemps à l'automne

Pâte tendre, non pressée, non cuite

Croûte naturelle

Poitou-Charentes

Cru

Murol

Ce fromage industriel porte des traces de toile. La pâte est jaune quand elle est à point, de consistance fine, très tendre. Son goût et son odeur sont discrets. Le murol est une sorte de Saint-Nectaire (p. 184) évidé en son milieu. La partie centrale sert à fabriquer le murolait (ci-dessous).

CARACTÉRISTIQUES ESSENTIELLES

- ☺ 12 cm de diamètre, avec un trou de 3 cm de diamètre, 3,5 à 4,5 cm d'épaisseur
- ⚖ 450 à 500 g
- ▯ 45 %
- ✔ Toute l'année

Murolait

Ce fromage n'est autre que la partie centrale du murol (ci-dessus).

❢ Fleurie, ☖ Champagne rosé

Croûte lavée humide de couleur orangée

Pâte pressée, non cuite, mi-dure, élastique

Paraffine rouge

Auvergne

Pasteurisé

CARACTÉRISTIQUES ESSENTIELLES

- ☺ 3,5 cm de diamètre, 4,5 cm d'épaisseur
- ⚖ 50 g

Nantais / Curé

Il porte plusieurs autres noms, dont ceux de « curé nantais » et de « fromage du pays nantais, dit du curé ». À l'origine, il était de forme circulaire. Il fut introduit dans cette région assez pauvre en fromages par un moine vendéen fuyant son pays lors de la Révolution. La croûte est lisse et humide, la pâte dorée et souple, percée de quelques petits trous. C'est un fromage fort, fabriqué industriellement mais à petite échelle.

☖ Muscadet, Gros Plant

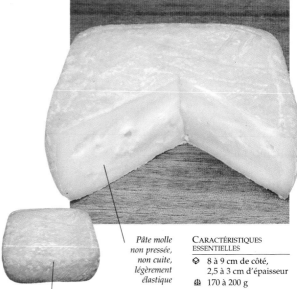

Pâte molle non pressée, non cuite, légèrement élastique

Croûte lavée humide, de couleur rose ou orange

CARACTÉRISTIQUES ESSENTIELLES

- ◈ 8 à 9 cm de côté, 2,5 à 3 cm d'épaisseur
- ⚖ 170 à 200 g
- ▯ 40 %
- ✔ Toute l'année
- ❒ 1 mois

Pays nantais

Pasteurisé

NEUFCHÂTEL (AOC)

Fermier, artisanal ou industriel, il provient de la région de Neufchâtel, dans le pays de Bray. Son apparition remonterait à 1035, date à laquelle Hugues Ier de Gournay en fit don à l'abbaye de Sigy. Les parisiens le découvrirent seulement au siècle dernier grâce à la bible gastronomique de l'époque, l'*Almanach des gourmands* (1803-1812). Neufchâtel n'étant qu'à 132 km de la capitale : cette proximité fit beaucoup pour la promotion du fromage dans la capitale.

La croûte est sèche et veloutée, elle se brise quand on la pince tandis que la pâte, ferme mais souple, cède sous le doigt.

Il existe six versions différentes du Neufchâtel : bonde et double bonde (cylindriques), carré, briquette, cœur et grand cœur.

Après un bon affinage, le fromage se couvre d'une fine moisissure blanche qui le parfume et lui donne une forte odeur. Il accompagne bien le pain frais croustillant.

❦ Pomerol, Saint-Émilion

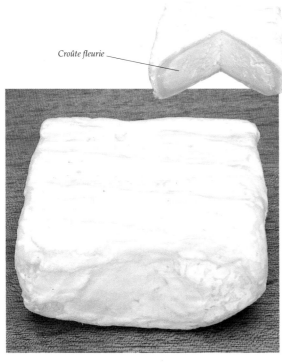

Croûte fleurie

Neufchâtel carré

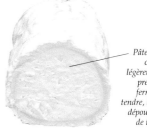

Pâte non cuite, légèrement pressée, ferme et tendre, lisse, dépourvue de trous

Bonde

Normandie

Cru ou pasteurisé

- ◇ **Bonde :** 4,5 cm de diamètre, 6,5 cm d'épaisseur ; ⚖ 100 g
- ◇ **Double bonde :** 5,8 cm de diamètre, 8 cm d'épaisseur ; ⚖ 200 g
- ◇ **Carré :** 6,5 cm de côté, 2,4 cm d'épaisseur ⚖ 100 g
- ◇ **Briquette :** 5 cm de large, 7 cm de long, 3 cm d'épaisseur ; ⚖ 100 g
- ◇ **Cœur :** 10 cm de large, 8,5 cm de long, 3,2 cm d'épaisseur ; ⚖ 200 g
- ◇ **Grand cœur :** 14 cm de large, 10,5 cm long, 5 cm d'épaisseur ⚖ 600 g minimum
- ♣ 40 g minimum pour 100 g
- ⛏ 45 % min., 18 g min. pour 100 g
- ✔ De l'été à l'hiver (lait cru) ; toute l'année (lait pasteurisé)
- ⬚ 10 jours à 3 semaines

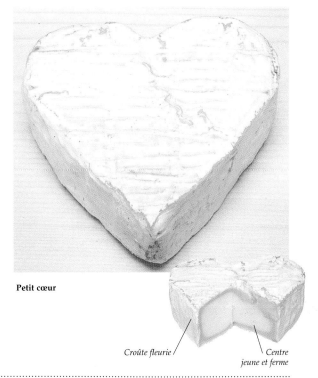

Petit cœur

SPÉCIFICATIONS DE L'AOC : NEUFCHÂTEL

1. Le caillé égoutté doit être homogénéisé par malaxage.
2. Des morceaux de Neufchâtel arrivé à maturation sont ajoutés au caillé.

AOC DÉLIVRÉE EN 1977

Croûte fleurie / *Centre jeune et ferme*

BONDARD / BONDE / BONDON

Le fromage montré ci-contre est parfaitement à point. Il est couvert d'une moisissure blanche veloutée qui forme une croûte épaisse. Il est riche en matières grasses et sa pâte est fondante. Lorsqu'on le mange avec la croûte, il picote la langue et paraît assez salé. La production est fermière ou artisanale.

♉ Jasnières

- ◇ 5 cm de diamètre, 8 cm d'épaisseur
- ⚖ 200 g
- ⛏ 50 à 60 %
- ✔ De l'été à l'hiver
- ⬚ 2 semaines à 2 mois

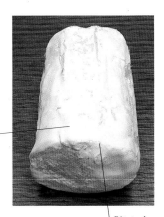

Croûte fleurie d'aspect velouté

Pâte tendre, non pressée, non cuite

Normandie

Enrichi de crème

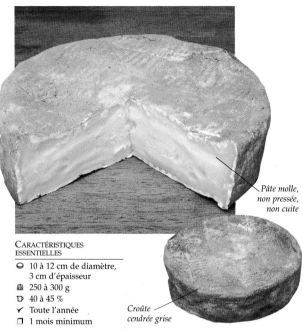

OLIVET CENDRÉ

Ce fromage artisanal est fabriqué à Olivet, sur les rives du Loiret. En mai et en juin, le lait des vaches est particulièrement riche ; les fromages fabriqués à ce moment sont consommés au moment des récoltes, alors que de nombreux saisonniers venus travailler à la moisson, puis aux vendanges, se trouvent dans la région. L'Olivet mûrit lentement. Autrefois, on le conservait dans la cendre de sarments. Sa pâte est légèrement résistante sous la dent et dégage une petite odeur de moisi.

♟ Sancerre

Pâte molle, non pressée, non cuite

CARACTÉRISTIQUES
ESSENTIELLES

- 10 à 12 cm de diamètre, 3 cm d'épaisseur
- 250 à 300 g
- 40 à 45 %
- Toute l'année
- 1 mois minimum

Croûte cendrée grise

Val-de-Loire Orléanais

Pasteurisé

OLIVET AU FOIN

Ce fromage d'invention récente est une variante du précédent. Sa croûte fleurie est parsemée de quelques brins de foin. Il existe également un Olivet au poivre.

♟ Sancerre

Pâte molle, non pressée, non cuite

Croûte fleurie garnie de quelques brins de foin

CARACTÉRISTIQUES
ESSENTIELLES

- 10 cm de diamètre, 2 cm d'épaisseur
- 250 g
- 45 %
- Toute l'année

Orléanais

Pasteurisé

PALOUSE DES ARAVIS
(PUR CHÈVRE D'ALPAGE)

Ce fromage provient du Grand-Bornand, dans la chaîne alpine des Aravis. En dialecte local, « palouse » signifie galette sèche. Ce fromage est fabriqué l'été en chalet d'alpage, puis affiné longuement. La pâte s'égoutte sous un poids ; la croûte est lavée une fois au début de l'affinage, puis laissée à l'air libre afin de sécher et de se couvrir de moisissures naturelles. La croûte est dure comme le roc, la pâte sèche et rugueuse, de saveur intense.

♀ Vin jaune du Jura, vin d'Alsace

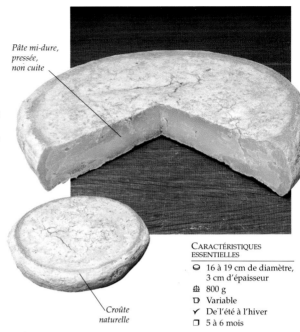

Pâte mi-dure, pressée, non cuite

Croûte naturelle

Rhône-Alpes

Cru

CARACTÉRISTIQUES
ESSENTIELLES

- ◔ 16 à 19 cm de diamètre, 3 cm d'épaisseur
- ⚖ 800 g
- ⅅ Variable
- ✔ De l'été à l'hiver
- ◻ 5 à 6 mois

PAVÉ D'AUGE

Ce fromage fermier ou artisanal rappelle par sa forme les pierres carrées dont sont dallées les places de nos villages. Sa pâte est douce et souple, assez grasse. La croûte, sèche ou lavée, ressemble quelque peu à celle du Pont-l'Évêque (p. 172). Si vous avez la chance de trouver un pavé d'Auge qui soit resté assez longtemps en cave, vous pourrez apprécier pleinement la qualité du lait de Normandie avec lequel il est fabriqué.

Ⅱ Cidre du pays d'Auge,
♀ Champagne

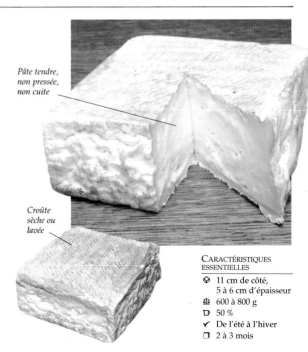

Pâte tendre, non pressée, non cuite

Croûte sèche ou lavée

Basse-Normandie

Cru ou pasteurisé

CARACTÉRISTIQUES
ESSENTIELLES

- ◈ 11 cm de côté, 5 à 6 cm d'épaisseur
- ⚖ 600 à 800 g
- ⅅ 50 %
- ✔ De l'été à l'hiver
- ◻ 2 à 3 mois

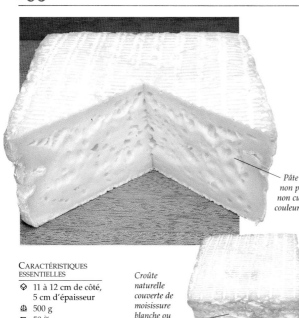

LE PAVÉ DU PLESSIS

La pâte de ce fromage rebondit légèrement sous la pression des doigts : elle est truffée de petits trous. Le goût est modéré, un peu salé. Le pavé est un produit artisanal fabriqué à la fromagerie du Plessis, en Normandie.

❢ Haut-Médoc, Margaux

Pâte molle, non pressée, non cuite, de couleur jaune

CARACTÉRISTIQUES
ESSENTIELLES

⬦ 11 à 12 cm de côté, 5 cm d'épaisseur
⚖ 500 g
🜄 50 %
✔ Toute l'année
🗌 2 ou 3 mois

Croûte naturelle couverte de moisissure blanche ou orange

Haute-Normandie

Cru

PAVÉ DE ROUBAIX

Roubaix doit son opulence passée à l'industrie textile. On dit que ce fromage, autrefois symbole de richesse, ne quittait pas la table des tisserands. Sa croûte sèche, très dure, protège une pâte de la même couleur carotte que la mimolette (p. 36). Ce fromage artisanal est affiné à 15 °C pendant un ou deux ans ; durant lesquels il est retourné et brossé une fois par mois. Malheureusement, il n'est plus fabriqué que par deux ou trois personnes, et donc menacé de disparition.

♈ Banyuls (VDN)

Pâte mi-dure, mi-cuite, pressée

CARACTÉRISTIQUES
ESSENTIELLES

⬦ 13 cm de large, 27 cm de long, 8 cm d'épaisseur
⚖ 3,3 kg
🜄 45 %
✔ Toute l'année
🗌 1 à 2 ans

Croûte naturelle sèche et dure

Nord

Pasteurisé

PÉLARDON DES CÉVENNES

Ce fromage jeune, au lait de chèvre, est fabriqué près d'Alès, dans le Languedoc, où « pélardon » est un terme générique s'appliquant à tous les petits fromages de chèvre. Il n'a pratiquement pas de croûte, sa pâte est compacte et possède un goût de noisette. L'équilibre entre acidité et salinité est parfait et la saveur riche du lait se prolonge agréablement par un arrière-goût tenace. Le pélardon existe en version fermière et en version artisanale. L'attribution d'une AOC est actuellement à l'étude.

♀ Clairette du Languedoc

Pâte tendre, non pressée, non cuite

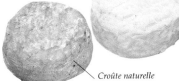

Croûte naturelle

Affinage de deux à trois semaines

 Languedoc Vivarais Cru

CARACTÉRISTIQUES ESSENTIELLES
- 6 à 7 cm de diamètre, 2 à 3 cm d'épaisseur
- 60 à 100 g
- 45 %
- Du printemps à l'automne
- 2 à 3 semaines

PÉLARDON DES CORBIÈRES

Ce fromage de chèvre vient de Lagrasse, dans les Corbières, sur la côte méditerranéenne. Après une semaine d'affinage, la croûte porte un voile de moisissures naturelles, la pâte est souple. La saveur du fromage est légèrement acide, sans goût sucré.

♀ Côtes-du-Roussillon

Pâte tendre, non pressée, non cuite

Croûte naturelle

Affinage de plus de trois semaines

 Languedoc-Roussillon Cru

CARACTÉRISTIQUES ESSENTIELLES
- 6 à 7 cm de diamètre, 2 cm d'épaisseur
- 70 à 80 g
- 45 %
- Toute l'année
- 1 semaine minimum

Persillé

On appelle « persillés » les petites tommes de chèvre de Savoie dont la pâte est semée de moisissures vertes. Celles-ci ne deviennent visibles qu'après un affinage d'au moins trois mois. Ces fromages sont soit au pur lait de chèvre, soit mélangé au lait de vache. Ceux au lait de vache, dont la pâte renferme des moisissures vertes ou bleues, sont généralement connus sous le nom de « bleus », mais quand la répartition des moisissures le justifie, on les appelle également « persillés ». Les fromages dont la pâte est délicatement veinée de bleu sont dits « marbrés ». Enfin, en présence de veines de moisissures bleues, on parle d'un fromage « veiné » ou « veineux ».

Pâte tendre, non pressée, non cuite

Croûte naturelle

CARACTÉRISTIQUES ESSENTIELLES

- ⊖ 6 à 8 cm de diamètre, 6 à 8 cm d'épaisseur
- ⬙ 250 à 550 g
- ⬗ 45 %
- ✓ Meilleur au début de l'été

PERSILLÉ DE LA TARENTAISE

Ce chèvre fermier de Savoie possède le goût typiquement acide et piquant d'un fromage de chèvre jeune. Sa pâte est fine, blanche, et aucune moisissure n'y est encore visible.
L'affinage dure six semaines environ.

Ⴘ Crépy

Savoie
Tarentaise

Cru

Pâte tendre, non pressée, non cuite

Croûte naturelle

CARACTÉRISTIQUES ESSENTIELLES

- ⊖ 9 à 10 cm de diamètre, 8 cm d'épaisseur
- ⬙ 500 à 600 g
- ⬗ Variable
- ✓ D'avril à décembre
- ⬚ 2 ou 3 mois

PERSILLÉ DE LA HAUTE-TARENTAISE

C'est dans la Haute-Tarentaise que l'Isère prend sa source, à un kilomètre à peine de la frontière suisse. Ce fromage fermier y est fabriqué, puis affiné.

Ⴘ Crépy

Savoie
Tarentaise

Cru

PERSILLÉ DE TIGNES

Le village savoyard de Tignes fut englouti en 1952 sous les eaux du bassin de retenue d'un barrage. Non loin, un nouveau village fut édifié où l'on fabrique désormais ce fromage. Celui qui est photographié en haut à droite est jeune ; son goût est âpre et salé. À mesure qu'il vieillit, sa croûte durcit, sa pâte sèche, devient piquante et friable. La couleur moutarde de la croûte signifierait que les chèvres ont brouté dans des herbes au sous-sol sulfureux.

♈ Crépy

Affinage d'un mois et demi minimum

Les moisissures naturelles blanches et bleues ne sont pas visibles

Pâte tendre, non pressée, non cuite

- ⊖ 9,5 à 11 cm de diamètre, 9 à 10 cm d'épaisseur
- ⚖ 680 à 975 g
- ⌖ Variable
- ✔ Meilleur en été
- ⌗ 6 semaines minimum

Savoie

Cru

Affinage de six mois

Pâte légèrement bleutée

PERSILLÉ DU SEMNOZ

La croûte extrêmement dure de ce fromage fermier est couverte de moisissures marron clair. La pâte est d'un jaune grisâtre, persillée de moisissures bleues encore invisibles ici. La consistance collante de la pâte est la preuve de la qualité du lait utilisé ; il s'agit d'un mélange à parts égales de lait de vache et de chèvre.

♈ Crépy

CARACTÉRISTIQUES ESSENTIELLES

- ⊖ 9 à 11 cm de diamètre, 6 cm d'épaisseur
- ⚖ 400 à 450 g
- ⌖ 45 %
- ✔ D'avril à décembre
- ⌗ 1 à 2 mois

Savoie

Cru

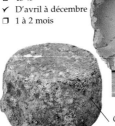

Croûte naturelle

Pâte mi-dure, pressée, non cuite

Picodon

Croûte naturelle fine et
sèche, parfois dépourvue
de moisissure

**Picodon
de l'Ardèche
à maturité**

Pâte tendre
et blanche
qui se coupe
nettement

❶

**Picodon
de l'Ardèche
vieux**

Pâte lisse
et homogène

❷

**Picodon
de l'Ardèche
jeune**

❸

**Picodon
de la Drôme**

❹

PICODON (AOC)

Le territoire du picodon chevauche le
Rhône : à l'est la Drôme, à l'ouest
l'Ardèche. Le nom picodon, tiré de la
langue d'Oc, signifie tout simplement
piquant.

Le climat est sec, dans la
montagne, l'herbe et les
buissons parfumés poussent dru
mais court. Les chèvres dévorent
tout sans distinction, même les
pousses et les feuilles des arbres.
De ce lait est tiré un fromage à la pâte
sèche. À déguster pour en apprécier
toutes les saveurs.

On confond souvent pélardon
(p. 167) et picodon. Non seulement
leurs noms se ressemblent, mais ils
sont tous deux originaires des
montagnes du Midi, de petite taille et
d'un poids inférieur à 100 g. La
production du picodon est fermière,
artisanale ou industrielle. Les
spécifications de l'AOC prohibent
l'emploi de lait concentré ou en
poudre, de protéines lactiques et de
caillé surgelé.

Ɏ Rivesaltes (VDN)

CARACTÉRISTIQUES ESSENTIELLES

- ⊖ 5 à 8 cm de diamètre,
  1 à 3 cm d'épaisseur
- ⚖ 50 à 100 g
- ⁂ 40 g min. pour 100 g
- ☡ 45 % min., 18 g min. pour 100 g
- ✓ Toute l'année ; du printemps
  à l'automne (fromage fermier)
- ⊓ 12 jours à 1 mois

Dauphiné
Provence
Languedoc-
Roussillon

Entier

Les picodons photographiés sur ces deux pages montrent bien les nombreuses variétés de ce fromage.

1. Picodon de l'Ardèche
Il pèse 55 g.

2. Picodon de l'Ardèche
Après quatre semaines d'affinage, il ne pèse plus que 40 g. Sa pâte collante, d'une acidité équilibrée, sent la moisissure sèche.

3. Picodon de l'Ardèche
D'un poids de 60 g, sa saveur est acidulée et salée. Il a besoin d'encore une semaine d'affinage.

4. Picodon de la Drôme
Il pèse 45 g. La douceur et la salinité de la pâte sont bien mêlées et son acidité s'est atténuée.

5. Picodon de Crest
Ce fromage est tiré d'un lait riche de grande qualité ; sa saveur est un heureux mélange de salinité, de douceur et d'acidité. Il pèse 60 g.

6. Picodon de Dieulefit
Ce fromage jeune pèse 90 g, il est couvert de moisissures blanches et sa pâte est tendre.

7. Picodon de Dieulefit
Il a perdu la moitié de son volume et ne pèse plus que 40 g. La croûte est dure, colorée par les moisissures. À la dégustation, le soleil de Provence et l'arôme des herbes odorantes s'épanouissent sous le palais tandis que le fromage fond lentement.

8. Picodon du Dauphiné
Ce fromage est bien affiné.

9. Picodons à l'huile d'olive
Plusieurs picodons marinent dans l'huile d'olive avec des feuilles de laurier.

Picodon de Crest

Fromage jeune et tendre

Jeune picodon de Dieulefit

La pâte durcit et devient cassante avec l'âge

Vieux picodon de Dieulefit

Picodon du Dauphiné

Picodon à l'huile d'olive

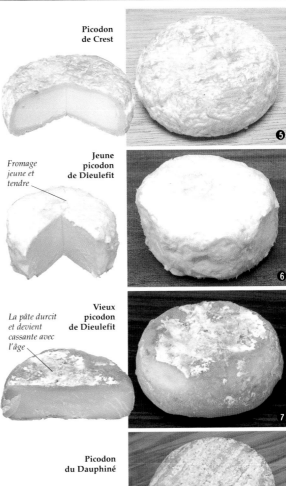

SPÉCIFICATIONS DE L'AOC : PICODON

1. Le lait doit être caillé à l'aide d'une faible quantité de présure. (Sont interdits : le lait concentré ou lyophilisé, les protéines lactiques, le caillé surgelé.)

2. Le fromage doit être salé au sel sec (à grains moyens ou fins).

3. Pour que l'étiquette porte la mention « affinage méthode Dieulefit », la surface du fromage doit avoir été humidifiée à la main lors de l'affinage.

AOC DÉLIVRÉE EN 1983

PONT-L'ÉVÊQUE (AOC)

Ce fromage à croûte lavée est probablement le doyen des fromages normands.

Selon certaines sources, le Pont-l'Évêque serait né dans une abbaye, mais aucune preuve ne vient étayer cette théorie.

Dans un document du XIIe siècle, il est fait référence à un « dessert d'angelot », qui pourrait être l'ancêtre du Pont-l'Évêque. Au XVIIe siècle, les fromages du village de Pont-l'Évêque étaient appréciés dans toute la France.

Il faut trois litres de lait pour faire un Pont-l'Évêque de 350 à 400 g. Après lavage, la croûte est humide et de couleur ocre.

La pâte est crémeuse, jaune, de consistance fine et lisse.

Elle est souple et tendre, mais n'a aucune élasticité. À mesure qu'elle vieillit, la croûte devient plus collante et rougit.

De petits trous se forment dans la pâte. Une fois à point, celle-ci brille légèrement. Le goût conserve des traces de sucre.

Les fromages lavés et retournés durant l'affinage sont plus forts, mais cette saveur prononcée est absente dans les fromages jeunes.

La production est fermière, artisanale, laitière ou industrielle. Sur les 3 727 tonnes produites en 1991, seules 8 tonnes (2 %) étaient d'origine fermière. Les fromages sont retournés, brossés et lavés lors de l'affinage qui se déroule dans un territoire déterminé.

℣ Condrieu, Ⅱ Cidre

Pâte molle, non pressée, non cuite

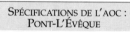

**SPÉCIFICATIONS DE L'AOC :
PONT-L'ÉVÊQUE**

1. Le caillé doit être divisé, pétri et égoutté.

2. Il existe trois autres tailles :

Petit Pont-l'Évêque : 8,5 à 9,5 cm de côté, 85 g minimum de matière sèche par fromage.

Demi Pont-l'Évêque :
10,5 à 11,5 cm de long x 5,2 à 5,7 cm de large, 70 g minimum de matière sèche par fromage.

Grand Pont-l'Évêque : 19 à 21 cm de côté, 650 à 850 g minimum de matière sèche.

AOC DÉLIVRÉE EN 1976

Croûte lavée humide ou sèche

Normandie

Cru ou pasteurisé

PORT-SALUT

Il ne faut pas confondre ce fromage fabriqué en Mayenne, à Entrammes, avec son cousin le Port-du-Salut (ci-dessous).

La croûte est légèrement humide, de couleur uniforme, fine, et porte des traces régulières de la toile dans laquelle le fromage a été emballé. L'odeur est très faible. La pâte est tendre sous le doigt et colle au couteau quand on la coupe. Elle est de couleur crème, molle et souple, avec une légère acidité et un arrière-goût discret qui résultent d'un savoir-faire industriel bien maîtrisé. La fabrication de ce fromage est passée du monastère à l'usine, ce qui confirme la forte demande des consommateurs.

❢ Chinon, Bourgueil

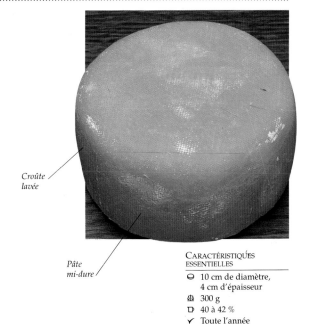

Pâte mi-dure, pressée, non cuite

Croûte lavée colorée au bêtacarotène

Mayenne
Maine

Pasteurisé

CARACTÉRISTIQUES ESSENTIELLES

- ⬭ 20 cm de diamètre, 4 cm d'épaisseur
- ⚖ 1,3 à 1,5 kg
- ⮌ 50 %
- ✓ Toute l'année

PORT-DU-SALUT / ENTRAMMES

Ce fromage fut créé dans une abbaye vers 1830, puis la méthode de production fut transmise à d'autres congrégations. En 1959, la S.A. des Fermiers Réunis obtint l'exclusivité des droits et du nom. À la même époque commença la fabrication parallèle du port-salut (ci-dessus).

Pendant quelque temps, des moines continuèrent à fabriquer un véritable Port-du-Salut, qu'ils nommaient Entrammes, du nom de la ville où l'abbaye du Port-du-Salut se trouvait autrefois. N'ayant pas su relever le défi de la modernisation, ils durent cesser la production. Leur savoir-faire survit toutefois dans quelques rares monastères et abbayes de France.

❢ Chinon, Bourgueil

Mayenne

Pasteurisé

Croûte lavée

Pâte mi-dure

CARACTÉRISTIQUES ESSENTIELLES

- ⬭ 10 cm de diamètre, 4 cm d'épaisseur
- ⚖ 300 g
- ⮌ 40 à 42 %
- ✓ Toute l'année
- ⬚ 1 mois minimum

PITHIVIERS AU FOIN

Fromage fabriqué à Bondaroy, localité proche de Pithiviers. Il porte parfois le nom de « Bondaroy au foin ». C'était autrefois un fromage d'été, époque où le lait est abondant ; il était conservé dans le foin jusqu'à l'automne ou l'hiver. On le mangeait au moment des vendanges, quand les ouvriers saisonniers affluaient dans la région. Aujourd'hui, on en trouve toute l'année, mais il a perdu la bonne odeur de foin des fromages fermiers d'antan. Sa croûte est blanche et dégage une faible odeur de moisi.

❢ Chinon, Bourgueil

Pâte molle, non pressée, non cuite

CARACTÉRISTIQUES ESSENTIELLES

- ◯ 10 à 12 cm de diamètre, 2,5 cm d'épaisseur
- ⚖ 300 g
- 🗗 45 %
- ✓ Toute l'année
- ⬚ 3 semaines

Croûte fleurie parsemée de brins de foin

 Orléanais

Pasteurisé

RACLETTE

Pâte non cuite, pressée, de couleur blanche à jaune clair, percée de petits trous ; souple et ferme

Fromage savoyard, artisanal ou industriel, communément appelé « fromage à raclette », de forme ronde ou carrée. Le nom fait allusion à la manière traditionnelle de le consommer. Il s'accompagne de pommes de terre en robe des champs et de charcuteries variées. Sa pâte est assez dure mais fond facilement. Lorsqu'elle est chaude, elle sent un peu le moisi et développe un riche goût de lait.

❢ Vin de Savoie, Hautes-Côtes-de-Beaune

CARACTÉRISTIQUES ESSENTIELLES

- ◯ 28 à 36 cm de diamètre,
- ◈ 5,5 à 7,5 cm d'épaisseur ;
- ⚖ 4,5 à 7 kg (pour les deux formes)
- ⦂ 53 g minimum pour 100 g
- 🗗 45 % minimum ; 23,85 g minimum
- ✓ Toute l'année
- ⬚ 2 mois minimum

Croûte fine, jaune d'or à brun clair ; talon non enrobé

 Toute la France

 Cru ou pasteurisé

Reblochon de Savoie / Reblochon (aoc)

La fraîcheur, la jeunesse, la tendreté sont les caractéristiques les plus évidentes de ce fromage savoyard. Le nom dérive du verbe reblocher, « traire une seconde fois ». Le reblochon est en effet issu du lait de la seconde traite des vaches montbéliardes, Abondance et tarines, plus riche et plus épais que celui de la première traite, et non écrémé.

C'est un fromage bien proportionné, à croûte fine et veloutée de couleur jaune orangé ou rosé. Il doit son parfum frais et léger à des moisissures. La pâte est humide, souple et lisse, assez grasse. Le goût se développe en bouche en laissant un délicat arrière-goût de noisette.

La production est fermière (parfois en chalet d'alpage), laitière (en fruitière), ou industrielle. La température de la cave ne doit pas atteindre 16 ℃. Il existe également une version plus petite du reblochon.

❦ Vin de Savoie, Pommard

Reblochon acheté à Thonon-les-Bains

Croûte lavée jaune à orange, poudrée de moisissures naturelles blanches

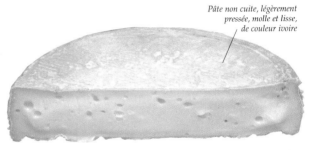

Pâte non cuite, légèrement pressée, molle et lisse, de couleur ivoire

Caractéristiques essentielles

- ⊖ 9 à 14 cm de diamètre, 3 à 3,5 cm d'épaisseur
- ⚖ 240 à 550 g
- ♣ 45 g minimum pour 100 g
- ♅ 45% minimum ; 20,25 g minimum pour 100 g
- ✓ À partir de l'été (fermier et d'alpage)
- ⌷ 2 à 4 semaines

Spécifications de l'aoc : Reblochon

1. Le lait doit être acheminé sur le lieu de production juste après la traite.

2. L'emprésurage doit avoir lieu moins de 24 heures après la traite.

3. Les fromages fermiers portent une étiquette de caséine verte.

aoc délivrée en 1976

Savoie

Cru, entier

Reblochon acheté à Paris

Rigotte

On fabriquait déjà des fromages comparables à la rigotte pendant l'ère romaine.

Le nom de rigotte est particulier aux régions de l'Isère, du Rhône et de la Loire, et dérive probablement de « recuit » (cf. *ricotta* en italien). Pourtant, la rigotte n'est pas issue de la cuisson du petit-lait, contrairement aux fromages de *lactosérum* (pp. 148-149).

Jadis assez maigre, elle contient aujourd'hui 40 à 45 % de matières grasses. La production se fait en majorité en laiterie artisanale, presque toujours au lait de vache. La rigotte s'égoutte une semaine avant d'être vendue dans les fromageries et sur les marchés. Elle se déguste alors qu'elle est ferme au toucher mais tendre à l'intérieur et que sa saveur est assez développée.

CARACTÉRISTIQUES ESSENTIELLES
- ⊖ 5 cm de diamètre, 4 cm d'épaisseur
- ⚖ 85 g
- ◻ 50 %
- ✓ Toute l'année
- ◻ 2 semaines min.

Pâte molle, non pressée, non cuite

Croûte naturelle

RIGOTTE D'ÉCHALAS

Fromage artisanal fabriqué dans le Lyonnais, délicieux avec du pain grillé. Sur le cliché ci-contre, on voit que la croûte est à peine formée. La teneur en matières grasses atteint presque 50 %, ce qui explique l'onctuosité de la pâte.

❦ Bourgogne

Lyonnais

Pasteurisé

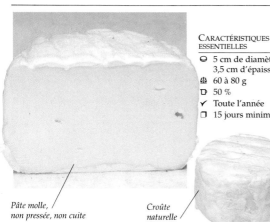

CARACTÉRISTIQUES ESSENTIELLES
- ⊖ 5 cm de diamètre, 3,5 cm d'épaisseur
- ⚖ 60 à 80 g
- ◻ 50 %
- ✓ Toute l'année
- ◻ 15 jours minimum

Pâte molle, non pressée, non cuite

Croûte naturelle

RIGOTTE DE SAINTE-COLOMBE

Ce fromage artisanal de Saint-Genix-sur-Guiers, en Savoie, doit se manger jeune. Sur la photographie, on constate que la croûte n'est pas encore développée. Sa pâte est jaune, riche, fine, homogène, de saveur acidulée.

❦ Vin de Savoie, Hautes-Côtes-de-Beaune

Savoie

Pasteurisé

RIGOTTE DE CONDRIEU

Fromage fermier, originaire du Lyonnais. La plupart des rigottes sont au lait de vache, mais celle-ci est pur chèvre. Elle est donc assez rare. Sa pâte est de consistance fine, robuste, dégageant un parfum délicat de miel et d'acacia.

♀ Condrieu

CARACTÉRISTIQUES
ESSENTIELLES

⊖ 4 cm de diamètre,
   1,5 à 3 cm d'épaisseur
⚖ 30 g
🌡 45 %
✓ Du printemps
   à l'automne
❐ Frais à 3 semaines

*Pâte tendre,
non pressée,
non cuite*

Croûte naturelle

Lyonnais

Cru, entier

**Rigotte blanche
(fraîche)**

RIGOTTE DES ALPES

Fromage industriel du Dauphiné au goût assez acide mais agréable. Il acquiert une saveur différente après un séjour de quelques jours dans le vin blanc. Il doit de toute façon se manger accompagné de vin, et on peut le poivrer légèrement.

♀ Crépy, Seyssel

CARACTÉRISTIQUES
ESSENTIELLES

⊖ 4 cm de diamètre,
   3,5 cm d'épaisseur
⚖ 50 g
🌡 45 %
✓ Toute l'année
❐ 10 jours minimum

*Pâte tendre,
non pressée,
non cuite*

*Croûte pratiquement
absente ; surface jaune
rougeâtre colorée au rocou*

Dauphiné
Lyonnais

Pasteurisé

*Pâte non pressée, non cuite ;
humide, molle, ivoire veiné de bleu ;
s'effrite sous le doigt*

CARACTÉRISTIQUES
ESSENTIELLES

- ⊖ 19 à 20 cm
  de diamètre,
  8,5 à 10,5 cm
  d'épaisseur
- ⚌ 2,5 à 2,9 kg
- ❖ 56 g minimum
  pour 100 g
- ⊡ 52 % min. ; 29,12 g
  min. pour 100 g
- ✓ Toute l'année

UN ASPECT VARIABLE
Les trois morceaux
de Roquefort
photographiés ici,
fournis par différents
producteurs,
illustrent bien la
disparité de couleur
et de texture dues à
de légères variations
dans le mode de
production.

ROQUEFORT (AOC)

Pline l'Ancien faisait allusion dans ses œuvres à un fromage comparable au Roquefort. En 1411 : le roi Charles VI accorde aux habitants de Roquefort, qui affinaient des fromages dans leurs caves depuis des siècles, le monopole de cette pratique. En 1925, le Roquefort fait l'objet de la première appellation d'origine contrôlée : les imitations ne tarderont pas à apparaître.

La protection légale

En 1961, le tribunal de grande instance de Millau statua que, si les fromages blancs pouvaient être fabriqués dans plusieurs régions du Midi de la France (voir carte), seuls ceux qui seraient affinés dans les caves naturelles du mont Combalou, dans la commune de Roquefort-sur-Soulzon, pourraient porter le nom de Roquefort. C'est ainsi que furent éliminées les diverses imitations et que le monopole moderne fut établi.

Aspect et saveur

Le Roquefort est, avec le stilton et le gorgonzola, l'un des trois plus grands bleus du monde. Dans son goût franc et puissant, le sel tranche sur la douceur du lait. Sa pâte suintante et friable se coupe avec une lame tiédie. Le fromage fond sous le palais, où il laisse une étonnante sensation combinant moisissure et salinité. Bien vieilli, il est extrêmement fort. Il accompagne à merveille la salade et les pâtes. Riche, épicé, il est meilleur en fin de repas, par exemple après un plat de gibier, accompagné d'un Sauternes. Essayez un Roquefort jeune sur du pain aux raisins ou aux noix, avec du Bandol ou du Muscat de Rivesaltes. Un Roquefort bien fait, veiné de gris-bleu, gagnera à être marié à un vin doux.

♀ Sauternes, Banyuls (VDN)

Provence, Corse
Pyrénées
Languedoc-
Roussillon

Cru,
entier

La fabrication et l'affinage

Aujourd'hui, on affine plus de 3,3 millions de fromages par an à Roquefort-sur-Saulzon. Il est, après le comté (p. 112), le fromage le plus consommé en France. La Société des Caves et des Producteurs Réunis assure à elle seule 60 % de la production. Fromage artisanal ou industriel : il n'en existe aucune version fermière. Tous les fromages portant le nom de Roquefort ont obligatoirement passé au moins trois mois dans l'une des caves naturelles figurant sur la liste de l'INAO. L'affinage dure normalement quatre mois, mais on le prolonge souvent jusqu'à neuf mois. Le fromage jeune est habité de moisissures vert pâle ; celles-ci bleuissent puis deviennent grises à mesure que le temps passe et que se forment de petits trous bleu-gris. Si le fromage séjourne trop longtemps en cave, les moisissures l'investissent presque entièrement.

SPÉCIFICATIONS DE L'AOC : ROQUEFORT

1. Le lait des brebis ne peut être employé dans les 20 jours qui suivent l'agnelage.

2. L'emprésurage doit avoir lieu au plus tard 48 heures après la dernière traite.

3. Les cultures de *penicillum roqueforti* doivent provenir de sources traditionnelles, à savoir les caves naturelles se trouvant dans une zone spécifique de la commune de Roquefort.

4. Le salage doit se faire au sel sec.

5. Les fabricants de fromage doivent tenir à la disposition des agents de contrôle un registre indiquant la quantité de lait livrée par les producteurs, ainsi que le poids et le nombre de fromages préparés chaque jour.

6. À partir du moment où les fromages arrivent en cave, toutes les opérations qu'ils subissent, y compris l'emballage, doivent se dérouler sur le territoire de la commune de Roquefort. Les locaux réfrigérés où séjournent les fromages avant la vente se trouvent également dans la commune.

TOUTES LES AOC ACCORDÉES EN 1979
(LOI DE 1925)

Fromage produit par la Société des Caves et des Producteurs Réunis

Affinage de dix jours

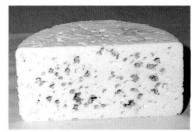
Affinage d'un mois

Affinage de trois mois

Affinage de six mois

COUPE DE LA MONTAGNE ET DE LA FORMATION DES CAVES
ⓐ sommet de la montagne avant érosion, il y a des millénaires ;
ⓑ ancienne falaise ; ⓒ fleurines ; ⓓ cavernes ; ⓔ éboulis ; ⓕ couches
boueuses qui assurent une humidité de 95 % dans les cavernes ;
ⓖ mont Combalou; ⓗ le Soulzon, qui coule à flanc de montagne.

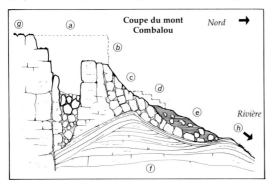

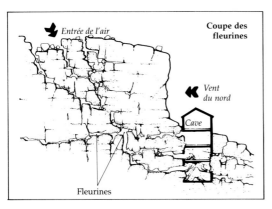

LES CAVES
Ce labyrinthe
souterrain a peu changé
depuis le XVIIᵉ siècle. Il
s'étend sur onze
niveaux. L'électricité a
été installée il y a une
centaine d'années. Un
courant d'air humide
balaye les caves dont
les parois rocheuses
sont froides et moites,
voire mouillées.

LES FLEURINES
Ce réseau complexe de
cheminées assure la
ventilation des caves.

Le berceau du Roquefort

Le Roquefort est né dans une
montagne crayeuse, le Combalou ou
Cambalou. Un peu aplatie au sommet,
la montagne s'élève lentement de
chaque côté, ce qui lui donne la forme
d'une selle. Le village, bâti aux deux
tiers dans la roche, est situé sur une
falaise du versant nord.

À la Préhistoire, l'érosion a
provoqué l'écroulement partiel de la
montagne. Cet accident géologique a
eu lieu à trois reprises ; la troisième
fois, une série de cavernes s'ouvrit au
milieu des débris. Des failles et des
fissures verticales y aboutissent et en
assurent la ventilation ; on les appelle
les « fleurines ». Ces cheminées
pouvant mesurer jusqu'à 100 m de
hauteur relient les caves à l'extérieur.
Ces dernières constituent un immense
entrepôt naturel où règnent en
permanence une température de 9 °C
et une hygrométrie de 95 %.

La température et la ventilation

L'hiver, lorsque la température
extérieure est basse, l'air relativement
chaud des caves est évacué par les
fleurines. Plus il y a de fromages dans
les caves, plus la température y est
élevée. L'été, la température extérieure
est supérieure à celle des caves. L'air
chaud du dehors fraîchit sur le versant
nord de la montagne et s'humidifie en
passant à travers des éboulis boueux,
avant d'être aspiré par l'appel d'air
des caves. Ainsi fonctionne ce système
complexe de ventilation naturelle.
Quant à la culture des moisissures,
elle se fait spontanément : de
minuscules particules de fromage
adhèrent aux parois des caves et se
couvrent de *penicillium roqueforti* et de
diverses levures. Lorsque le vent
souffle dans les fleurines, l'air se
charge de spores.
(D'après *Rocailleux royaume de
Roquefort*, de Robert Aussibal, 1985.)

Le *penicillium roqueforti*

Cette fameuse moisissure bleue ne se
trouve que dans les caves de
Roquefort. Elle vit dans le sol et a la
propriété de faire fermenter les
fromages. Pour la prélever, on
entrepose dans un courant d'air des

pains de seigle et de froment cuits spécialement à cet effet. Au bout de six à huit semaines, ils sont entièrement couverts de moisi, à l'intérieur comme à l'extérieur. On supprime alors la croûte et l'on fait sécher la mie. Les moisissures indésirables sont éliminées.

Huit jours après leur fabrication, les fromages blancs sont installés en cave et transpercés avec une aiguille. L'oxyde de carbone provoqué par la fermentation s'échappe de la pâte, remplacé par l'air des caves, chargé de spores. Les moisissures croissent alors plus ou moins uniformément dans le fromage. Quatre semaines après la mise en cave, celui-ci est enveloppé dans du papier d'aluminium afin de lui éviter tout contact avec l'air ambiant, qui pourrait provoquer le développement de moisissures parasites.

Les brebis de Roquefort

Selon une loi de 1925, le Roquefort ne peut se faire qu'au lait de brebis. Auparavant, l'emploi de lait de vache ou de chèvre en faible quantité était toléré. Il faut quatre litres et demi de lait pour faire un kilogramme de Roquefort. Les brebis sont de race Lacaune, Manechs ou basco-béarnaise ; on distingue également quatre races corses. Une bonne laitière donne environ 200 litres de lait en six ou sept mois, soit l'équivalent de 45 kg de Roquefort.

Au début du siècle, la demande de Roquefort augmenta brusquement ; on étendit alors la collecte du lait à des régions telles que les Pyrénées et la Corse. En 1930, les producteurs laitiers s'unirent aux fabricants de Roquefort pour fonder le « label de la brebis rouge ». Ainsi furent fixés des critères de qualité concernant le lait et le fourrage donné aux bêtes. La première trayeuse mécanique fit son apparition en 1932, portant de 20 à 40 le nombre de brebis que pouvait traire chaque jour une seule personne. Aujourd'hui, un seul ouvrier peut traire jusqu'à 300 brebis en une heure. Les conditions d'hygiène se sont notablement améliorées, le lait étant aujourd'hui automatiquement transféré dans des cuves.

La cave principale

Les brebis mangent pendant la traite, aujourd'hui automatisée

- ◒ 7 cm de diamètre,
  2 à 2,5 cm d'épaisseur
- ⚖ 80 g minimum
- ♣ 50 g minimum pour 100 g
- ♉ 40 % min. ; 20 g min. pour 100 g
- ✓ Toute l'année
- ❐ 2 à 6 semaines

SAINT-MARCELLIN

Petit fromage du Dauphiné, doux, acide et salé. En vieillissant, il se dessèche et son goût de noisette s'épanouit. Il est souvent fabriqué au lait de vache, mais il s'agissait à l'origine d'un fromage de chèvre. La production est fermière, artisanale ou industrielle.

❢ Côtes-de-Ventoux, Gigondas, Châteauneuf-du-Pape

Croûte naturelle

Pâte tendre, non pressée, non cuite

Cru ou pasteurisé

Dauphiné

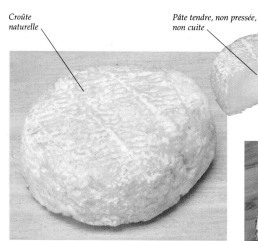

Saint-Marcellin fait à cœur

Saint-Marcellin sec ; son goût est robuste et riche

Saint-Marcellin frais

Fromage à point, de saveur bien développée

Ripe Saint-Marcellin

Brin de raphia servant à attacher plusieurs fromages ensemble

PITCHOU

Cette spécialité fromagère se prépare en laissant mariner des saint-marcellins dans de l'huile aromatisée aux pépins de raisin et généreusement additionnée d'herbes de Provence. Le fromage acquiert un goût fort et salé, avec une pointe d'acidité. Il est alors particulièrement bon avec du pain.

♈ Côtes-du-Rhône

 Dauphiné

 Pasteurisé

Saint-Marcellin jeune

Pitchou

CARACTÉRISTIQUES ESSENTIELLES

- ♋ Vendu en bocal
- ◻ 50 %
- ⌁ Toute l'année

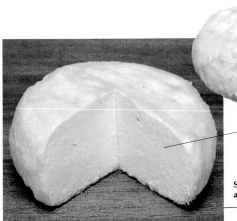

Croûte naturelle couleur jaune d'or

Pâte fine d'un blanc pur

Saint-Marcellin au lait de chèvre

Croûte naturelle couverte de moisissures blanches,
jaunes ou rouges, selon le degré d'affinage

Pâte mi-dure,
pressée, non cuite

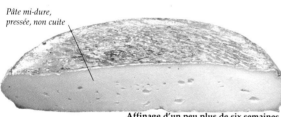

Affinage d'un peu plus de six semaines

CARACTÉRISTIQUES ESSENTIELLES

- ○ 21 cm de diamètre, 5 cm d'épaisseur
- ⚖ 1,7 kg environ
- ○ Petit Saint-Nectaire : 13 cm de diamètre, 3,5 cm d'épaisseur
- ⚖ 600 g
- ⦙ 52 g minimum pour 100 g de fromage fait, 48 g minimum pour 100 g de fromage blanc
- ▭ 45 % minimum ; 23,4 g minimum pour 100 g
- ✓ Meilleur en été (fermier) ; toute l'année (industriel)
- ▢ 6 à 8 semaines

ESTAMPILLE DE QUALITÉ
Étiquette en caséine d'un
Saint-Nectaire fermier,
portant le numéro du
département (63), le code du
fabricant (RG) et celui de la
commune de production (Y).

SAINT-NECTAIRE (AOC)

Comme le Cantal (p. 68) et le salers (p. 70), ce fromage auvergnat a été introduit à la table de Louis XIV par le maréchal de Sennecterre. C'est un fromage dont la croûte d'un gris rougeâtre est parsemée de moisissures blanches, jaunes et rouille. La pâte est souple, de consistance soyeuse, lourde sur la langue et résistante sous la dent. Elle fond dans la bouche et révèle une acidité légère, ainsi qu'un goût de sel bien dissous, de noix, de cuivre, d'épices et de lait.

Qualité du sol, de l'herbe et du riche lait cru des vaches de race Salers : tels sont les facteurs qui contribuent à créer ce goût complexe. Le Saint-Nectaire au lait pasteurisé ne possède pas cette combinaison de saveurs. Il faut déguster ce fromage quand il est parfaitement à cœur ; l'affinage ne doit pas être inférieur à six semaines afin de lui permettre de développer pleinement son goût et son parfum.

L'une des caractéristiques du Saint-Nectaire est qu'il dégage une odeur très particulière de vieille cave humide, de paille de seigle (sur laquelle il est affiné), et de moisi.

❢ Saint-Estèphe

SPÉCIFICATIONS DE L'AOC : SAINT-NECTAIRE
1. Les fromages blancs peuvent être congelés en attendant d'être envoyés à la cave d'affinage. Ils doivent être dégelés à moins de 12 °C.
2. La croûte peut être colorée au moyen des produits : E153, E160, E172, E180.
3. Pour les fromages fermiers, l'étiquette de caséine verte, de forme ovale, indique le lieu de production et le matricule de la ferme. Les fromages industriels portent une étiquette carrée.
4. Tous les affineurs de Saint-Nectaire doivent être déclarés auprès d'une commission de contrôle.

AOC DÉLIVRÉE EN 1979

Auvergne

Cru ou
pasteurisé

LA FABRICATION DU SAINT-NECTAIRE

Le Saint-Nectaire, fromage fermier, laitier ou industriel d'Auvergne, est vieilli et affiné dans des zones déterminées du Cantal et du Puy-de-Dôme à une température de 6 à 12 ℃, dans une atmosphère contenant presque 100 % d'humidité. La fabrication commence immédiatement après la traite du matin et du soir. Il faut 15 litres de lait pour un Saint-Nectaire.

Affinage d'une semaine

Le caillage
Le lait est chauffé de 31 à 33 ℃. Après l'emprésurage, il repose environ une heure. La température de chauffe et la durée de la période de repos dépendent du temps qu'il fait et de la quantité de lait mise en œuvre. Le caillé est travaillé pour en extraire le petit-lait. Enfin, le caillé est rassemblé en un gros bloc nommé tomme.

Affinage d'un mois à peine

Le moulage et le pressage
La tomme est découpée en cubes de 2 cm de côté que l'on fait entrer en force (à la main) dans un moule. On empile cinq ou six moules que l'on place sous presse. Le petit-lait qui s'écoule est jeté. Les fromages sont ensuite démoulés et reçoivent leur étiquette de caséine. Ils sont alors salés, remis dans leur moule, pressés douze heures, retournés à nouveau et remis douze heures sous presse. Enfin, ils sont démoulés et mis à sécher dans un local de 9 à 12 ℃, où ils passent les deux ou trois jours suivants.

L'affinage
Les fromages passent ensuite dans la cave d'affinage, où règnent une température de 9 à 11 ℃ et une humidité de 90 à 95 %. Ils sont déposés sur un lit de paille de seigle et, au bout de deux ou trois jours, lavés en saumure. Ils seront lavés une deuxième fois huit jours plus tard. Au bout de deux ou trois semaines, les Saint-Nectaires sont expédiés à un affineur qui se chargera de les faire vieillir. L'affinage se déroule en totalité à la ferme que dans 5 % des cas.

Il faut compter un minimum de trois à huit semaines d'affinage pour que le fromage se pigmente de moisissures rouges ou jaunes.

Affinage de dix semaines sur lit de paille

Moisissures blanches, jaunes et rouges

Saint-Nectaire fermier

Pâte mi-dure, pressée, non cuite

SAINT-PAULIN

Il s'agit de l'un des nombreux fromages inspirés du Port-du-Salut (p. 173). Autrefois fabriqué exclusivement dans des monastères, le saint-paulin est aujourd'hui produit en deux tailles par des laiteries artisanales et industrielles de Bretagne et du Maine. Vers 1930, le saint-paulin devint le premier fromage au lait pasteurisé. La production au lait cru, comme celui ci-contre, ne fut lancée que vers 1990. Sa croûte est fine et humide, sa pâte tendre, d'un goût discret et délicatement salé.

❢ Bordeaux, jeune et fruité

CARACTÉRISTIQUES ESSENTIELLES

- ◒ 20 cm de diamètre, 4 à 6 cm d'épaisseur (grand modèle) ; 8 à 13 cm de diamètre, 3 à 4,5 cm d'épaisseur (petit modèle)
- ⚖ 1,8 à 2 kg (grand modèle) ; 500 g à 1,5 kg (petit modèle)
- ⁂ 44 g min. pour 100 g
- ▷ 40% min. ; 17,6 g pour 100 g
- ✓ Toute l'année ; ◻ 2 à 3 semaines

Croûte lavée

 Toute la France, surtout la Bretagne et le Maine

 Pasteurisé

SAINT-WINOC

Pâte mi-dure légèrement élastique, pressée, non cuite

Le nom de ce fromage fermier est celui d'une abbaye du nord de la France où il était jadis fabriqué. De nos jours, Mme Degraeve est probablement la seule à en assurer la production. C'est un fromage dont la croûte lavée à la bière est légèrement humide et dont la pâte est souple au toucher. Le fromage ci-contre est extrêmement jeune. S'il était affiné plus avant, son goût et son odeur seraient nettement plus agressifs, ce qui est typique des fromages lavés à la bière.

⛃ Bière locale, ♈ Crémant d'Alsace

CARACTÉRISTIQUES ESSENTIELLES

- ◒ 9 à 11 cm de diamètre, 4 cm d'épaisseur
- ⚖ 300 à 350 g
- ▷ Variable
- ✓ Toute l'année
- ◻ 3 semaines minimum

Croûte lavée orange clair

 Flandre

 Cru, écrémé

SOUMAINTRAIN

Ce fromage fermier, artisanal ou industriel de Bourgogne possède une pâte légère et onctueuse qui se déguste généralement jeune. La méthode d'affinage est la même que celle de l'Époisses (p. 133) et du Langres (p. 151) ; il faut compter six à huit semaines, au cours desquelles le fromage est lavé en saumure.

❑ Marc de Bourgogne

Vieilli 7 à 8 semaines

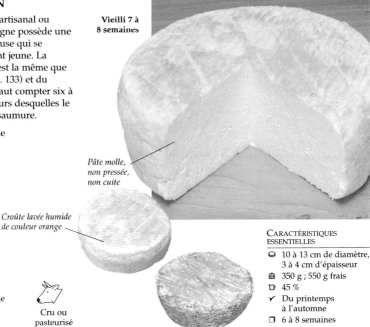

Pâte molle, non pressée, non cuite

Croûte lavée humide de couleur orange

Bourgogne

Cru ou pasteurisé

CARACTÉRISTIQUES
ESSENTIELLES

- ◔ 10 à 13 cm de diamètre, 3 à 4 cm d'épaisseur
- ⚖ 350 g ; 550 g frais
- ⅅ 45 %
- ✓ Du printemps à l'automne
- ❐ 6 à 8 semaines

TAMIÉ

L'abbaye de Tamié, dans les Bauges (Préalpes), fut fondée en 1131. Aujourd'hui, les moines trappistes fabriquent toujours leur fromage, qu'ils enveloppent de papier bleu frappé d'une croix de Malte blanche. C'est une pâte assez douce, de la famille du Reblochon (p. 175). La production est exclusivement artisanale; durant l'affinage, les fromages sont lavés en saumure deux fois par semaine.

Ɏ Roussette de Savoie

Pâte mi-dure, pressée, non cuite

Savoie

Cru, entier

Croûte lavée humide de couleur rosée

CARACTÉRISTIQUES
ESSENTIELLES

- ◔ 18 à 20 cm de diamètre, 4 à 5 cm d'épaisseur
- ⚖ 1,3 kg
- ⅅ 50 %
- ✓ Toute l'année
- ❐ 1 mois minimum

Tomme

Les fromages de petite taille fabriqués à la ferme sont souvent nommés tommes ou tomes. Ce terme dérive probablement du grec *tomos* ou du latin *tomus*, signifiant part, portion. Toutes les tommes nécessitent une faible quantité de lait et ne se conservent pas longtemps, mais elles se vendent bien. Elles peuvent être fabriquées avec du lait de vache, de chèvre ou de brebis; ou encore avec un lait de mélange. De dimensions modestes, elles sont le plus souvent rondes. La pâte peut être pressée mais non cuite ; elle est donc souple, ou molle et fraîche comme celle de l'aligot (p. 74). La plus connue des tommes est certainement la tomme de Savoie au lait de vache. Il existe également, en Savoie et dans les Pyrénées, des tommes de chèvre. Dans les pages qui suivent, vous trouverez la description d'une série de tommes provenant de diverses régions.

Tomme de Savoie

Le nom « tomme de Savoie » n'est qu'un terme générique. On dit qu'il existe autant de tommes de Savoie que de vallées et de montagnes. Toutes ont une croûte grise et dure tachetée de moisissures jaunes ou rouges. La pâte est collante, elle exhale une odeur de cave et de moisi, mais son goût est doux et délicat. Les tommes de montagne sont pressées afin d'en éliminer le plus d'eau possible et de leur assurer une meilleure conservation. Cette opération a aussi pour résultat d'affermir la pâte, de la rendre dure et élastique et d'y faire naître de petits trous.

Quand le lait n'est pas assez abondant pour faire un grand fromage comme le Beaufort (p. 26), on fait de la tomme. Le lait est écrémé et transformé en fromage ; la crème sert à faire du beurre. C'est pour cette raison que les tommes sont plutôt pauvres en matières grasses (entre 20 et 40 %) ; mais l'on trouve des tommes au lait entier. La tomme de Savoie est protégée par une garantie régionale de qualité, le « label Savoie », matérialisé par une étiquette portant quatre cœurs rouges. L'attribution d'une AOC est actuellement à l'étude.

Tomme de Savoie

TOMME DE SAVOIE

Les fromages ci-contre sont tous des tommes de Savoie. La production est fermière (parfois en chalet d'alpage), artisanale, laitière ou industrielle. Presque toutes sont pauvres en matières grasses ; il existe même une tomme maigre, dont la teneur en matières grasses n'excède pas 5 %. La vieille tomme photographiée ci-dessous a reçu un affinage très prolongé. Sa croûte et sa pâte sont truffées de trous.

En plus des fromages présentés ici, il faut signaler la tomme « label Savoie » (voir tomme de Lullin, pp. 194-195), produite suivant des règles aussi strictes et précises que celles d'une AOC proprement dite. L'affinage de ce fromage dure au moins six semaines.

❢ Vin de Savoie,
Hautes-Côtes-de-Beaune

Tomme de Savoie maigre : 5 % de matières grasses

Croûte naturelle dure, sèche, de couleur grise tachée de rouge et de jaune

Tomme de Savoie maigre : 30 % de matières grasses

Pâte mi-dure, pressée, non cuite

CARACTÉRISTIQUES
ESSENTIELLES

- ◯ 18 à 30 cm de diamètre, 5 à 8 cm d'épaisseur
- ⚖ 1,5 à 3 kg
- ▢ 40 % min.
- ↡ Toute l'année (au lait pasteurisé) ; fin du printemps (au lait cru) ; de l'été à l'hiver (fromage d'alpage)
- ❐ 1 mois minimum

Vieille Tomme à la pièce

Savoie

Cru ou pasteurisé

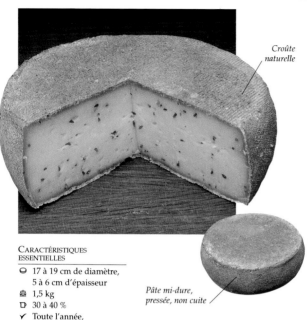

TOMME DE SAVOIE AU CUMIN

Croûte naturelle

La pâte de ce fromage, légèrement poisseuse, renferme des graines de cumin ; que l'on trouve à l'état sauvage dans les Alpes. La toile dans laquelle la tomme était enveloppée pour le pressage a laissé des marques sur la croûte. Le fromage ci-contre est affiné à souhait. La production est fermière ou artisanale.

Ϙ Condrieu

Pâte mi-dure, pressée, non cuite

CARACTÉRISTIQUES ESSENTIELLES

- ⊖ 17 à 19 cm de diamètre, 5 à 6 cm d'épaisseur
- ⚖ 1,5 kg
- ⊓ 30 à 40 %
- ✓ Toute l'année, selon l'affinage
- ⊓ 3 à 4 mois

Savoie

Cru ou pasteurisé

TOME D'ALPAGE DE LA VANOISE

Croûte naturelle ou lavée

Les moisissures naturelles rouges, jaune clair et gris violacé qui ornent la croûte de ce fromage rappellent les couleurs d'un pré de fleurs sauvages. Une telle variété est due au niveau élevé de bêtacarotène contenu dans le lait des vaches qui paissent dans les alpages de la Vanoise. Ce fromage fermier de saveur raffinée mais puissante est fabriqué l'été en chalet.

Ϙ Crozes-Hermitage

Pâte mi-dure, pressée, non cuite

CARACTÉRISTIQUES ESSENTIELLES

- ⊖ 17 à 18 cm de diamètre, 5 à 6 cm d'épaisseur
- ⚖ 2 kg
- ⊓ 45 %
- ✓ De la fin de l'été à l'hiver
- ⊓ 2 à 3 mois

Savoie

Cru, entier

TOMME GRASSE FERMIÈRE DES BAUGES

Le fromage fermier ci-contre est au lait entier et a été vieilli trois mois. Il possède une croûte épaisse et une pâte forte.

♈ Hermitage

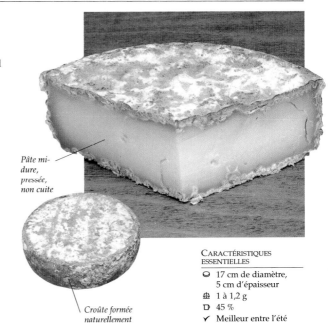

Pâte mi-dure, pressée, non cuite

Croûte formée naturellement

Savoie

Cru, entier

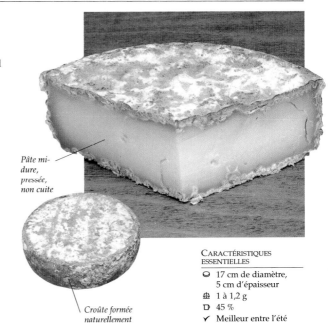

CARACTÉRISTIQUES ESSENTIELLES

- ◯ 17 cm de diamètre, 5 cm d'épaisseur
- ⚖ 1 à 1,2 g
- 🌡 45 %
- ✓ Meilleur entre l'été et l'hiver
- ⬜ 40 jours à 3 mois

TOMME DU FAUCIGNY

Le Faucigny est une région alpine frontalière de la Suisse. La tomme du Faucigny a une croûte marron tirant sur le rouge couverte de moisissures naturelles grises et blanches. La pâte, jaune à maturation, est percée de petits trous et cède sous la pression du doigt.

♈ Côtes-du-Jura

Pâte mi-dure, pressée, non cuite

Croûte naturelle

Savoie

Cru

CARACTÉRISTIQUES ESSENTIELLES

- ◯ 18 à 20 cm de diamètre, 5 à 6 cm d'épaisseur
- ⚖ 1,5 kg
- 🌡 40 %
- ✓ Toute l'année
- ⬜ 4 à 5 mois

TOMME DE LA FRASSE FERMIÈRE

Fromage, originaire de Cluses, localité du Faucigny. Il a une croûte solide, couverte de taches rouges et blanches. La pâte est ferme, percée de trous bien répartis, mais souple au palais. Son goût est aigrelet. La richesse du lait employé étant variable, la teneur en matières grasses du fromage est indéterminée.

♀ Crépy

CARACTÉRISTIQUES
ESSENTIELLES

Pâte mi-dure, pressée, non cuite

- ◒ 18 à 20 cm de diamètre, 7 cm d'épaisseur
- ⚖ 2 kg
- ⟁ Variable
- ✔ Toute l'année, surtout de l'été à l'hiver
- ❒ 4 à 6 mois

Croûte naturelle

 Savoie

Cru

TOMME GRISE DE SEYSSEL

Pâte mi-dure, pressée, non cuite

Tomme artisanale produite à Seyssel, sur le Rhône. Le fromage ci-contre pèse 1,6 kg, ce qui est assez gros pour une tomme. Il est encore jeune, mais à l'odeur marquante. La moisissure grise qui le recouvre est dénommée « poils de chat ». Pendant l'affinage, le fromage est frotté à la main afin que cette toison se couche peu à peu pour former une croûte de plus en plus dure et épaisse.

♀ Saint-Péray

CARACTÉRISTIQUES
ESSENTIELLES

- ◒ 20 cm de diamètre, 6 à 7 cm d'épaisseur
- ⚖ 1,6 kg
- ⟁ 40 %
- ✔ Toute l'année
- ❒ 2 à 6 mois

La croûte se forme naturellement pendant l'affinage

 Savoie

 Cru

TOMME FERMIÈRE DES LINDARETS

Le village des Lindarets, perché à 1 500 m, est proche de la frontière suisse. La croûte sèche et brune du fromage, qui paraît presque brûlée, est parsemée de moisissures blanches. Sa surface est rugueuse, irrégulière. La pâte, entièrement percée de petits trous, n'est ni trop sèche ni trop salée. Sa saveur s'épanouit au fur et à mesure de sa dégustation.

𝒴 Châteauneuf-du-Pape

Pâte mi-dure, pressée, non cuite

Savoie

Cru

Croûte naturelle

CARACTÉRISTIQUES ESSENTIELLES

- ⊖ 17 à 19 cm de diamètre, 6 cm d'épaisseur
- ⚖ 1,5 kg
- 🜊 Variable
- ✔ Du printemps à l'automne
- ⊓ 6 à 8 mois

TOMME AU MARC DE RAISIN

Ce fromage fermier est une tomme vieillie et, fortement aromatisée, car ayant séjourné un mois dans un récipient hermétique contenant du marc de raisin. La reprise de la fermentation rend la pâte du fromage plus compacte et plus collante. Le goût du marc, lui, imprègne le fromage jusqu'au cœur.

◻ Marc de Savoie

Pâte mi-dure, pressée, non cuite

Savoie

Cru

La croûte est couverte de marc de raisin

CARACTÉRISTIQUES ESSENTIELLES

- ⊖ 19 à 21 cm de diamètre, 5 à 6 cm d'épaisseur
- ⚖ 1,7 kg
- 🜊 40 %
- ✔ De la fin de l'automne à l'hiver

CARACTÉRISTIQUES ESSENTIELLES

- 18 cm de diamètre, 5 à 8 cm d'épaisseur
- 1,2 à 2 kg
- 40 % min., 20 g pour 100 g
- Toute l'année

Croûte naturelle

Pâte mi-dure, pressée, non cuite

TOMME DE LULLIN

Le village de Lullin, où cette tomme est fabriquée en laiterie coopérative, est situé dans les Alpes. La tomme de Lullin porte le « label Savoie » (voir p. 189), garantie régionale de qualité délivrée par l'Association Marque Collective Savoie. La production du lait, la qualité de la présure et du fourrage, la taille et le poids des fromages, la durée de l'affinage, sont régis par des règles précises. Ce label s'applique également à d'autres produits savoyards : jambons, saucisses, fruits.

Cette tomme possède une pâte molle, de saveur modérée, entièrement percée de petits trous. Elle est épaisse mais fondante en bouche.

🍷 Côtes-du-Rhône

LA FABRICATION DE LA TOMME DE LULLIN

Une quinzaine de fermes sont établies sur le territoire de production ; elles partagent les services d'un fromager qui fabrique à la fois de l'Abondance (p. 20) et de la tomme. Pour une tomme de 1,5 kg, 15 kg de lait de vache sont nécessaires. Pour l'Abondance, qui est beaucoup plus grand, il faut 103 kg (100 litres) de lait pour 9,5 kg de fromage.

Le caillage
Le lait du matin est chauffé à 33 °C et emprésuré. Le caillé est coupé puis mélangé, tout en étant chauffé à 37 °C. Au bout de 30 minutes, il devient granuleux et caoutchouteux.

Le moulage
Le caillé est versé dans des moules garnis de toile. Lorsque le petit-lait s'est égoutté, les fromages sont démoulés et retournés, les toiles ôtées des moules et remplacées par des filets de plastique. On y dépose également une étiquette de caséine précisant la teneur en matières grasses, le numéro du département et le lieu de production. Les fromages sont ensuite remis dans les moules ainsi préparés.

Savoie

Cru

APRÈS 48 HEURES
Le fromage encore frais ne porte nulle trace de moisissure.

SEPT OU HUIT JOURS PLUS TARD
Une moisissure caractéristique, les « poils de chat », apparaît. Elle sera éliminée par brossage.

20 JOURS PLUS TARD
Les « poils de chat » sont souples, ils commencent à raccourcir et deviennent gris.

APRÈS QUATRE SEMAINES D'AFFINAGE
La croûte grise commence à se former.

Le pressage et le salage

Les moules sont empilés, créant une légère pression qui favorise l'égouttage des fromages. Environ dix heures après le caillage, ceux-ci sont démoulés et placés dans un bain de saumure pour 24 heures.

L'affinage

Au total, l'affinage dure au moins un mois et demi. Après le salage, les fromages sont entreposés à une température de 10 à 12 °C dans une cave de 90 à 95 % d'humidité. Sept ou huit jours plus tard, le fromage se couvre d'une couche de moisissure ressemblant à des poils de chat. Quand on la brosse, cette fine toison poudreuse répand des spores dans l'atmosphère. Typique des tommes de Savoie, elle est également appelée « tomme grise ». Elle a toujours le goût de son terroir, ce qui explique pourquoi les zones de production et d'affinage sont si précisément définies. Des fromages provenant d'autres régions sont même envoyés en Savoie pour y être ainsi affinés. Au bout de quatre semaines, les tommes partent chez l'affineur ou chez le fromager, qui se chargera de leur vieillissement.

LE MOULAGE
Le caillé est réparti dans des moules garnis d'une toile.

LE RETOURNAGE
Les fromages sont vivement retournés à la main

Pâte mi-dure, pressée, non cuite

TOME DE MÉNAGE / BOUDANE

L'expression « de ménage » convient à merveille à ce fromage fermier. Quant à « boudane », c'est l'équivalent savoyard du mot tome. Le fromage photographié ici a reçu un affinage de quatre mois ; il est vieilli à point et exhale une senteur de cave. Sa pâte jaune d'œuf a une bonne consistance, solide et grasse.

Ᵽ Saint-Joseph

CARACTÉRISTIQUES ESSENTIELLES

- ⊖ 30 cm de diamètre, 5 à 6 cm d'épaisseur
- ⚖ 3,5 à 4 kg
- ⏱ 45 %
- ✔ Meilleur en automne
- ⊡ 2 à 3 mois

Croûte naturelle

Affinage de quatre mois

Savoie
Haute-
Tarentaise

Cru

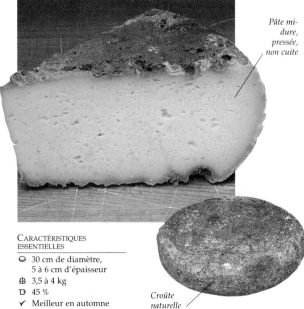

Pâte mi-dure, pressée, non cuite

TOMME DU MONT-CENIS

Ce fromage fermier provient des environs du Mont-Cenis, près de la frontière italienne. Sa pâte est entièrement percée de petits trous ; humide, souple et agréablement collante au palais. Sa saveur douce est peut-être dûe aux fleurs alpines broutées par les vaches.

Il a l'aspect typique des tommes de Savoie : sa croûte est parsemée de moisissures grises, brunes et rouges. Il a été fabriqué en septembre, juste avant le retour des troupeaux vers la vallée. C'est donc un fromage d'alpage de fin de saison.

Ᵽ Saint-Joseph

CARACTÉRISTIQUES ESSENTIELLES

- ⊖ 30 cm de diamètre, 5 à 6 cm d'épaisseur
- ⚖ 3,5 à 4 kg
- ⏱ 45 %
- ✔ Meilleur en automne
- ⊡ 3 mois minimum

Croûte naturelle

Savoie

Cru

TOMME DE THÔNES

Ce fromage fermier provient du village de Thônes, dans la chaîne des Aravis. Sa croûte brunâtre est dure et couverte de moisissures blanches. Sa pâte est souple et jaune.

Ƴ Vin de pays d'Ardèche

Affinage de 12 semaines

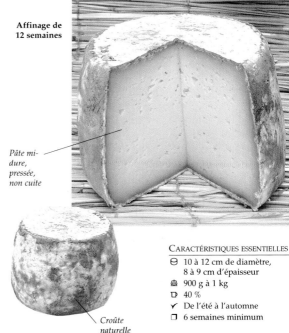

Pâte mi-dure, pressée, non cuite

Savoie
Chaîne des
Aravis

Cru

Croûte naturelle

CARACTÉRISTIQUES ESSENTIELLES

- ⊖ 10 à 12 cm de diamètre, 8 à 9 cm d'épaisseur
- ⚖ 900 g à 1 kg
- ⅅ 40 %
- ⌄ De l'été à l'automne
- ⌑ 6 semaines minimum

Tomme de Chèvre de Savoie

TOMME DE CHÈVRE, BELLEVILLE

Chèvre de montagne produit dans la vallée de Belleville, dans la Tarentaise. C'est un fromage fermier dont la pâte pressée, épaisse et caoutchouteuse, est percée de trous. Celui que l'on voit ci-contre a été fabriqué en septembre et a séjourné quatorze semaines en cave, ce qui correspond à la période d'affinage habituelle. La meilleure saison pour l'achat et la dégustation est l'automne.

Ƴ Condrieu, Château-Grillet

Pâte mi-dure, pressée, non cuite

Croûte naturelle

Savoie

Cru

CARACTÉRISTIQUES ESSENTIELLES

- ⊖ 17 cm de diamètre, 7 cm d'épaisseur
- ⚖ 1,6 à 1,8 kg
- ⅅ 45 %
- ⌄ Toute l'année ; meilleur en automne

197

Pâte mi-dure, pressée, non cuite

TOMME DE CHÈVRE D'ALPAGE, MORZINE

Morzine est une station de sports d'hiver renommée, située à 10 km de la Suisse. Les pâturages d'été de la région sont excellents et ont fait la réputation des tommes de vache et de chèvre qui en sont issues.

Le fromage ci-contre est une tomme d'alpage fabriquée en chalet. Il a une croûte sèche couverte de moisissures grises et bleu pâle, mouchetée de rouge. Jeune, il a un parfum léger de fleurs qui s'affirme avec l'âge.

℣ Vin de Savoie,
Bourgogne aligoté

Croûte naturelle

CARACTÉRISTIQUES ESSENTIELLES
- ⬭ 19 cm de diamètre, 6 à 7 cm d'épaisseur
- ⚖ 1,8 à 2 kg
- ⏁ 45 %
- ✓ Meilleur en automne
- ❐ 2 mois à 1 an

Savoie

Cru

Pâte mi-dure, pressée, non cuite

TOMME DE CHÈVRE, VALLÉE DE MORZINE

Voici un autre fromage fermier tiré du lait des chèvres paissant dans les alpages de Morzine. Il a une croûte brun rouge, humide et souple, et une pâte jaune assez lourde qui colle au couteau. Au palais, la pâte est fondante et possède un arrière-goût puissant. Le fromage est lavé durant l'affinage.

℣ Graves sec,
Vin de pays rouge ou blanc

Croûte lavée humide

CARACTÉRISTIQUES ESSENTIELLES
- ⬭ 18 à 20 cm de diamètre, 4 cm d'épaisseur
- ⚖ 1 à 1,3 kg
- ⏁ 45 %
- ✓ Du printemps à l'automne
- ❐ 1 à 2 mois

Savoie

Cru

Tomme de Chèvre, Vallée de Novel

Ce fromage fermier vient des environs de Novel, localité proche du lac Léman.

C'est un produit séduisant, d'aspect humide, avec une pâte ferme jaune clair qui résiste un peu à la coupe. Cette tomme, très différente des fromages de chèvre de la Loire (p. 78), dégage une odeur de cave.

🍷 Vin de Savoie

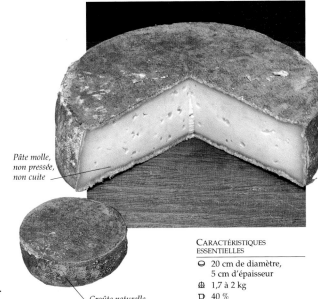

Pâte molle, non pressée, non cuite

Croûte naturelle

Savoie

Cru

CARACTÉRISTIQUES ESSENTIELLES

- ⊖ 20 cm de diamètre, 5 cm d'épaisseur
- ⚖ 1,7 à 2 kg
- 🌡 40 %
- ✔ De l'automne à l'hiver
- 🕒 4 à 5 mois

Tomme de Courchevel

Cette tomme fermière au lait de chèvre est fabriquée dans les chalets qui entourent Courchevel. L'hiver, site olympique bien connu, pendant l'été, les pentes herbeuses constituent un terrain idéal pour les chèvres.

Ce fromage cache sous une croûte dure une pâte tendre à la saveur riche.

🍷 Condrieu

Pâte mi-dure, pressée, non cuite

Croûte naturelle

Savoie

Cru

CARACTÉRISTIQUES ESSENTIELLES

- ⊖ 20 à 25 cm de diamètre, 5 à 7 cm d'épaisseur
- ⚖ 1,5 à 2 kg
- 🌡 45 %
- ✔ De l'été à l'hiver
- 🕒 2 mois environ

Pâte mi-dure d'un jaune gris, pressée, non cuite

TOME MI-CHÈVRE DU LÈCHERON

Fermier, qui porte le nom d'une montagne des Alpes, fabriqué en chalet dans le massif de la Vanoise. Selon un décret de 1988, un fromage mi-chèvre doit comporter 50 % de lait de chèvre. Cette proportion est complétée de lait de vache, qui en adoucit le goût.

Le fromage ci-contre a été lavé en saumure au début de son affinage, mais quatre ou cinq mois plus tard sa croûte est parfaitement sèche.

♀ Crépy

CARACTÉRISTIQUES
ESSENTIELLES

Croûte lavée sèche de couleur blanche, brune et orange

◒ 20 à 24 cm de diamètre, 4 à 5 cm d'épaisseur
⚖ 2 kg
🗔 45 %
✔ De l'été à l'automne

Affinage de 4 ou 5 mois

 Savoie

 Cru

TOMMETTE MI-CHÈVRE DES BAUGES

La croûte de ce fromage fermier est sèche et dure, tandis que la pâte est légèrement humide, molle et onctueuse. Il est fabriqué dans le Massif des Bauges en Savoie.

♀ Crépy

Pâte mi-dure, pressée, non cuite

CARACTÉRISTIQUES
ESSENTIELLES

◒ 10 à 11 cm de diamètre, 5 cm d'épaisseur
⚖ 400 g
🗔 45 %
✔ Meilleur en automne
🗔 2 à 3 mois

Croûte naturelle d'un gris brunâtre

 Savoie

 Cru

Tome et Tomme

TOMME D'ARLES

Ce fromage fermier était jadis fabriqué à Montlaux, dans les Alpes-de-Haute-Provence. Après une période d'extinction complète, la production a été reprise en 1988 par deux femmes, qui emploient le lait de leurs 60 brebis. Leur tomme a une pâte tendre et blanche, à peine vieillie, de saveur distincte.

Ⴑ Cassis, Palette

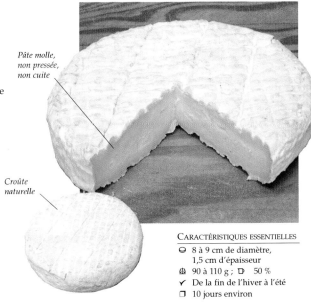

Pâte molle, non pressée, non cuite

Croûte naturelle

Provence

Cru

CARACTÉRISTIQUES ESSENTIELLES
- ⊖ 8 à 9 cm de diamètre, 1,5 cm d'épaisseur
- 90 à 110 g ; 50 %
- ✓ De la fin de l'hiver à l'été
- ❏ 10 jours environ

TOMME DE L'AVEYRON

Ce fromage fermier vient des hauts plateaux du Larzac, dans le département de l'Aveyron, d'où son nom. La pâte est de couleur ivoire, humide, percée de trous minuscules. Elle est très légèrement acide et son goût est assez prononcé. Sa teneur en matières grasses de 20 % en fait un produit idéal pour ceux qui doivent surveiller leur ligne.

❢ Cahors

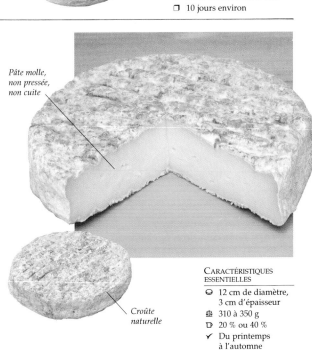

Pâte molle, non pressée, non cuite

Croûte naturelle

Rouergue Causse de Larzac

Cru

CARACTÉRISTIQUES ESSENTIELLES
- ⊖ 12 cm de diamètre, 3 cm d'épaisseur
- 310 à 350 g
- 20 % ou 40 %
- ✓ Du printemps à l'automne
- ❏ 1 à 3 mois et demi

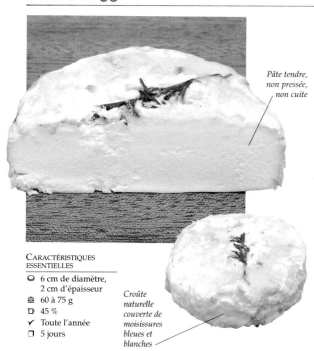

TOME DE BANON

Fromage artisanal fabriqué à Banon, en Provence, à croûte dorée sur laquelle fleurissent des moisissures bleues et blanches. Le brin de sarriette posé sur le dessus est décoratif. La pâte du fromage est de consistance fine ; elle exhale une odeur de lait de chèvre parfumé aux herbes.

♟ Cassis

Pâte tendre, non pressée, non cuite

CARACTÉRISTIQUES ESSENTIELLES

- ◯ 6 cm de diamètre, 2 cm d'épaisseur
- ⚖ 60 à 75 g
- ⏲ 45 %
- ✓ Toute l'année
- ❐ 5 jours

Croûte naturelle couverte de moisissures bleues et blanches

Provence

Cru

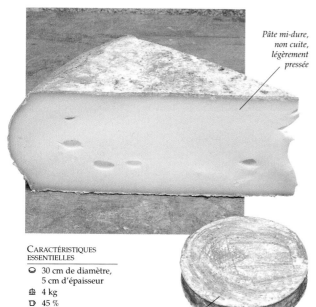

TOMME DU BOUGNAT

Interrogé sur la provenance de ce fromage, le fromager n'a consenti à révéler que ceci : « Il vient des monts d'Auvergne. » Le nom du fabricant et le lieu de production semblent être des secrets commerciaux.

Sa pâte jaune pâle est fraîche au palais et possède une saveur concentrée. La fabrication est artisanale.

♟ Saint-Pourçain

Pâte mi-dure, non cuite, légèrement pressée

CARACTÉRISTIQUES ESSENTIELLES

- ◯ 30 cm de diamètre, 5 cm d'épaisseur
- ⚖ 4 kg
- ⏲ 45 %
- ✓ Toute l'année
- ❐ 2 mois

Croûte naturelle

Auvergne

Cru

TOMME CAPRA

Un chèvre tout simple, originaire du village de Saint-Bardou, dans la Drôme. Son nom vient de l'italien *capra*, qui signifie chèvre. La croûte est fine, la pâte ferme, même quand elle est fraîche. Elle exhale un goût léger de lait de chèvre. Ce fromage fermier est fabriqué par F. Pozin.

♉ Saint-Joseph

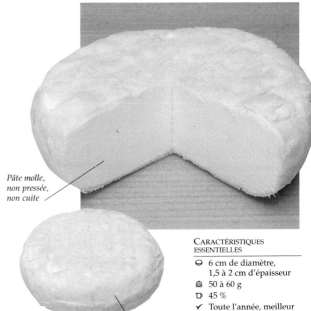

Pâte molle, non pressée, non cuite

Croûte naturelle

Savoie

Cru

CARACTÉRISTIQUES ESSENTIELLES

- ⊖ 6 cm de diamètre, 1,5 à 2 cm d'épaisseur
- ⚖ 50 à 60 g
- 🝗 45 %
- ✔ Toute l'année, meilleur au printemps
- ⧗ 12 jours minimum

TOMME DE CHÈVRE, PAYS NANTAIS

Le pays nantais, où est né ce fromage artisanal de taille moyenne doit sa renommée surtout à ses vins blancs. Cette tomme a une croûte humide orangée. La pâte est couleur de la crème, de consistance fine, ferme sans être élastique. Quant au goût, il est inhabituel, puisqu'il marie celui du lait de chèvre et celui du vin. En effet, pendant l'affinage, le fromage est frotté avec une toile imbibée de muscadet.

♉ Muscadet sur Lie

Pâte mi-dure, pressée, non cuite

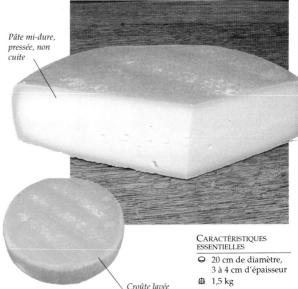

Croûte lavée humide

Pays nantais

Cru

CARACTÉRISTIQUES ESSENTIELLES

- ⊖ 20 cm de diamètre, 3 à 4 cm d'épaisseur
- ⚖ 1,5 kg
- 🝗 45 %
- ✔ Toute l'année
- ⧗ 3 à 6 semaines

TOME DE CHÈVRE DU TARN / LOU PENNOL

Ce chèvre fermier est produit par le GAEC du Pic, dans le département du Tarn. Il possède une croûte sèche et rugueuse, une pâte d'un blanc éclatant, de consistance fine, mais non élastique. Elle fond dans la bouche en développant une certaine acidité. Au début de son affinage, qui a pris trois mois environ, la tome photographiée ci-contre pesait 2 kg ; au bout de deux mois, elle ne pesait plus que 1,5 kg.

♈ Gaillac

CARACTÉRISTIQUES
ESSENTIELLES

Θ 16 à 17 cm
   de diamètre,
   7 cm d'épaisseur
⚖ 1,5 kg
♉ 45 %
✔ Toute l'année
⌁ 1 à 3 mois

Pâte mi-dure, pressée, non cuite

Croûte naturelle

Cru

Sud du Quercy

TOMME LE GASCON

Ce fromage artisanal vient de Lomagne, région de Gascogne également bien connue pour sa gastronomie. La croûte sèche reste souple au toucher. La pâte est jaune, souple, percée de nombreux trous. Le goût lactique est très prononcé.

♈ Tursan

Pâte mi-dure, pressée, non cuite

CARACTÉRISTIQUES
ESSENTIELLES

Θ 20 cm de diamètre,
   9 à 10 cm d'épaisseur
⚖ 3 à 3,5 kg
♉ 45 à 50 %
✔ Toute l'année
⌁ 4 à 5 semaines

Croûte naturelle

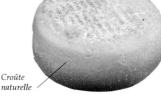

Gascogne

Cru

TOMME DE HUIT LITRES

Ce fromage fermier est l'œuvre d'anciens parisiens désormais établis à Puimichel. Dans les Alpes provençales, ils élèvent 45 chèvres et fabriquent plusieurs types de fromages qui, s'ils diffèrent dans leur mode de production, leur saveur et leur arôme, ont en commun un lait de qualité supérieure. La tomme de huit litres est faite selon une recette ancestrale qui avait été perdue. Son odeur est faible mais elle possède une saveur de lait de chèvre très riche.

Ÿ Cassis

Pâte mi-dure, pressée, non cuite

Croûte naturelle

Provence

Cru

CARACTÉRISTIQUES ESSENTIELLES
- ⊖ 18 cm de diamètre, 3,5 cm d'épaisseur
- ⚖ 1 à 1,2 kg
- Ɗ Variable
- ✓ Du printemps à l'automne
- ⊓ 2 semaines à 6 mois

TOMME DE MONTAGNE

Le fromage fermier ci-contre a été fabriqué à la ferme Kempf du Saesserlé dans les Vosges qui fait également un excellent Munster (p. 158). La croûte de la tomme de montagne est dorée, tachetée de rouge et de blanc. La pâte, ferme et de saveur subtile, a la couleur du beurre. Le fromage est lavé et brossé, durant l'affinage.

Ÿ Sylvaner millésimé

Pâte mi-dure, pressée, non cuite

Croûte naturelle humide

Vosges

Cru

CARACTÉRISTIQUES ESSENTIELLES
- ⊖ 19 à 20 cm de diamètre, 7 à 8 cm d'épaisseur
- ⚖ 2,5 kg ; la taille varie selon la quantité quotidienne de lait
- Ɗ Variable
- ✓ Toute l'année ; meilleur en automne et en hiver
- ⊓ 2 mois

TOMME DE ROMANS / ROMANS

Pâte tendre, non pressée, non cuite

Certains fromages toujours fabriqués sur leur territoire traditionnel ont conservé leur nom alors même que le lait utilisé n'est plus du même type qu'à l'origine. Le Romans en est un exemple. Autrefois fromage fermier au lait de chèvre, il n'est plus aujourd'hui qu'un produit industriel ou artisanal au lait de vache pasteurisé. Son odeur légère rappelle la cave où il a été affiné.

❢ Crozes-Hermitage, Cornas

CARACTÉRISTIQUES
ESSENTIELLES

- ◷ 8 à 9 cm de diamètre, 3,5 cm d'épaisseur
- ⚖ 200 à 300 g
- ◱ 45 à 50 %
- ✔ Toute l'année
- ◻ 10 jours minimum

Croûte naturelle

Pasteurisé

Dauphiné

TOMME DE SÉRANON

Pâte tendre, non pressée, non cuite

Le village de Séranon se situe au nord de Grasse, à 1 000 m d'altitude. L'air marin se charge du parfum des fleurs et, même le fromage exhale un délicieux et persistant bouquet. L'été est la meilleure saison pour déguster cette tomme. La croûte, fine, est presque rose. La pâte est très souple et fragile.

♉ Rosé de Provence

CARACTÉRISTIQUES
ESSENTIELLES

- ◷ 9 cm de diamètre, 4 cm d'épaisseur
- ⚖ 250 à 300 g
- ◱ 45 %
- ✔ Toute l'année ; meilleur au printemps et en été
- ◻ 2 semaines environ

Croûte naturelle

Provence

Cru

TOMME DE VENDÉE

La pâte et la croûte de ce grand fromage artisanal de la côte Atlantique révèlent que les méthodes de production vendéennes sont bien différentes de celles suivies dans la vallée de la Loire pour la fabrication des divers chèvres AOC.
Ici, la salinité est plutôt prononcée et la saveur est en partie due à un affinage soigneux.

♈ Fiefs Vendéens rosé

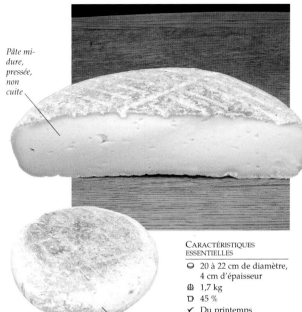

Pâte mi-dure, pressée, non cuite

Vendée

Cru

Croûte naturelle

CARACTÉRISTIQUES ESSENTIELLES

- ⊝ 20 à 22 cm de diamètre, 4 cm d'épaisseur
- ⚖ 1,7 kg
- ♉ 45 %
- ✓ Du printemps à l'automne
- ❐ 1 mois et demi

TOMMETTE DE L'AVEYRON

Fermier du Larzac, berceau du célèbre Roquefort (p. 178), il est fabriqué à partir d'un lait riche et possède une croûte sèche couverte de moisissures blanches, grises et brun rouge. Sa pâte est ferme et élastique sous le doigt. Elle fond dans la bouche en développant un goût robuste et salé.

♈ Gaillac, Cahors

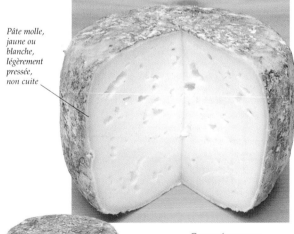

Pâte molle, jaune ou blanche, légèrement pressée, non cuite

Rourgue

Cru

Croûte naturelle

CARACTÉRISTIQUES ESSENTIELLES

- ⊝ 8 cm de diamètre 6 cm d'épaisseur
- ⚖ 300 g
- ♉ Variable
- ✓ Fabriqué entre décembre et le 15 août
- ❐ 2 à 6 semaines

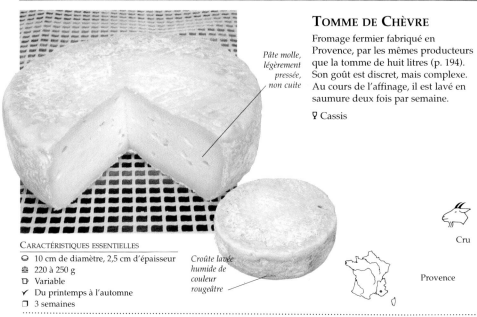

TOMME DE CHÈVRE

Fromage fermier fabriqué en Provence, par les mêmes producteurs que la tomme de huit litres (p. 194). Son goût est discret, mais complexe. Au cours de l'affinage, il est lavé en saumure deux fois par semaine.

Ϙ Cassis

Pâte molle, légèrement pressée, non cuite

Cru

Provence

CARACTÉRISTIQUES ESSENTIELLES
- ⊖ 10 cm de diamètre, 2,5 cm d'épaisseur
- ⚖ 220 à 250 g
- ⅅ Variable
- ✔ Du printemps à l'automne
- ❒ 3 semaines

Croûte lavée humide de couleur rougeâtre

Tomme de Chèvre, Pyrénées

FROMAGE DE CHÈVRE FERMIER

Dans les Pyrénées, on produit du fromage de brebis depuis des siècles, mais plus rarement du chèvre. On enveloppe le caillé dans une toile, on l'égoutte et on le presse doucement afin d'éliminer le petit-lait. Ainsi, la conservation est meilleure. Le résultat après affinage, est un fromage de grande taille, pesant, dont la pâte ferme et compacte, blanche et sèche a tendance à se fendre. Le goût est riche. La croûte est estampillée d'un cœur en relief qui est la marque de fabrique.

Ϙ Jurançon

Pâte mi-dure, pressée, non cuite

CARACTÉRISTIQUES ESSENTIELLES
- ⊖ 15 à 18,5 cm de diamètre, 8 cm d'épaisseur
- ⚖ 2,3 kg
- ⅅ 45%
- ✔ De l'été à l'automne
- ❒ 6 semaines

Croûte naturelle marquée par la toile et frappée d'un cœur

 Béarn

Cru

TOMME DE CHÈVRE/ LOUBIÈRES / CABRIOULET

Fermier au lait de chèvre fabriqué à la ferme Col del Fach de Loubières, près de Foix. Celui que l'on voit ci-contre a subi un affinage de cinq mois ; sa croûte semble aussi sèche qu'une pierre. La pâte est d'un jaune gris, percée de trous, peu élastique. C'est un fromage au goût prononcé et qui a conservé l'odeur de moisi de sa cave. Bien que salé, sa saveur est équilibrée et riche. Au cours des deux mois d'affinage, il est lavé en saumure.

ᛉ Limoux

Pâte mi-dure, pressée, non cuite

Croûte lavée humide

Comté de Foix

Cru

CARACTÉRISTIQUES ESSENTIELLES

- ⊖ 20 à 21 cm de diamètre, 5 à 6 cm d'épaisseur
- ⚖ 2 à 2,5 kg
- ⋔ Variable
- ✔ Toute l'année, sauf décembre et janvier
- ⧄ 2 mois minimum

TOME DU PAYS BASQUE

Ce fromage fermier est l'œuvre du fromager qui fabrique l'ardi-gasna (p. 44), établi près de Saint-Jean-Pied-de-Port, près de la frontière espagnole. Il est également vieilli par le même affineur. Ce fromage a une croûte sèche marquée par la toile utilisée au moment du pressage. La pâte est ferme, sans élasticité, friable. Bien qu'elle soit sèche, elle est bien équilibrée en sel et en matières grasses et fond dans la bouche tout en étant assez collante.

ᛉ Irouléguy

Pâte mi-dure, pressée, non cuite

Croûte naturelle

Pays basque

Cru

CARACTÉRISTIQUES ESSENTIELLES

- ⊖ 12 à 13 cm de diamètre, 6 à 7 cm d'épaisseur
- ⚖ 1 à 1,2 kg
- ⋔ 45 %
- ✔ Été, automne et hiver
- ⧄ 2 mois minimum

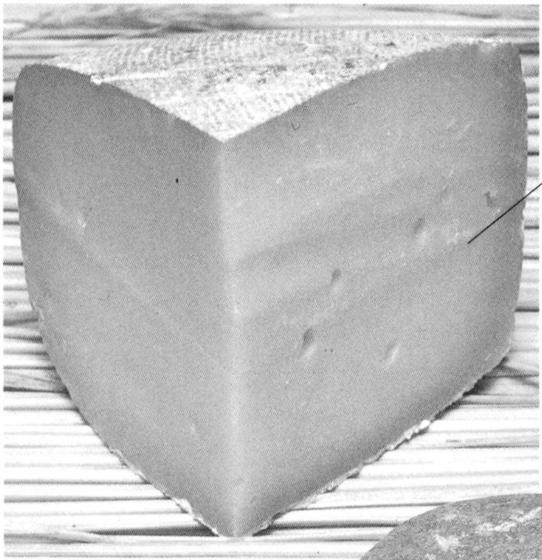

Pâte mi-dure, pressée, non cuite

Tomme de Chèvre de Pays

Ce fromage fermier a une croûte sèche légèrement marquée par la toile employée pour le pressage et tachée de moisissures marron clair et rouges. Quant au goût, il est d'une douceur bien équilibrée et sans acidité.

🍷 Tursan

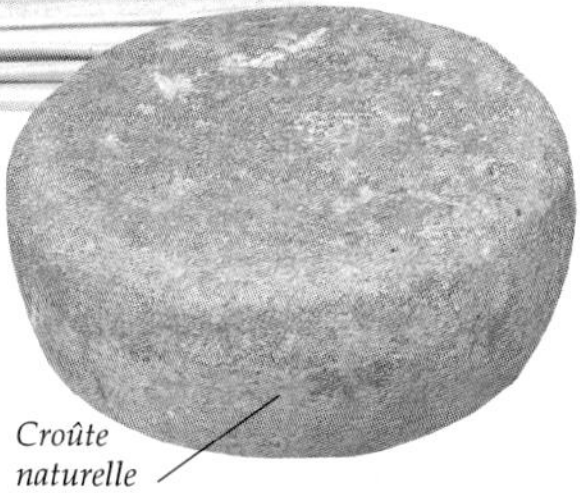

Croûte naturelle

Caractéristiques essentielles

- 19 cm de diamètre, 7 à 8 cm d'épaisseur
- 2 à 2,2 kg
- 45 %
- ✓ Toute l'année ; meilleur en automne et en hiver
- 2 mois

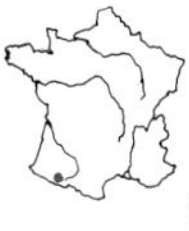

Gascogne

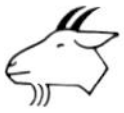

Cru

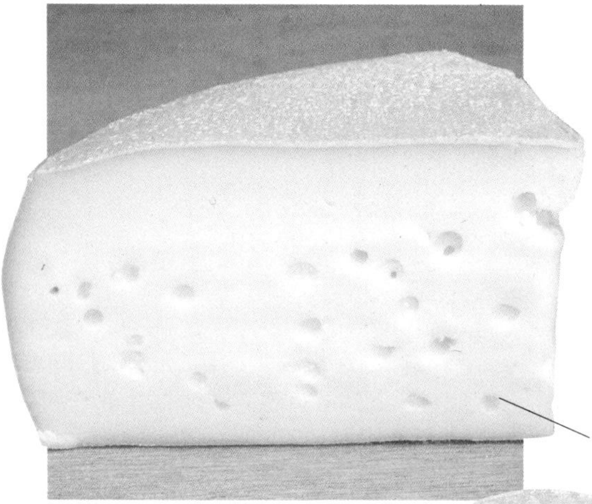

Pâte élastique mi-dure, pressée, non cuite

Trappe (Véritable)

Artisanal fabriqué par les moines trappistes de l'abbaye de la Coudre, près de Laval dans le Maine. C'est un fromage doux qui sent un peu le moisi. Pendant l'affinage, il est lavé en saumure.

🍷 Chinon

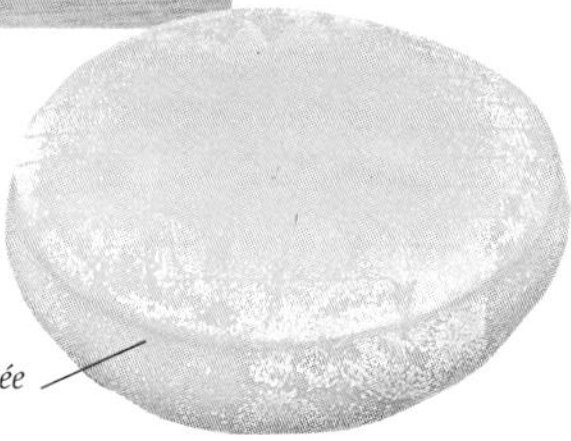

Croûte lavée

Caractéristiques essentielles

- 20 cm de diamètre, 4 à 5 cm d'épaisseur
- 1,7 kg
- 40 %
- ✓ Toute l'année
- 3 semaines minimum

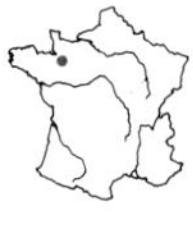

Maine

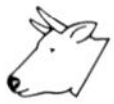

Pasteurisé

TRAPPE DE BELVAL

Ce fromage artisanal est produit à l'abbaye de Belval, dans l'Artois. Les trappistines qui en lancèrent la fabrication en 1892 venaient de Laval. Chaque année, les quarante sœurs de l'abbaye produisent environ 40 tonnes de fromage. Elles l'emballent dans un papier orange vif frappé de six croix bleues et d'un dessin de l'abbaye en bleu foncé. La croûte du fromage est jaune paille, la pâte blanc ivoire ; la consistance est élastique, l'odeur faible.

❦ Bordeaux, Médoc

Croûte lavée sèche de couleur rosée

Artois

Cru

Pâte élastique mi-dure, pressée, non cuite

CARACTÉRISTIQUES ESSENTIELLES

◯ 20 cm de diamètre, 4 à 5 cm d'épaisseur
⚖ 2 kg ; 400 g
🌡 40 à 45 %
✔ Toute l'année
❐ 6 semaines minimum

- -

FROMAGE D'HESDIN

Ce fromage artisanal porte le nom de sa ville, située à 20 km du lieu de fabrication du Belval (ci-dessus), dont il est probablement inspiré. La production du fromage d'Hesdin a commencé vers 1960. Son odeur est douce et légère, son arrière-goût à peine sucré. Le fromage est de temps en temps lavé au vin blanc au cours de son affinage.

❦ Haut-Médoc

Pâte mi-dure, légèrement pressée, non cuite

Artois

Cru

Croûte lavée humide de couleur rouge

CARACTÉRISTIQUES ESSENTIELLES

◯ 12 cm de diamètre, 3 à 3,5 cm d'épaisseur
⚖ 400 à 450 g
🌡 40 à 42 %
✔ Toute l'année ; meilleur du printemps à l'automne
❐ 2 mois

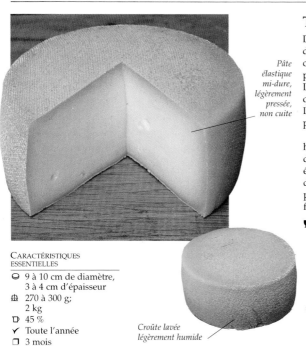

Pâte élastique mi-dure, légèrement pressée, non cuite

Croûte lavée légèrement humide

TRAPPE D'ÉCHOURGNAC

Depuis 1868, les trappistines d'Échourgnac, dans le Périgord, collectent le lait des fermes alentours pour produire leur fromage artisanal. Le mode de fabrication est le même que celui du Port-du-Salut (p. 173). La production atteint 52 tonnes par an.

La croûte est très légèrement humide et rebondit sous la pression du doigt. Le goût est simple et équilibré. L'affinage dure d'abord deux mois dans les caves de l'abbaye, puis se prolonge un mois chez le fromager.

❢ Cahors

CARACTÉRISTIQUES ESSENTIELLES

- ◯ 9 à 10 cm de diamètre, 3 à 4 cm d'épaisseur
- ⚖ 270 à 300 g; 2 kg
- ▯ 45 %
- ✔ Toute l'année
- ❑ 3 mois

Périgord

Pasteurisé

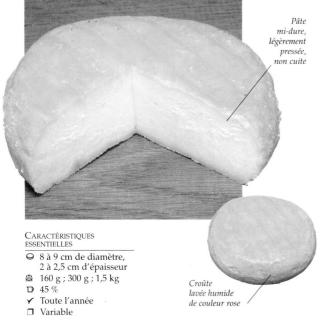

Pâte mi-dure, légèrement pressée, non cuite

Croûte lavée humide de couleur rose

TRAPPISTE DE CHAMBARAN

Fromage artisanal provenant de Roybon, localité du plateau dauphinois de Chambaran. Il a une croûte humide rose pâle et un goût discret. La production, inspirée de celle du reblochon (p. 175) et du Port-du-Salut (p. 173), a commencé en 1932. Le lait est collecté dans les fermes environnantes, puis pasteurisé. Environ 80 tonnes de fromage sortent de l'abbaye chaque année. Elle produit également du beurre.

Pendant l'affinage, les fromages sont lavés en saumure pendant plus de deux semaines dans les caves naturelles de l'abbaye. Les plus gros y restent quatre semaines au moins.

❢ Côtes Rotie

CARACTÉRISTIQUES ESSENTIELLES

- ◯ 8 à 9 cm de diamètre, 2 à 2,5 cm d'épaisseur
- ⚖ 160 g ; 300 g ; 1,5 kg
- ▯ 45 %
- ✔ Toute l'année
- ❑ Variable

Dauphiné

Pasteurisé

Triple-Crème, Double-Crème

Les fromages triple-crème et double-crème remportent un certain succès dû à leur goût onctueux et subtil. On les trouve chez la plupart des fromagers et ils apportent un peu de variété à un plateau de fromages.

Fabriqué à partir de lait enrichi de crème fraîche, le triple-crème contient au moins 75 % de matières grasses et le double-crème entre 60 et 75 %. Ils n'ont généralement pas de croûte, ou bien une croûte fleurie molle. La pâte est tendre, douce, de goût agréable ; certains sont un peu acidulés. Leur odeur est discrète. N'ayant pas de saveur très prononcée, ils sont souvent employés comme base pour la fabrication d'autres spécialités (p. 218). La période d'affinage est généralement de courte durée. Ces fromages se dégustent frais et se marient particulièrement bien avec un vin tel que le Moulis, également connu sous le nom de Moulis-en-Médoc, qui est la plus petite exploitation du Haut-Médoc.

LA BOUILLE

Fromage artisanal créé en Normandie à la fin du siècle dernier par « monsieur Fromage », également inventeur du « fromage de Monsieur » (p. 216). Il n'est pas impossible qu'il ait aujourd'hui disparu. Malgré sa haute teneur en matières grasses, ce double-crème est vieilli deux mois.

❦ Médoc

CARACTÉRISTIQUES ESSENTIELLES

- ⊖ 8 cm de diamètre, 5 à 5,5 cm d'épaisseur
- ⚖ 220 g
- ⬦ 60 %
- ✔ De l'été à l'hiver
- ❒ 2 mois environ

Normandie

Enrichi de crème

Croûte fleurie

Pâte molle, non pressée, non cuite

BOURSAULT

Fromage industriel au goût délicat un peu acide qui rappelle celui du Brie (p. 56). Créé après 1945, il porte le nom de son inventeur et fabricant. C'est un fromage mou, crémeux, qui sent légèrement le moisi.

❦ Bordeaux

CARACTÉRISTIQUES ESSENTIELLES

- ⊖ 8 cm de diamètre, 4 cm d'épaisseur
- ⚖ 200 g
- ⬦ 70 %
- ✔ Toute l'année
- ❒ 2 mois

Brie

Enrichi de crème

Croûte naturelle tachetée de moisissures blanches

Pâte molle, non pressée, non cuite

CARACTÉRISTIQUES
ESSENTIELLES

⊖ 8 cm
de diamètre,
4 cm
d'épaisseur

⚖ 150 g ; 125 g
en barquette

🌡 70 %

✓ Toute l'année

BOURSIN

On peut voir à droite un boursin à l'ail et aux fines herbes, et à gauche un boursin au poivre. Ce fromage industriel sans affinage est fabriqué en Normandie. Mou et crémeux, il est délicieux tartiné sur du pain frais, accompagné de vin blanc sec.

♈ Graves

Pâte fraîche,
non pressée, non cuite

Absence
de croûte

 Normandie

 Enrichi
de crème

CARACTÉRISTIQUES
ESSENTIELLES

⊖ 12 à 13 cm
de diamètre,
3,5 à 4 cm
d'épaisseur

⚖ 450 à 500 g

🌡 75 %

✓ Toute l'année

🗓 1 à 2 semaines

BRILLAT-SAVARIN

Ce fromage a été créé dans les années 1930 par Henri Androuët, père du grand fromager Pierre Androuët. Il porte le nom d'un célèbre gastronome et homme politique, de la fin du XVIIIe siècle, Jean Anthelme Brillat-Savarin.

♈ Saint-Émilion, Fronsac

Pâte molle,
non pressée, non cuite

Croûte fleurie

 Principalement
Normandie

 Enrichi
de crème

CAPRICE DES DIEUX

Fromage industriel, commercialisé en 1956, il fut le précurseur des fromages industriels. En plus de la version présentée ci-contre, qui pèse 210 g, il en existe une plus grande, d'un poids de 310 g, et une autre plus petite, pesant 150 g.

♈ Coteaux Champenois

CARACTÉRISTIQUES
ESSENTIELLES

⊘ 14 cm de long,
6 cm de large,
3,5 cm
d'épaisseur

⚖ 210 g ; 310 g

🌡 60 %

✓ Toute l'année

🗓 2 semaines

Pâte molle,
non pressée, non cuite

Croûte fleurie

 Champagne
Bassigny

 Enrichi
de crème

CROUPET

Ce fromage porte le nom de son village d'origine, en Seine-et-Marne. Il est fabriqué dans une petite laiterie industrielle.

❢ Bourgogne

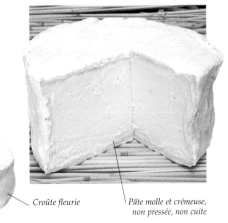

CARACTÉRISTIQUES ESSENTIELLES

- ⊖ 11 cm de diamètre, 5 cm d'épaisseur
- ⚖ 450 g
- ⤓ 75 %
- ✔ Toute l'année
- ⊓ 2 semaines

Brie

Enrichi de crème

Croûte fleurie

Pâte molle et crémeuse, non pressée, non cuite

DÉLICE DE SAINT-CYR

Ce fromage de Saint-Cyr-sur-Morin, dans la Brie, est similaire au Boursault (p. 213). Il est fabriqué dans une petite laiterie industrielle.

❢ Bordeaux

CARACTÉRISTIQUES ESSENTIELLES

- ⊖ 8 à 9 cm de diamètre, 4 à 5 cm d'épaisseur
- ⚖ 300 g
- ⤓ 75 %
- ✔ Toute l'année
- ⊓ 4 à 5 semaines

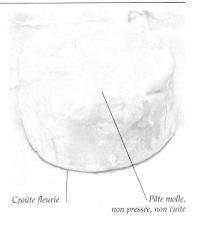

Brie

Enrichi de crème

Croûte fleurie

Pâte molle, non pressée, non cuite

EXPLORATEUR

Fromage industriel qui dégage une légère odeur de moisi ; sa consistance et son goût sont crémeux. Il existe d'autres versions de ce fromage, vendues à la coupe, d'un poids de 450 g et 1,6 kg.

❢ Bordeaux

CARACTÉRISTIQUES ESSENTIELLES

- ⊖ 8 cm de diamètre, 6 cm d'épaisseur
- ⚖ 250 g ; 450 g ; 1,6 kg
- ⤓ 75 %
- ✔ Toute l'année
- ⊓ 2 à 3 semaines

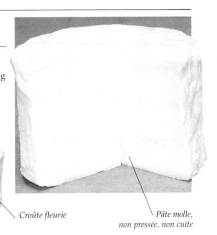

Brie

Enrichi de crème

Croûte fleurie

Pâte molle, non pressée, non cuite

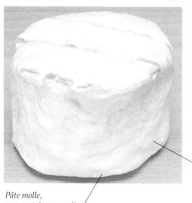

Pâte molle,
non pressée, non cuite

Croûte fleurie

FIN-DE-SIÈCLE

C'est Henri Androuët qui a trouvé le nom fantaisiste de ce fromage triple-crème artisanal du pays de Bray. Mou, crémeux, le fin-de-siècle sent un peu le moisi.

❦ Bordeaux

CARACTÉRISTIQUES ESSENTIELLES
- ⊖ 8 cm de diamètre, 5 cm d'épaisseur
- ⚖ 270 g
- ☐ 72 %
- ✓ Toute l'année
- ☐ 2 semaines

Normandie

Enrichi de crème

Pâte molle,
non pressée, non cuite

Croûte fleurie

FROMAGE DE MONSIEUR / MONSIEUR FROMAGE

Ce fromage industriel est une création de « monsieur Fromage », comme le la bouille (p. 213), il est aujourd'hui fabriqué industriellement dans une grande laiterie.

❦ Bordeaux

CARACTÉRISTIQUES ESSENTIELLES
- ⊖ 7 cm de diamètre, 5 cm d'épaisseur
- ⚖ 250 g ; ☐ 60 %
- ✓ Toute l'année
- ☐ 3 semaines

Croûte fleurie

Normandie
Calvados

Enrichi de crème

Pâte molle,
non pressée, non cuite

Croûte fleurie

GRAND VATEL

Triple-crème artisanal. Robuste, il a un goût de beurre. Il existe également un petit-Vatel.

❦ Côtes-de-Beaune

CARACTÉRISTIQUES ESSENTIELLES
- ⊖ 13 cm de diamètre, 3 à 4 cm d'épaisseur
- ⚖ 500 g
- ☐ 75 %
- ✓ Toute l'année
- ☐ 4 à 6 semaines selon la taille

Brie
Bourgogne

Enrichi de crème

GRATTE-PAILLE

Ce fromage artisanal est fabriqué en Seine-et-Marne. De consistance huileuse, il possède un riche goût de crème.

🍷 Bordeaux

CARACTÉRISTIQUES ESSENTIELLES

- ⬦ 8 à 10 cm de long, 6 à 7 cm de large, 6 cm d'épaisseur
- ⚖ 300 à 350 g
- 🝂 70 %
- ✓ Toute l'année
- ◻ 3 semaines

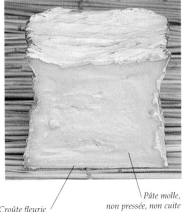

Brie

Enrichi de crème

Croûte fleurie

Pâte molle, non pressée, non cuite

LUCULLUS

Triple-crème à la pâte douce, il porte le nom d'un célèbre général et gastronome romain.

🍷 Bordeaux

CARACTÉRISTIQUES ESSENTIELLES

- ⊖ 8 cm de diamètre, 4 à 5 cm d'épaisseur
- ⚖ 250 à 300 g
- 🝂 75 %
- ✓ Toute l'année
- ◻ 3 à 4 semaines

Croûte fleurie

Pâte molle, non pressée, non cuite

Brie

Enrichi de crème

PIERRE-ROBERT

Ce fromage artisanal de Seine-et-Marne est l'œuvre du fromager Robert Rouzaire, qui l'a nommé en accolant son prénom à celui d'un ami. Aujourd'hui, la production est assurée par son fils. Ce fromage de goût simple est apprécié des enfants.

🍷 Bordeaux

CARACTÉRISTIQUES ESSENTIELLES

- ⊖ 13 cm de diamètre, 4,5 à 5 cm d'épaisseur
- ⚖ 500 g
- 🝂 75 %
- ✓ Toute l'année
- ◻ 3 semaines

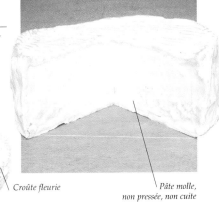

Brie

Enrichi de crème

Croûte fleurie

Pâte molle, non pressée, non cuite

DES CRÉATIONS IMAGINATIVES
Les fromages photographiés sur cette page sont tous des double ou triple-crème décorés par les soins d'un fromager avec des épices et des herbes aromatiques

À la cannelle

Gargantua à la feuille de sauge

Au paprika

Au poivre noir moulu grossièrement

Le fromage est entièrement recouvert de raisins secs trempés dans le rhum

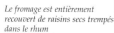

Soleil enrobé de raisins blonds et noirs

Trois-épis enrobé de cumin entier

218

Vache des Pyrénées

La chaîne des Pyrénées couvre 400 km, s'étendant sur cinq départements et onze provinces de France. Au centre de ce territoire, dans l'Ariège et la Haute-Garonne, les fromages fabriqués autrefois à partir de lait de brebis sont aujourd'hui faits au lait de vache.

Ils sont solides et de taille moyenne, couverts d'une croûte dure qui protège une pâte ferme, grasse, au goût fruité. Ils portent tous le nom de leur village d'origine, mais les gens du pays préfèrent les nommer simplement « fromage de montagne ».

Presque tous sont des produits fermiers au lait cru dont la pâte est percée de petits trous appelés « yeux ». Grâce à l'affinage, ces fromages développent tout leur caractère. Ils deviennent plus robustes et la douceur et la fadeur du lait s'estompent. Dégustez-les avec un vin rouge fruité.

BAROUSSE

Ce fromage porte le nom de la vallée de Barousse de l'Ourse. Il est fabriqué suivant la même méthode que l'Esbareich (ci-dessous). Son goût varie selon que les vaches ont été nourries d'herbe de printemps ou d'été ou bien de fourrage sec, à l'étable. Le Barousse ci-contre a l'aspect d'un fromage de ménage. Il a été fabriqué par la famille Sost dans le village du même nom, qui en produit cinq par jour. C'est un fromage fermier à l'odeur prononcée, affiné au moins un mois et demi. Il est lavé, essuyé et retourné tous les jours pendant les deux premières semaines d'affinage.

❢ Madiran, Côtes-du-Frontonnais

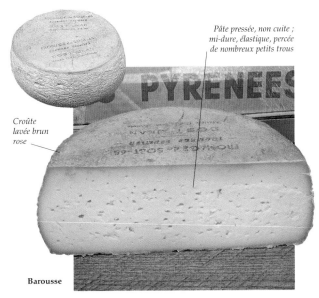

Pâte pressée, non cuite ; mi-dure, élastique, percée de nombreux petits trous

Croûte lavée brun rose

Barousse

ESBAREICH

C'est le frère jumeau du Barousse. Fromage fermier d'Esbareich, à 2 km de Sost, il est affiné deux mois et demi.

❢ Madiran, Côtes-du-Frontonnais

Pyrénées centrales

Cru

Esbareich

CARACTÉRISTIQUES ESSENTIELLES

- ⊖ 19 cm de diamètre, 7 cm d'épaisseur
- ⚖ 2 kg
- ⊐ Variable
- ✔ Toute l'année

CARACTÉRISTIQUES ESSENTIELLES

- ⊖ 19 cm de diamètre, 7,5 cm d'épaisseur
- ⚖ 2,5 kg
- ⊐ Variable
- ✔ Toute l'année
- ⊐ Variable

BETHMALE

Le plus connu des Pyrénéens, il porte le nom du village où il est fabriqué, qui se situe aux environs de Couserans, dans le comté de Foix. Selon la légende, il reçut les faveurs de Louis VI le Gros, qui traversa la région au XIIᵉ siècle.

Le Bethmale est certainement le plus doux des fromages au lait de vache des Pyrénées. Celui ci-contre a une pâte mi-dure, pressée mais non cuite, qui a gardé une odeur de cave. Durant l'affinage, le fromage est brossé et retourné.

🍷 Collioure

CARACTÉRISTIQUES
ESSENTIELLES

Croûte naturelle

- ◒ 25 à 40 cm de diamètre, 8 à 10 cm d'épaisseur
- ⚖ 3,5 à 6 kg
- ◗ 45 à 50 %
- ✔ Toute l'année
- ▢ 2 à 3 mois

Comté de Foix

Cru ou pasteurisé

E BAMALOU

Pâte mi-dure, pressée, non cuite

Ce fromage artisanal se fait en deux tailles ; il vient de Castillon-en-Couserans, près de Foix. À l'opposé du Bethmale, c'est sûrement le plus fort des fromages de vache des Pyrénées. Sa pâte est souple, grasse, bien protégée par une croûte solide de couleur brune tachetée de rouge. Le goût et l'odeur de ce fromage se marient bien aux vins rouges tanniques.

🍷 Châteauneuf-du-Pape, Cahors

CARACTÉRISTIQUES ESSENTIELLES

- ◒ 24 à 29 cm de diamètre, 10 cm d'épaisseur (grand modèle)
- ◒ 11 à 13 cm, 7 cm d'épaisseur (petit modèle)
- ⚖ 6 kg (grand modèle) 700 à 800 g (petit modèle)
- ◗ 50 % ; ✔ Toute l'année
- ▢ 6 semaines environ

Croûte naturelle brun rouge

Comté de Foix

Cru, entier

FROMAGE DE MONTAGNE

La minuscule maison où vivent les fabricants de ce fromage est perchée à 1 300 m d'altitude, à Poubeau, près de Luchon.

La croûte orange et blanc rosé, molle et humide, sent moins fort que la pâte. Celle-ci est d'une couleur jaune d'or, percée de nombreux trous. Malgré son aspect jeune, le fromage ci-contre a été affiné quatre mois et se trouve presque à point. En règle générale, les fromages sont lavés et retournés pendant l'affinage.

🍷 Bergerac, Bordeaux, Fitou

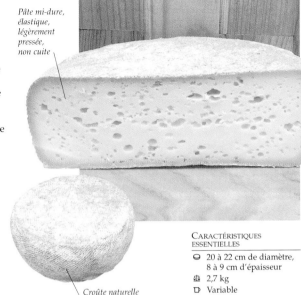

Pâte mi-dure, élastique, légèrement pressée, non cuite

Croûte naturelle souple

Pyrénées centrales

Cru

CARACTÉRISTIQUES ESSENTIELLES

- ⊖ 20 à 22 cm de diamètre, 8 à 9 cm d'épaisseur
- ⚖ 2,7 kg
- Ɗ Variable
- ✔ Toute l'année
- ⬚ 3 mois minimum

FROMAGE DE MONTAGNE DE LÈGE

Fromage fermier fabriqué à la ferme de Camille Cazaux, au village de Lège, avec une croûte collante brun rouge et un peu humide, avec une pâte dense et jaune percée de trous. Il peut se déguster après seulement trois mois d'affinage, mais les véritables connaisseurs préfèrent attendre sa maturité complète, c'est-à-dire six mois.

🍷 Madiran, Cahors

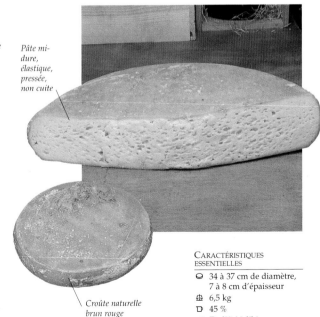

Pâte mi-dure, élastique, pressée, non cuite

Croûte naturelle brun rouge

Pyrénées centrales

Cru

CARACTÉRISTIQUES ESSENTIELLES

- ⊖ 34 à 37 cm de diamètre, 7 à 8 cm d'épaisseur
- ⚖ 6,5 kg
- Ɗ 45 %
- ✔ De l'été à l'hiver
- ⬚ 3 à 6 mois

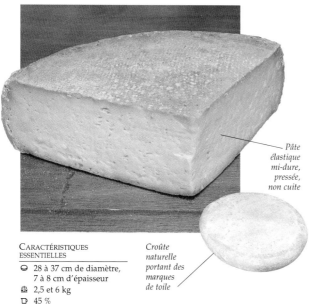

FROMAGE DE MONTAGNE DU PIC DE LA CALABASSE

Fromage artisanal originaire de Saint-Lary, au pied du pic de la Calabasse, qui culmine à 2 210 mètres. Il existe également une version plus petite de ce fromage. Celui que l'on voit ici est à cœur : la croûte porte des traces de blanc, de gris, de rose et de brun, la pâte est jaune et brune, percée de trous. Elle est ferme mais fond dans la bouche. L'odeur de ce fromage assez collant est forte et fruitée, un peu fleurie.

🍷 Corbières, Minervois, Fitou

Pâte élastique mi-dure, pressée, non cuite

CARACTÉRISTIQUES
ESSENTIELLES

- ◯ 28 à 37 cm de diamètre, 7 à 8 cm d'épaisseur
- ⚖ 2,5 et 6 kg
- 🌡 45 %
- ✔ Meilleur au printemps
- ⬜ 3 mois

Croûte naturelle portant des marques de toile

Comté de Foix

Cru

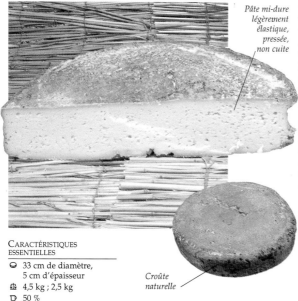

Pâte mi-dure légèrement élastique, pressée, non cuite

FROMAGE DE MONTAGNE / ROGALLAIS

Artisanal fabriqué à la fromagerie Coumes de Seix, près de Couserans. Il possède une croûte bien mûre de couleur brune ou brun rose, une pâte à trous jaune à marron clair épaisse et grasse, qui sent la cave et le moisi. « Les yeux se forment pendant l'affinage et aèrent la pâte », explique le fromager. « Leur qualité dépend de l'égouttage ». La cave est à 14 °C, avec une humidité de 95 %. Ce sont cette humidité et la planche de chêne sur laquelle est posé le fromage qui provoquent la formation des moisissures et la fermentation à l'origine des yeux.

🍷 Graves, Médoc

CARACTÉRISTIQUES
ESSENTIELLES

- ◯ 33 cm de diamètre, 5 cm d'épaisseur
- ⚖ 4,5 kg ; 2,5 kg
- 🌡 50 %
- ✔ Toute l'année, surtout du printemps à l'automne
- ⬜ 1 mois et demi

Croûte naturelle

Comté de Foix

Cru

MOULIS

Fromage artisanal fabriqué par une entreprise familiale établie de longue date à Moulis. Il s'en produit 60 tonnes par an, c'est-à-dire environ 17 000 pièces.

Le Moulis, jeune ou vieux, a un goût prononcé. La pâte est d'abord couleur paille, puis elle brunit. Malgré ses nombreux trous, elle est humide, grasse et fondante. Sa nette saveur de fermentation et de décomposition pique la langue. Une fois vieilli, le fromage sent très fort et devient aigre. Il est lavé en saumure tous les deux jours pendant les deux premières semaines d'affinage, puis brossé et retourné pendant un à deux mois.

Ⴘ Vin du Jura sec

Pâte élastique mi-dure, non cuite, légèrement pressée

Moulis jeune

Croûte naturelle sèche avec moisissures blanches, marron et noires, portant des traces de toile

Après un affinage de six mois

CARACTÉRISTIQUES
ESSENTIELLES

- ◯ 22 à 24 cm de diamètre 7 cm d'épaisseur
- ⚖ 3,5 kg
- ⏻ 48 %
- ⸝ Toute l'année
- ⌙ 1 à 2 mois et demi

La pâte fonce et durcit avec l'âge

Comté de Foix

Cru

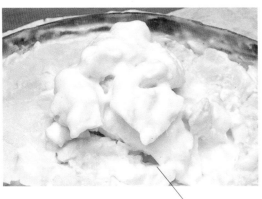

Pâte non pressée,
non cuite, molle
et crémeuse,
embaumant l'épicéa

Savoie (Vallée
d'Abondance)

Cru

Croûte mince couverte
de moisissures
naturelles blanches

VACHERIN D'ABONDANCE FERMIER

Ce fromage fermier est fabriqué en Savoie, à Abondance. Il est reconnaissable à sa ceinture en écorce d'épicéa, qui le protège tout en lui communiquant ses parfums. La pâte est de consistance fine, avec une saveur douce, crémeuse, un peu salée. L'affinage dure trois semaines.

En Savoie, le vacherin d'Abondance se déguste avec des patates au barbot, qui ne sont rien d'autre que des pommes de terre en robe des champs.

Ⴖ Vin de Savoie, Marin

CARACTÉRISTIQUES ESSENTIELLES

- ◯ 13 cm de diamètre, 3 cm d'épaisseur
- ⚖ 400 à 500 g (cercle d'écorce compris)
- ▱ Variable
- ✓ Hiver et printemps

LA FABRICATION DU VACHERIN D'ABONDANCE

Célina Gagneux fait son vacherin suivant des méthodes traditionnelles. (Les numéros ci-dessous correspondent aux photographies).

1. La traite des vaches a lieu à 6 h 30. Le lait est versé dans un chaudron de cuivre.

2. La présure est incorporée au lait à l'aide d'une louche et le caillage commence. Le mélange repose une heure à 12 °C.

3. À 8 heures, le caillé est coulé à la louche dans 15 bols garnis de toile; cette opération est répétée neuf fois.

4. La toile est nouée autour du caillé pour l'égouttage.

5. Le petit-lait est conservé : on en extraira de la crème.

6. Les boules de caillé enveloppées sont placées dans un cercle d'écorce d'épicéa et reposent environ 3 heures avant d'être disposées sur une table d'égouttage. À 15 heures, l'égouttage n'est toujours pas terminé.

7. On ôte le cercle pour retirer la toile.

8. Les fromages restent alignés sur la table jusqu'au lendemain matin. Le petit-lait continue de s'écouler, les fromages restant doux, légers et mous.

9

9. À 8 heures le lendemain, c'est à dire 24 heures après, les fromages sont emportés vers une cave à 12 °C et salés d'un côté avec une pincée de gros sel. Au bout de 48 heures, on les sort momentanément de leur cercle pour les retourner et les saler sur l'autre face. Les cercles sont alors resserrés et les fromages peuvent commencer à mûrir. Les cercles seront adoptés au fur et à mesure car avec l'affinage, le fromage rétrécit.

Tous les matins pendant 15 à 20 jours, les fromages sont retournés et la toile qui couvre la table est changée. Elle laisse des traces à la surface des vacherins. À ce stade, la croûte n'est pas encore formée, mais une fine peau blanc crème apparaît. Les fromages sont prêts pour la vente.

Le calendrier de la fabrication
La seule productrice au bourg d'Abondance, tient son savoir de sa belle-mère, qui le lui a transmis peu après son mariage, il y a 30 ans. La saison de production commence en décembre et dure 210 jours, jusqu'en juillet. Ses neuf vaches lui donnent 60 litres de lait chaque matin, ce qui lui permet de faire 15 fromages. La traite du soir est moins abondante, mais permet la fabrication d'encore 12 ou 13 pièces. Il faut quatre litres de lait pour chaque vacherin.

En juillet, les vaches gagnent l'alpage et se joignent à d'autres bêtes pour former un troupeau d'une cinquantaine de têtes. Le lait d'été sert à la fabrication de l'Abondance (p. 20), qui a lieu en chalet. Gardiens et animaux descendent début octobre, avant le vêlage. Parmi les veaux, seules les génisses sont gardées pour être élevées sur place ; elles produisent du lait dès l'âge de trois ans. La période de lactation d'une laitière est d'environ dix ans.

ABONDANCE
La paisible localité alpine d'Abondance, proche de la frontière suisse, est arrosée par la rivière du même nom.

VACHERIN DES BAUGES

Deux personnes assurent la fabrication de ce fromage dans le massif des Bauges, en Savoie. Selon un fromager local, bien qu'il soit préférable de le laisser mûrir, il est possible de déguster le vacherin des Bauges au bout de deux semaines d'affinage, à condition qu'il ait été frotté tous les deux jours avec un mélange d'eau et de crème. L'affinage complet, mené suivant la même méthode, dure au moins un mois. Le fromage ci-contre a atteint une maturité de deux semaines, mais il est piqué de moisissures grises indésirables qui altèrent son goût, certainement dues à une température trop basse et à une humidité insuffisante.

❦ Vin de Savoie, Arbois

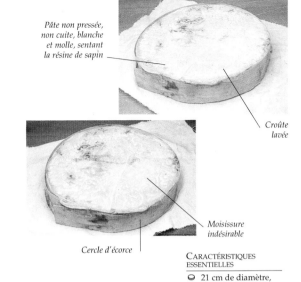

Pâte non pressée, non cuite, blanche et molle, sentant la résine de sapin

Croûte lavée

Moisissure indésirable

Cercle d'écorce

Savoie

Cru

CARACTÉRISTIQUES ESSENTIELLES

◯ 21 cm de diamètre, 4 à 4,5 cm d'épaisseur
⚖ 1,4 kg, cercle d'épicéa compris
🌡 Variable
✓ Hiver

COMMENT COUPER LES FROMAGES

Quand on découpe un fromage, il faut veiller à ce que chacun des convives puisse disposer d'une part allant de la croûte au cœur. La façon de procéder dépend de la forme et de la taille du fromage. Les illustrations ci-dessous montrent comment couper quelques-uns des fromages présentés dans cet ouvrage.

Valençay (p. 84)

Emmental (p. 132)

Camembert (p. 66)

Brie (p. 56)

Charolles (p. 92)

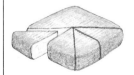

Pont l'Évêque (p. 172)

Picodon (p. 170)

Époisses (p. 133)

Tomme (p. 188)

La boîte de copeaux qui maintient le fromage ne doit pas être retirée, même à table

VACHERIN DU HAUT-DOUBS / MONT D'OR (AOC)

Le massif du Mont d'Or, qui culmine à 1 463 m, est tout proche de la frontière suisse. Bien que ce fromage d'hiver soit fabriqué depuis deux siècles, une querelle sur son origine divisa longtemps Suisses et Français, chacun affirmant l'avoir inventé. La controverse fut résolue par la capitulation des Suisses.

Chez les revendeurs, le Mont d'Or est simplement désigné sous le nom de vacherin. Il est vendu dans une boîte en copeaux où il continue de mûrir. Le fromage lui-même est entouré d'un cercle d'écorce de sapin dont le parfum imprègne la pâte et lui confère un arôme agréable très caractéristique. Ce cercle l'empêche également de couler et ne doit jamais être retiré, même au moment de servir.

La surface du vacherin est humide, la croûte dorée et parfois un peu rougeâtre, marquée par la toile d'égouttage. La pâte jaune pâle est coulante et peut se tartiner sur du pain ou napper des pommes de terre simplement cuites à l'eau.

L'AOC permet la fabrication artisanale et laitière du vacherin. L'affinage a lieu dans des zones désignées et dure trois semaines à une température maximale de 15 °C. L'arôme d'épicéa est alors bien net. Le fromage est enfin vieilli sur des planches d'épicéa et régulièrement retourné et frotté avec une toile trempée dans la saumure.

❢ Beaujolais Nouveau, Côtes-du-Jura, ❢ Champagne

Le vacherin du Haut-Doubs tel qu'il est vendu, dans une boîte en bois

Croûte lavée, plissée, de couleur jaune à marron clair

*Pâte molle, coulante, blanche ou ivoire ;
non cuite, très légèrement pressée*

CARACTÉRISTIQUES ESSENTIELLES

- ⊖ 12 à 30 cm de diamètre ; 4 à 5 cm d'épaisseur
- ⚖ 500 g à 1 kg, cercle d'écorce compris
- ∴ 45 g minimum pour 100 g
- ⧄ 45% minimum ; 20 à 25 g pour 100 g
- ✓ Meilleur en hiver, en automne et au printemps
- ⊐ 3 semaines

Franche-Comté

Cru

**Vacherin du Haut-Doubs
hors de sa boîte**

*Chez le fromager, on pose
un morceau de marbre
contre la pâte pour
l'empêcher de couler.*

Le fromage d'hiver

Sur le versant français du massif du
Mont d'Or, à plus de 800 m
d'altitude, une quarantaine de
villages sont répartis entre la source
et le saut du Doubs. On y produit
chaque année 1 700 tonnes de
fromage. Du 15 août au 31 mars,
le lait des vaches (montbéliardes et
pies rouges de l'Est) est collecté de
ferme en ferme, puis transformé en
fromage dans les vingt fruitières
de la région. Au printemps et en été,
ces mêmes fruitières produisent du
comté (p. 112). Les directives de
l'AOC interdisent de donner aux
vaches de l'ensilage ou tout autre
fourrage fermenté et exigent que le
lait soit produit à une altitude
minimale de 700 m.

**SPÉCIFICATIONS DE L'AOC :
VACHERIN DU HAUT-DOUBS**

1. Le lait doit être collecté ou déposé
à la laiterie tous les jours.

2. Le lait ne peut être caillé qu'au
moyen de présure. Il peut être
chauffé une fois à 40 ˚C, mais
uniquement au moment de
l'emprésurage.

3. La laiterie ne peut employer ni
machine, ni méthode permettant de
chauffer le lait à plus de 40 ˚C avant
l'emprésurage.

4. Une fois démoulé, le caillé doit
être placé dans un cercle d'écorce
d'épicéa, puis dans une boîte en
copeaux de bois.

AOC DÉLIVRÉE EN 1981

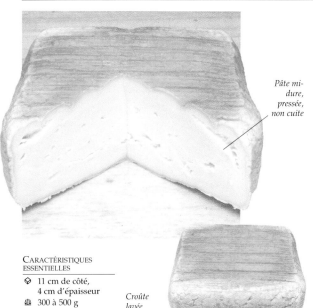

VIEUX-BOULOGNE

De la famille des monastériens, ce produit est un nouveau fromage présalé. Tiré du lait de vaches paissant près de la mer dans les environs de Boulogne, sa croûte lavée à la bière est humide et rouge. Il dégage une forte odeur, qui rappelle un peu celle de la bière. Sa pâte est élastique. La production est artisanale.

Pâte mi-dure, pressée, non cuite

Ⴞ Bière locale, Ⴞ Champagne

CARACTÉRISTIQUES
ESSENTIELLES

◈ 11 cm de côté,
4 cm d'épaisseur
⚖ 300 à 500 g
◷ 45%
✔ Toute l'année
◻ 7 à 9 semaines

Croûte lavée humide, de couleur rouge orangé

 Artois

 Cru

LE FROMAGE FONDU

Le fromage fondu a été inventé vers 1908 par les Suisses, qui cherchaient un moyen d'écouler leurs excédents de fromage. En 1911 fut fabriqué le premier fromage fondu à l'Emmental, commercialisé par la société suisse Gerber. Au même moment avaient lieu des recherches similaires aux États-Unis. La première usine d'Europe destinée à la production en masse de fromage fondu fut ouverte en 1917 dans le Jura par les frères Graf. En 1921, Léon Bel déposa la marque « La Vache qui rit ». Un décret de 1953 précise ce que doit contenir un fromage fondu en termes de matières

BONJURA
Ce fromage fondu pour tartines présenté en boîte métallique, est produit deux fois par an spécialement pour l'armée française. Il se conserve longtemps et existe nature ou au jambon

grasses et matière sèche ; la loi inspirée de ce décret a été révisée en 1988.
Le fromage fondu n'a de fromage que le nom. Un ou plusieurs fromages vieillis sont chauffés et mélangés, puis pasteurisés à haute température (130 à 140 ℃), après adjonction d'autres produits laitiers : lait liquide ou en poudre, crème, beurre, caséine, petit-lait, ainsi que divers assaisonnements. Si le fromage fondu a l'avantage de se conserver longtemps, le goût des fromages mis en œuvre est modifié.
Certains fromages fondus sont fabriqués à partir de fromages du même type ; d'autres mélangent des produits de familles différentes. Les plus utilisés sont l'Emmental et le cantal, mais on y trouve aussi du Saint-Paulin (p. 186) ou du Roquefort (p. 178), qui permettent de varier le goût. Certains sont parfumés au poivre, aux fines herbes, au jambon, à l'oignon, aux champignons et même aux fruits de mer.

Glossaire

À POINT Se dit d'un fromage ayant atteint une parfaite maturité.

AFFINAGE Traitement et soins pour amener les fromages à leur juste maturation.

AFFINEUR Spécialiste de l'affinage des fromages.

ALPAGE Pâture d'altitude et, par extension, saison passée en montagne par les troupeaux et leurs gardiens, transhumance.

AOC Appellation d'origine contrôlée. Voir p. 77.

ARTISANAL Se dit d'un fromage fabriqué à la main.

BROSSAGE Au cours de l'affinage, les fromages sont parfois brossés.

BROUSSE Fromage à base de petit-lait ou de lait écrémé.

BURON En Auvergne, cabane de montagne où l'on prépare et stocke le fromage.

CAILLÉ Masse grumeleuse résultant de la précipitation des matières grasses et autres matières solides du lait, par fermentation naturelle ou emprésurage.

CASÉINE Principale protéine du lait, précipitée par l'adjonction de présure. Elle sert à la fabrication d'étiquettes comestibles incrustées dans les fromages.

CAUSSES Ensemble de plateaux calcaires du Massif central.

CAVE Local naturel ou artificiel où les fromages sont entreposés pendant l'affinage.

CENDRÉ Fromage saupoudré de cendre de sarments. Aujourd'hui, on utilise plutôt du charbon de bois pulvérisé mélangé à du sel.

CIRON Acarien du fromage.

COAGULATION Caillage du lait, généralement par adjonction de présure.

CROÛTE Partie externe du fromage, se formant au cours de l'affinage.

FAISSELLE Moule aux parois percées dans lequel le caillé s'égoutte et prend sa forme.

FERMIER Fromage fabriqué à la ferme.

FLEURIE Croûte couverte de moisissures blanches de certains fromages (camembert, brie).

FOURME Terme ancien désignant tout fromage, dérivé du mot forme.

FROMAGE BLANC Fromage frais, légèrement égoutté.

FROMAGE FORT Spécialité présentée le plus souvent en pot, à base de restes de fromages dissous dans l'alcool et assaisonnés d'herbes.

FROMAGE FRAIS Fromage salé mais non affiné.

FROMAGER 1 Fabricant de fromage. 2 Grossiste ou détaillant en fromage.

FROMAGERIE 1 Laiterie où a lieu la fabrication du fromage. 2 Magasin de fromages.

GAEC Abréviation de Groupement agricole pour l'exploitation en commun. Sorte de coopérative.

INDUSTRIEL Se dit d'un fromage fabriqué mécaniquement et à grande échelle dans une usine.

LACTIQUE Odeur de lait dégagée par le fromage.

MAÎTRE FROMAGER Fabricant ou revendeur expert dans sa branche. *La Guilde des fromagers* en recense moins de cent.

MARC Eau-de-vie à base de marc de raisin.

MATIÈRE SÈCHE Matières solides qui restent quand toute l'eau contenue dans le fromage s'est évaporée.

MOELLEUX Se dit d'un vin doux et velouté.

MOISISSURES Champignons microscopiques se développant à la surface ou dans la pâte des fromages. Certaines sont spontanées, d'autres introduites artificiellement.

MOLLE Pâte fermentée ni pressée, ni cuite

MORGE Saumure enrichie de copeaux de vieux fromages dont on frotte la surface de certains fromages (gruyère) pendant l'affinage.

PÂTE Matière qui se trouve sous la croûte d'un fromage.

PELLE À BRIE Sorte de pelle circulaire à bord chanfreiné utilisée pour manier les galettes de caillé.

PERSILLÉ Fromage bleu.

PETIT-LAIT Liquide résultant de l'égouttage du caillé.

PIE Race de vaches à robe bicolore.

PIGMENTÉ Piqué en sa surface de pigments colorés.

PRÉSURE Substance contenue dans la caillette des veaux et des chevreaux et provoquant la coagulation des matières solides du lait en vue de leur digestion. Le suc de certaines plantes possède les mêmes facultés.

ROCOU Teinture végétale orange extraite de l'enveloppe des graines du rocouyer, arbuste d'Amérique centrale. Elle sert à colorer certains fromages (Langres, mimolette) et quelques autres produits alimentaires.

SAUMURE Solution d'eau et de sel.

SONDE Sorte de gouge métallique servant à prélever un échantillon au cœur même du fromage afin d'en éprouver les qualités.

TENEUR EN MATIÈRES GRASSES Proportion de graisse contenue dans un fromage, généralement exprimée en pourcentage.

TERROIR Se rapporte aux saveurs communiquées par le sol.

TOME OU TOMME 1. Petit fromage de chèvre rond. 2. Nom générique de nombreux fromages à pâte pressée, de forme cylindrique.

TRANSHUMANCE Au printemps, déplacement des troupeaux de l'étable vers les pâtures d'été. Mouvement inverse en automne.

VDN Abréviation de vin doux naturel.

YEUX Trous dans le fromage de type Emmental.

Liste des collaborateurs

Les auteurs tiennent à remercier les producteurs et fromagers, grâce à qui cet ouvrage a pu être réalisé...

ABBAYE DE LA JOIE NOTRE-DAME, 56800 Campénéac.
Les religieuses de ce couvent fabriquent du chocolat ainsi que du fromage.

MME CAZAUX, 65250 La Barthe-de-Neste.
Dans une région réputée pour ses fromages au lait de vache, Mme Cazaux tient un stand au marché du matin.

PIERRE ANDROUËT
Héritier de la fromagerie Androuët, M. Androuët est l'auteur de plusieurs livres, dont : *Le Brie, Le Livre d'or du fromage* et *Le Guide du fromage.*

GILBERT CHEMIN
Crémerie du Couserans, 3, rue de la République, 09200 Saint-Girons.
En plus de sa boutique en ville, M. Chemin assure des tournées rurales.

ROLAND BARTHÉLÉMY
51, rue de Grenelle, 75007 Paris.
M. Barthélémy compte parmi les jeunes fromagers les plus doués. Fournisseur du palais de l'Élysée.

ÉDOUARD CENERI
La Ferme Savoyarde, 22, rue Meynadier, 06400 Cannes.
Fromager cannois, célèbre surtout pour son brie aux truffes.

J. BLANC
Crémerie des Halles, 64500 St-Jean-de-Luz.
Aidé de sa fille, M. Blanc tient un éventaire au marché de la ville.

BRIGITTE CORDIER ET FRANÇOISE FLEUTOT, 04230 Montlaux.
Ces deux fromagères ont réussi à ressusciter la tomme d'Arles, qui avait complètement disparu.

DANIEL BOUJON, 7, rue Saint-Sébastien, 74200 Thonon-les-Bains.
Fromager et fils de fromager, il a sauvé de la disparition le vacherin d'Abondance.

JACQUELINE ET JACQUES COULAUD, 24, rue Grenouillit, 43000 Le Puy.
Dans leur boutique située en centre ville, M. et Mme Coulaud proposent une large gamme de fromages régionaux.

XAVIER BOURGON, 6, place Victor-Hugo, 31000 Toulouse.
M. Bourgon est propriétaire de la fromagerie Xavier, véritable institution toulousaine. Ses produits sont très réputés.

M. ET MME CLAUDE DUPIN, 41, rue Gambetta, 64500 St-Jean-de-Luz.
Proche de la frontière espagnole, ce fromager propose une excellente sélection de fromages basques.

MICHEL BOURGUE, La Maison du Fromage, Les Halles Centrales, 84000 Avignon.
Ce fromager de la troisième génération vend une inoubliable Brousse du Rove.

HENRI GRILLET, Crémerie du Gravier, 22, cours Monthyon, 15000 Aurillac.
M. Grillet tient un magasin au pays du Saint-Nectaire, du Cantal et du Salers.

M. ET MME CANTIN, 12, rue du Champ-de-Mars, 75007 Paris.
Fromagère de la seconde génération, Marie-Anne Cantin a fondé de l'Association Respect Traditionnel Fromage Français.

M. ET MME JACQUES GUÉRIN, La Fromagerie, 18, rue Saint-Jean 79000 Niort.
Fromagers depuis 40 ans, on leur doit d'inoubliables chabichous et mothais.

Odette Jenny et Raymond Lecomte, 76 rue Saint-Louis-en-l'Île, 75004 Paris.
Ils pourraient être à la retraite, mais le magasin reste ouvert.

A. Penen et sa famille, Préchacq-Navarrenx, 64190 Navarrenx.
Dans leur ferme de Navarrenx, ces fromagers proposent un fromage unique.

M. et Mme Jean-Pierre Le Lous, Marché des Grands-Hommes, 33000 Bordeaux.
Ces fromagers se trouvent le matin au marché de Bordeaux.

Denis Provent, Laiterie des Halles, 2, place de Grève, 73000 Chambéry.
M. Provent, fromager de la troisième génération, parcourt à pied la montagne, allant de village en village.

Michel Lepage, Conseil-Assistance Fromagers, 3, les Prés Claux, 04700 Oraison.
M. Lepage fait revivre les fromages disparus, en faisant le tour des fermes.

Jacques Vernier, La Fromagerie Boursault, 71, avenue du Général-Leclerc, 75014 Paris.
Bien connu pour son excellent Beaufort et son bleu de termignon.

Gérard Loup et sa famille, Les Provins, 04700 Puimichel.
Préférant la vie de fromager à celle de citadin, M. Loup a quitté Paris pour s'installer à la campagne avec sa famille.

Henry Voy, La Ferme Saint-Hubert 21, rue Vignon, 75008 Paris.
M. Voy dans son restaurant qui jouxte son magasin se spécialise dans les plats au fromage.

M. et Mme Marius Manetti, Col de San-Bastiano, 20111 Calcatoggio.
M. Manetti est membre de la Chambre d'agriculture de Corse du Sud.

François Durand, La Héronnière, 61120 Camembert.
M. Durand, fromager et fils de fromager, est l'un des deux seuls producteurs de camembert fermier qui subsistent.

Alain Martinet, Halle de Lyon, 102, cours Lafayette, 69003 Lyon.
Ce jeune fromager tient un éventaire au marché de Lyon, où l'on peut y rencontrer MM. Ricard et Maréchal, fromagers.

Jean-Pierre Moreau, Élevage Caprin de Bellevue, 41400 Pontlevoy.
M. Moreau est spécialiste du fromage de chèvre. Son Selles-sur-Cher est excellent.

Philippe Olivier, 43-45, rue Thiers, 62200 Boulogne-sur-Mer.
M. Olivier est l'un des meilleurs jeunes fromagers de France. Il donne sa préférence à « l'affinage court ».

Margot et Jean-Martin Kempf, 155, ferme du Saesserlé, 68380 Breitenbach.
Les Kempf fabriquent et vendent un Munster très apprécié, mûri dans leur cave.

B. **Antony,** 17, rue de la Montagne, 68480 Vieux Ferrette.
R. **Bousquet,** Halles Centrales, 11000 Carcassonne.
Le **Cagibi,** 17, allée d'Étigny, 31110 Luchon.
Maréchal, Halle de Lyon, 102, cours Lafayette, 69003 Lyon.
E. **Millat,** Halle Brauhauban, 65000 Tarbes.

G. **Paul,** 9, rue des Marseillais, 13100 Aix-en-Provence.
Renée et René Richard, Halles de Lyon, 102, cours Lafayette, 69003 Lyon.
Batut, 22, rue Vieille-du-Temple, 75004 Paris.
Le **Calendos,** 11, rue Colbert, 37000 Tours.
Fromageries Bel, 4, rue d'Anjou, 75008 Paris.

Liste des producteurs, magasins et marchés

La liste suivante, qui regroupe les producteurs, magasins et marchés visités, complète l'index des pages 236 à 239.

Dans l'index, le nom de chaque fromage est suivi, en plus d'un numéro de page, d'un numéro entre parenthèses. Celui-ci renvoie à la liste ci-dessous, indiquant où le fromage a été acheté.

Cette liste est classée par régions (voir carte pp. 16-17) et peut également servir de guide d'achat regroupant de bonnes adresses dans toute la France.

ALSACE
1. Margot and Jean-Martin Kempf, 155 Ferme du Saesserlé, 68380 **Breitenbach.**

AQUITAINE
2. A.–M. Garat, Halles de Biarritz, 64200 **Biarritz.**

3. Jean-Pierre Le Lous, Marché des Grands-Hommes, 33000 **Bordeaux.**

4. Daniel Casau, 6 rue de Bordeu, 64260 **Izeste.**

5. Etablissement Canonge, 64440 **Laruns.**

6. A. Penen, Préchacq-Navarrenx, 64190 **Navarrenx.**

7. Chez Roger, Halles de Pau, 64000 **Pau.**

8. J. Blanc, Crémerie des Halles, 64500 **Saint-Jean-de-Luz.**

9. Claude Dupin, 41 rue Gambetta, 64500 **Saint-Jean-de-Luz.**

AUVERGNE
10. Henri Grillet, Crémerie du Gravier, 22, Cours Monthyon, 15000 **Aurillac.**

11. Fromageries Morin, Bvd Pavatou, 15000 **Aurillac.**

12. La Maison du Bon Fromage, Marché Saint-Pierre, 63000 **Clermont-Ferrand.**

13. Marché d'**Egliseneuve d'Entraigues.**

14. Jacques Coulaud, 24 rue Grenouillit, 43000 **Le Puy.**

15. G.A.E.C. Louvradou, Margorce, 15140 **Saint-Rémy-de-Salers.**

BOURGOGNE
16. Tast Fromages, 23 rue Carnot, 21200 **Beaune.**

17. Marché de **Dijon.**

CENTRE
18. Halles Châtelet, 45000 **Orléans.**

19. Elevage Caprin de Bellevue, 41400 **Pontlevoy.**

20. Marché de **Sainte-Maure.**

21. Le Calendos, 11 rue Colbert, 37000 **Tours.**

CORSE
22. Marché d'**Ajaccio.**

23. Marché de **Bastia.**

24. Super Viva, 20224 **Calacuccia.**

25. Marius Manenti, Col de San Bastiano, 20111 **Calcatoggio.**

26. Auberge Chez Jacqueline, Pont-de-Castirla, **Corte.**

27. Domaine de Porette, 20250 **Corte.**

28. Coopérative A Pecurella, Route d'Afa, Appietto, 20167 **Mezavia.**

29. Paul Cianfarani, 20190 **Sainte-Marie-Sicché.**

30. Supermarché Tomy, **Sartène.**

ÎLE-DE-FRANCE ET PARIS
31. Ferme Jehan de Brie, 15 Place du Marché, 77120 **Coulommiers.**

32. Ganot, Marché de **Meaux.**

33. Jacky Boussion, 8 rue Carnot, 77000 **Melun.**

34. Alleosse, 13 rue Poncelet, 75017 **Paris.**

35. Androuët, 41 rue d'Amsterdam, 75008 **Paris.**

36. Restaurant Ambassade d'Auvergne, 22 rue du Grenier Saint-Lazare, 75003 **Paris.**

37. Roland Barthélemy, 51 rue de Grenelle, 75007 **Paris.**

38. Batut, 22 rue Vieille-du-Temple, 75004 **Paris.**

39. Gisèle Cantin, 2 rue de Lourmel, 75015 **Paris.**

40. Marie-Anne Cantin, 12 rue du Champ-de-Mars, 75007 **Paris.**

41. Jean Carmès et fils, 24 rue de Lévis, 75017 **Paris.**

42. A. Dubois, 79 rue de Courcelles, 75017 **Paris.**

43. La Ferme Saint-Aubin, 76 rue Saint-Louis-en-l'Ile, 75004 **Paris.**

44. Fromagerie de Montmartre, 9 rue du Poteau, 75018 **Paris.**

45. Lecomte,
76 rue Saint-Louis-en-l'Île,
75004 **Paris.**

46. La Maison du Bon Fromage,
35 rue du Marché Saint-Honoré,
75001 **Paris.**

47. Jacques Vernier,
La Fromagerie Boursault,
71 avenue du Général Leclerc,
75014 **Paris.**

48. Henry Voy,
La Ferme Saint-Hubert,
21 rue Vignon, 75008 **Paris.**

49. La Ferme (magasin),
Société Brie le Provins (fabricant),
77160 **Provins.**

50 Société fromagère de la Brie,
19 Avenue du Grand Morin,
77169 **Saint-Siméon.**

LANGUEDOC-ROUSSILLON
51. R. Bousquet,
Halles Centrales,
11000 **Carcassonne.**

52. Fromagerie du Buron,
Le Polygone, Niveau Bas,
Montpellier.

LORRAINE
53. Marché d'**Épinal**.

54. Ferme Marchal,
La Chapelle des Vés,
88160 **Le Thillot.**

MIDI-PYRÉNÉES
55. Marché de Bagnères-de-Bigorre,
65200 **Bagnères-de-Bigorre.**

56. Le Cagibi,
17 allée d'Etigny, 31110 **Luchon.**

57. G.A.E.C. de Poubeau,
31110 **Luchon.**

58. Fromagerie à Millau,
Millau.

59. Marché de Mirande,
32300 **Mirande.**

60. Marché de Montesquieu-Volvestre,
31310 **Montesquieu-Volvestre.**

61. Marché de Montréjeau,
31210 **Montréjeau.**

62. Fête des Fromages,
46500 **Rocamadour.**

63. Gabriel Coulet,
Le Papillon, Société des Caves,
12250 **Roquefort-sur-Soulzon.**

64. Cap del Mail,
Cierp-Gaud,
31440 **Saint-Béat.**

65. Gilbert Chemin,
Crémerie du Couserans,
3 rue de la République,
09200 **Saint-Girons.**

66. E. Millat,
Halle Brauhauban,
65000 **Tarbes.**

67. Xavier Bourgon,
6 Place Victor-Hugo,
31000 **Toulouse.**

NORD-PAS-DE-CALAIS
68. Marché d'**Arras**.

69. Philippe Olivier,
43-45 rue Thiers,
62200 **Boulogne-sur-Mer.**

70. Cave de l'Abbaye de Maroilles,
59550 **Maroilles.**

NORMANDIE (HAUTE-)
71. Marché de Rouen,
76000 **Rouen**.

POITOU-CHARENTES
72. Jacques Guérin,
La Fromagerie,
19 rue Saint-Jean,
79000 **Niort.**

PROVENCE-ALPES-CÔTE-D'AZUR
73. Gérard Paul,
9 rue des Marseillais,
13100 **Aix-en-Provence.**

74. Restaurant de Puyfond,
Lieu-dit-Rigoulon,
13100 **Aix-en-Provence.**

75. Michel Bourgue,
La Maison du Fromage,
Halles Centrales,
84000 **Avignon.**

76. Halles Centrales, **Avignon**.

77. Fromagerie Ranc,
40 rue Bonneterie,
84000 **Avignon.**

78. Édouard Ceneri,
La Ferme Savoyarde,
22 rue Meynadier,
06400 **Cannes.**

79. Le Fromagerie,
5 rue de l'Oratoire,
06130 **Grasse.**

80. Laiterie du Col Bayard,
Laye,
05500 **St-Bonnet-en-Champsaur.**

81. Bataille,
18 rue Fontange,
13006 **Marseille.**

82. Brigitte Cordier
& Françoise Fleutot,
04230 **Montlaux.**

83. Gérard Loup,
Les Provins,
04700 **Puimichel.**

RHÔNE-ALPES
84. Raymond Gagneux,
Sur le Cret, Richebourg,
74360 **Abondance.**

85. Denis Provent,
Laiterie des Halles,
2 Place de Genève,
73000 **Chambéry.**

86. Maréchal,
Halle de Lyon,
102 Cours Lafayette,
69003 **Lyon.**

87. Alain Martinet,
Halles de Lyon,
102 Cours Lafayette,
69003 **Lyon.**

88. Renée et René Richard,
Halles de Lyon,
102 Cours Lafayette,
69003 **Lyon.**

89. Daniel Boujon,
7 rue Saint-Sébastien,
74200 **Thonon-les-Bains.**

Index

Bibliographie

Androuët Pierre, *Guide du Fromage*, Stock, Paris, 1971

Androuët Pierre, *Le Livre d'or du fromage*, Atlas, Paris 1984

Androuët Pierre et Chabot Yves, *Le Brie*, Presses du Village, Étrepillat, 1985

Annuaire des Industries laitières, Comindus, Paris, 1991

Bon Colette, *Les Fromages*, Hachette, Paris, 1979

Cart-Tanneur Philippe, *Fromages et vins de France*, Trame Way, Paris, 1989

Charron G., *Les Productions laitières*

Chast Michel et Voy Henry, *Le Livre de l'amateur de fromages*, Robert Laffont, Paris, 1984

Courtine Robert J., *Le Grand livre de la France à table*, Bordas, Paris, 1982

Courtine Robert J., *Larousse des fromages*, Librairie Larousse, Paris, 1987

Eck André, *Fromages*, Technique et Documentation (Lavoisier), Paris, 1987

Evette Jean-Luc, *La Fromagerie*, Presses Universitaires de France, Paris, 1975

Foubert Jean-Marie, *Guide de la route du fromage*, Charles Corlet, Condé-sur-Noireu, 1987

Girard Sylvie, *Fromages*, Éditions Hermé, Paris, 1986

Le Jaouen Jean-Claude, *La Fabrication du fromage de chèvre fermier*, Itovic, Paris, 1982

Le Liboux Jean-Luc, *Nouveau Guide des fromages de France*, Ouest-France, Rennes, 1984

Montagné Prosper et Gottschalk Dr, *Larousse gastronomique*, Librairie Larousse, Paris, 1938

Roc Jean-Claude, *Le Buron de la croix blanche*, Éditions Watel, Brioude, 1989

Viard Henry, *Fromages de France*, Dargaud, Paris, 1980

Remerciements

Les auteurs tiennent à remercier les personnes suivantes pour l'aide qu'elles leur ont apportée pendant la préparation de ce livre :

Snow Brand Milk Products Co. Ltd.
Chesco Ltd.
Cheese & Wine Academy, Tokyo
Maison du fromage, Valençay
Fermier S. A.
SOPEXA, Japon
Katsunori Kobayashi ; Yohko Namioka;
Katsushi Kitamura
Syndicat des fromages d'appellation d'origine
Institut national des appellations d'origine
Association nationale des appellations d'origine laitières françaises
Association marque collective Savoie
INRA (Corte) E. Casalta / INRA (Aurillac)
Chambre d'agriculture
Société fromagère de la Brie
Société des caves et des producteurs réunis de Roquefort
INSEE / SOPEXA

Centre interprofessionnel de documentation et d'information laitières
Coopérative « A Pecurella »
A. Franchesci, A. Vinciguerra, J.-E. La-Noir, Crédit Agricole, Corse
T. Basset, Paris / D. Pin, Rungis
Colette et Catherine Faller, Domaine Weinbach
G.A.E.C. Louvradou, Margorce, 15140 Saint-Rémy-de-Salers
Fromageries Manhés, bd Pavatou, 15000 Aurillac
Batut, 22, rue Vieille-du-Temple, 75004 Paris
François Durand, La Héronnière, 61120 Camembert (pp. 64–65)
Coopérative de Lullin, 74470 Bellevaux (pp. 21, 195).

Remerciements tout particuliers à :
Kikuko Inoue, Takayoshi Nakasone, Kozue Tarumi et Reiko Mori.

PAGE*One* souhaite remercier :
Matthew Cook pour son aide à la création artistique
Neil Kelly pour son aide à la PAO